作って
使える

大人かわいい

かんたん
実用おりがみ

新版

石川 眞理子 著

メイツ出版

もくじ

※本書は2018年発行の『大人かわいいかんたん実用おりがみ　作って使える』を「新版」として発行するにあたり、内容を確認し一部必要な修正を行ったものです。

Chapter 1
毎日が楽しい 普段使いの雑貨小物

Chapter 2
料理や食事が楽しくなる！ テーブル&キッチン小物

Chapter 3
気持ちを一緒に届けたいときに！簡単ラッピング折り

Chapter 4
和モノ雑貨の折り紙

Chapter 5
飾って楽しむ季節の折り手紙

はじめに

日常のシーンで
すぐにつかえる実用折り紙

折り紙の魅力は、なんといっても紙１枚あれば作品ができることです。安くて手に入りやすいので、いつでもどこでも手軽に始められ、色もきれいで柄も豊富なので作品に合わせて選んだりするのも楽しいです。同じものを折っても、配色や折り方で自分だけのオリジナル作品ができます。
手順どおりていねいに折れば失敗が少ないので達成感もあり、ストレス発散にもなります。

本誌では、日常のシーンで実際に使える「あったらすてきだな」「便利だな」と思えるものばかりをご紹介しています。
ちょっとしたギフトとして、お祝いやお礼、お見舞いにさりげなく添えたりするのもオススメです。プレゼントに折り紙をひとつ添えると、気持ちも伝わりやすくなりますし、また、家族やお友達とのコミュニケーションツールや海外へのお土産としても役に立ちます。すべてとても簡単で、折ったらすぐに使っていただけます。

ぜひ、折り紙を日常にとりいれて彩りのある毎日にしてください。

石川眞理子

作って使える　暮らしを彩る すてきな　大人の折り紙の折り方を ご紹介しています

この本で使う折り紙

- 一般的な 15 × 15cm、7.5 × 7.5cmのものを使用しています。
- ただし、作品によっては一般的な折り紙ではないもので折っているものもあります。それぞれのページに掲載されている大きさを参照ください。
- 紹介している大きさはあくまでも参考なので、お好みでいろいろな大きさでチャンレジしてください。

作り方

- 本書は、誰でも楽しんでいただけるうように手順に沿って折り方をご紹介しています。
- とくにご紹介したい部分は point にしてありますので、どうぞご覧ください。

折り方の記号

- P8 ～ 10 に、作品すべてに共通する折り方を掲載していますので、折る前にかならず読んでください。

レベル

折り紙の難易度を
かんたん　★☆☆
ふつう　★★☆
むずかしい　★★★
と３段階に分けて表示しています。

紙のサイズ

作り方で使用している紙の大きさです。

仕上がりのサイズ

できあがった作品の大きさです。

章の名前

５つの章ごとに色をわけ、作品名を記しています。

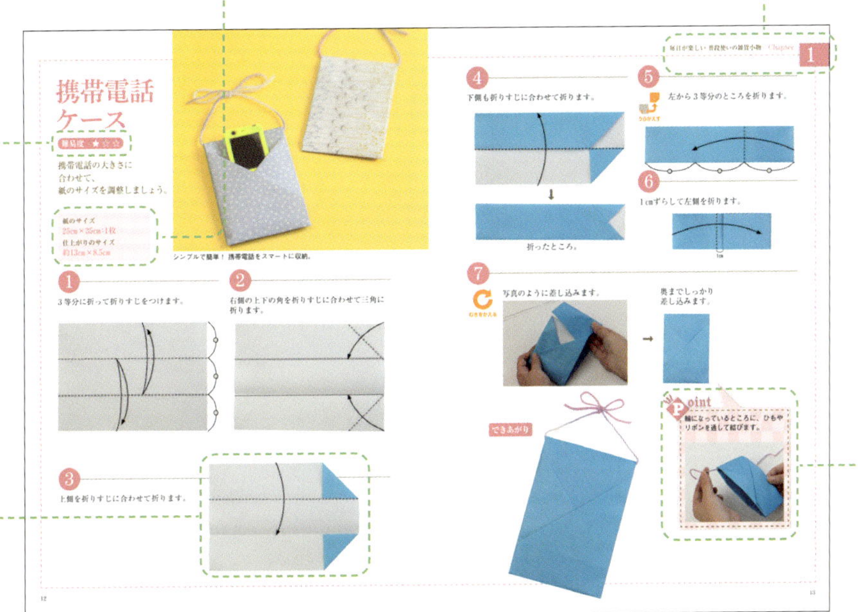

折り図写真

折り方の手順がわかりやすいように、次の段階の写真を折りもどしたものを使用しています。

point！

作品をさらにかわいく仕上げるコツやアレンジ方法を紹介しています。

折る前に覚えておきましょう

この本で使っている折り方の記号を紹介します。
折りはじめる前にしっかり読んでおきましょう。

谷折り

折りすじが内側になるように折ります。

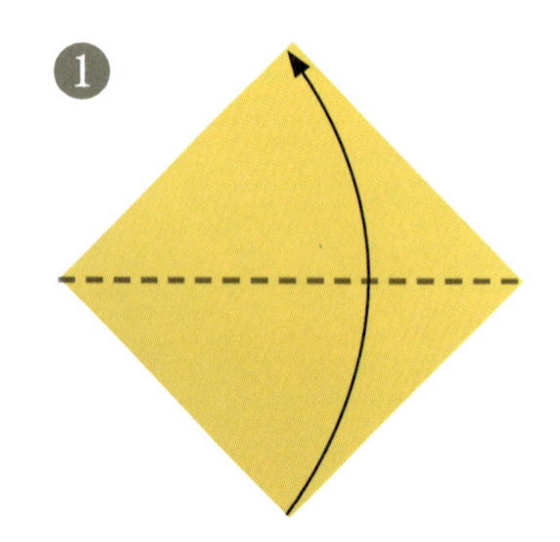

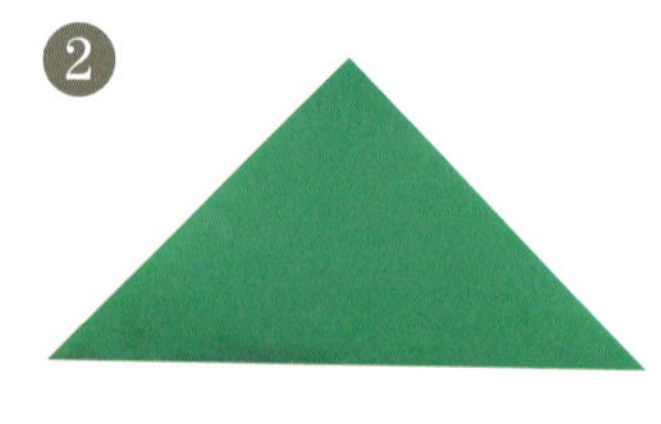

山折り

折りすじが外側になるようにうしろに折ります。

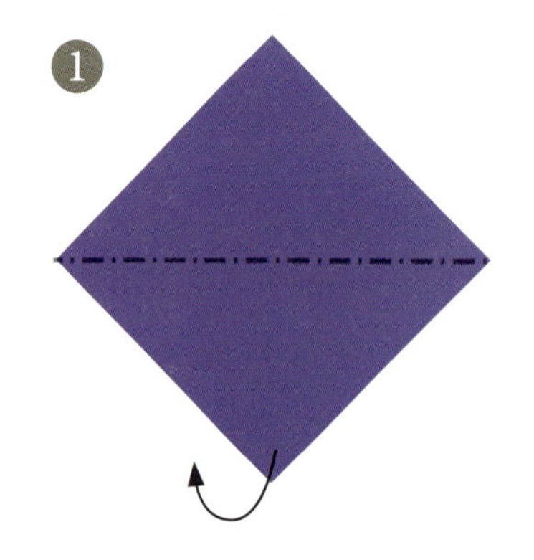

折りすじ(折り線)をつける

一度折り線のとおりに折ってからもどします。

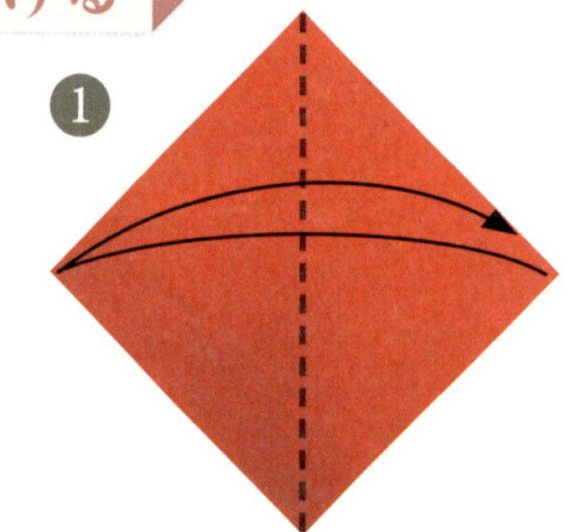

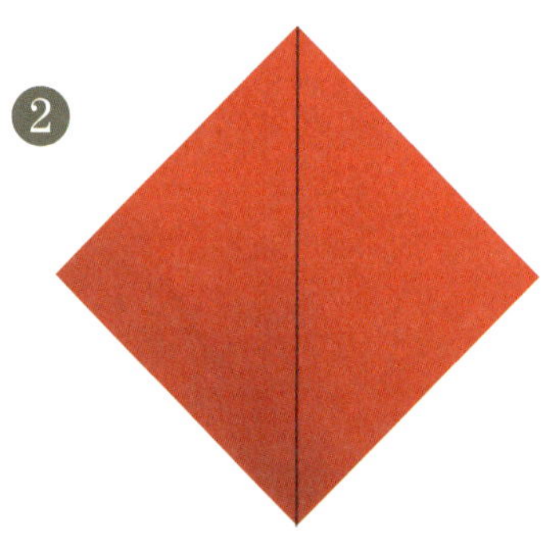

うらがえす

上下の位置は変えず、おりがみを左右にうらがえします。

むきをかえる

おりがみのむきをかえます。

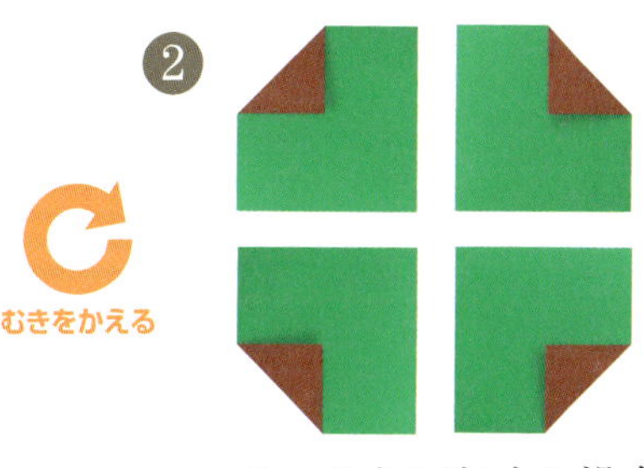

いろいろと回転する場合があります。

広げる

矢印のところに、指を入れて、おりがみを広げて折ります。

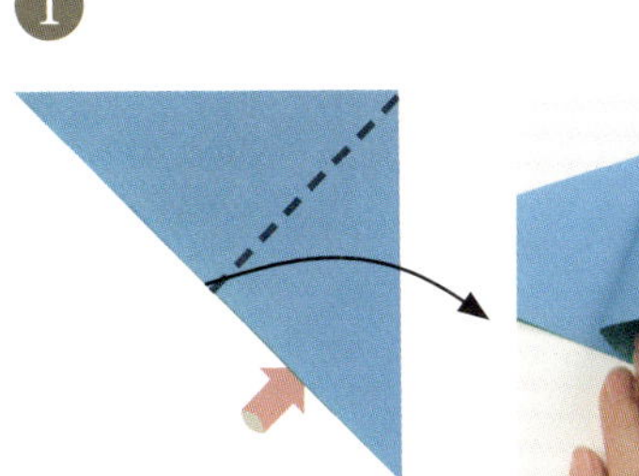

段折り

谷折りと山折りを交互にして段にします。

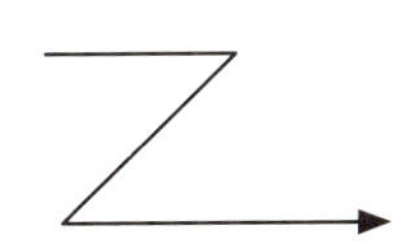

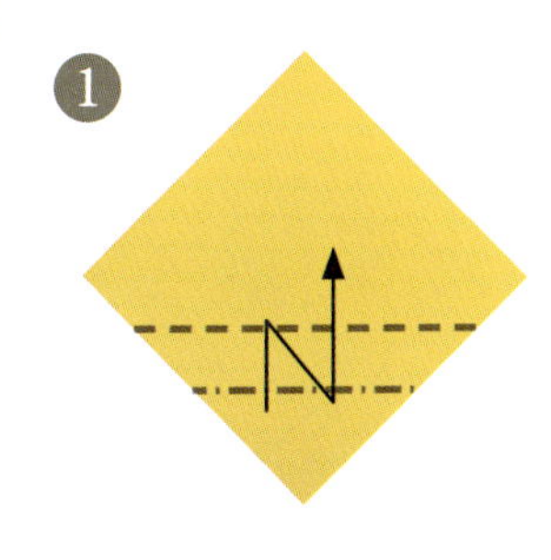

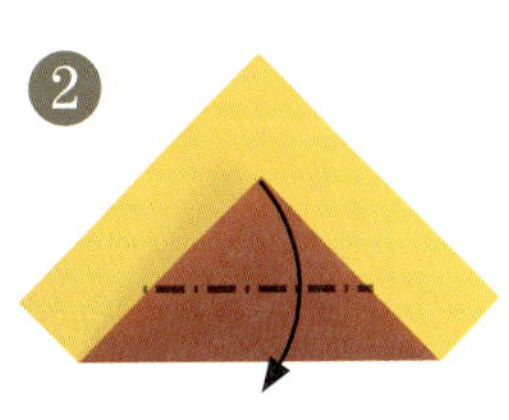

巻くように折る

谷折りをくりかえして、内側に巻くように折ります。

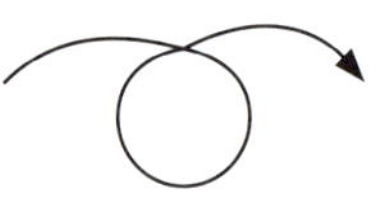

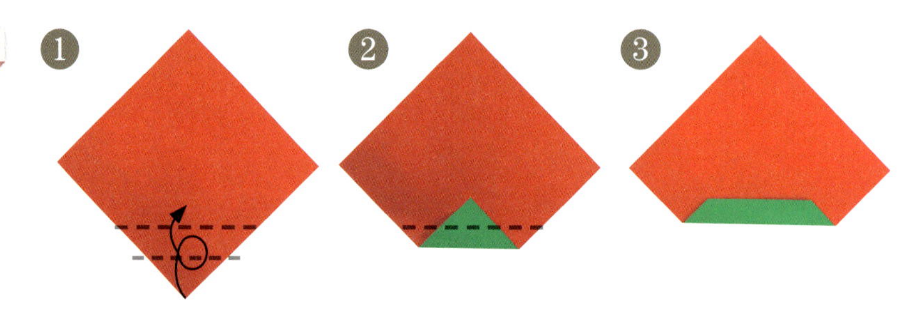

差し込む

☆を★の中に差し込みます。

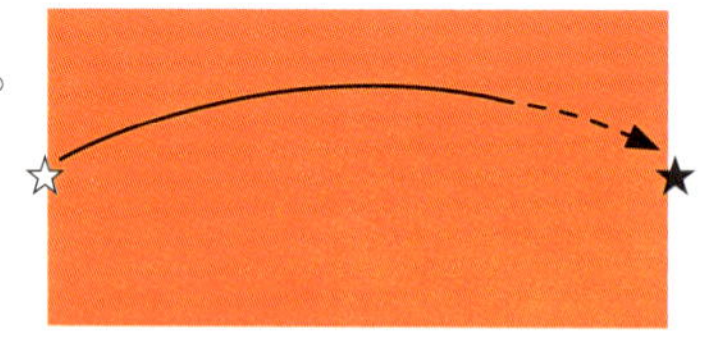

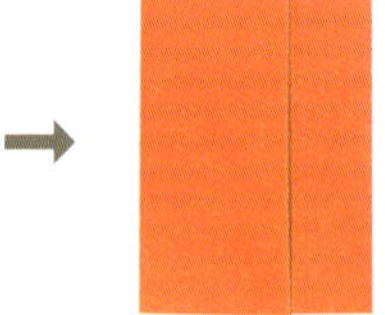

同じ幅に折る

辺を同じ幅に折ります。

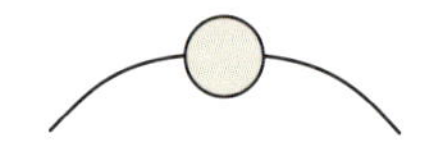

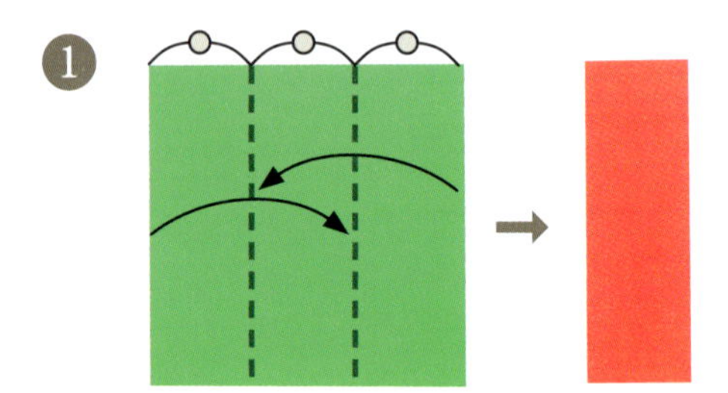

○に合わせて折る

辺や角を○に合わせて折ります。

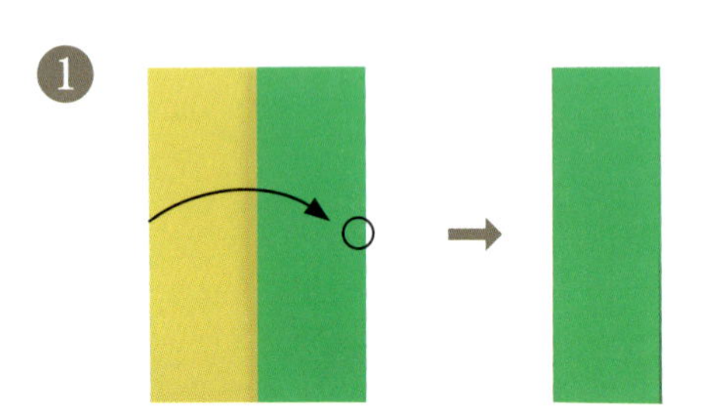

はさみで切り込む・切る

線がひいてあるところを切ります。

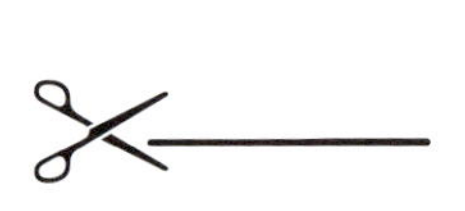

Chapter 1

毎日が楽しい普段使いの雑貨小物

めがねケースやアクセサリーケース、
ハガキ入れやブックマーカーなど、
普段使いの雑貨を
折り紙で折ったら意外に便利！
ぬれたり汚れたりしても、
また折れば新しい気分になります。

携帯電話ケース

難易度 ★☆☆

携帯電話の大きさに
合わせて、
紙のサイズを調整しましょう。

紙のサイズ
25cm×35cm：1枚
仕上がりのサイズ
約13cm×8.5cm

シンプルで簡単！ 携帯電話をスマートに収納。

1

3等分に折って折りすじをつけます。

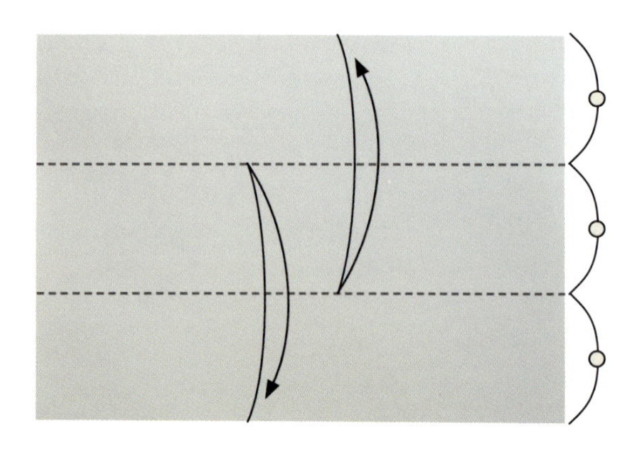

2

右側の上下の角を折りすじに合わせて三角に折ります。

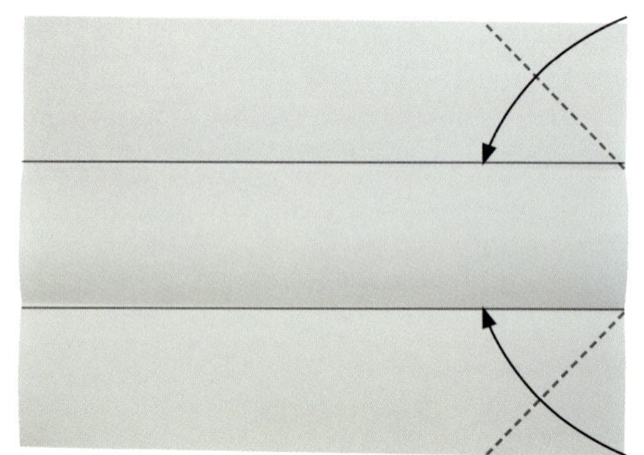

3

上側を折りすじに合わせて折ります。

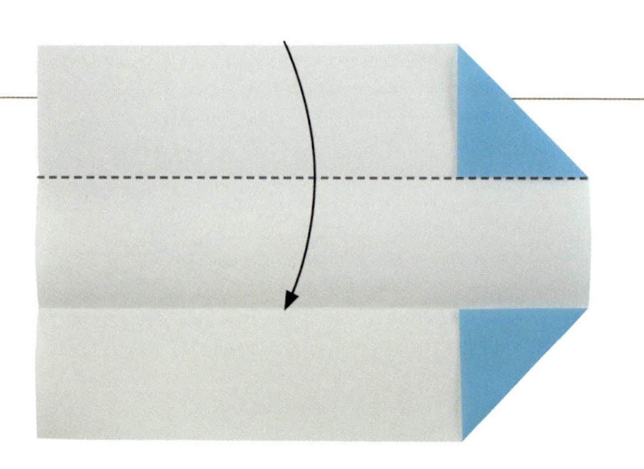

4

下側も折りすじに合わせて折ります。

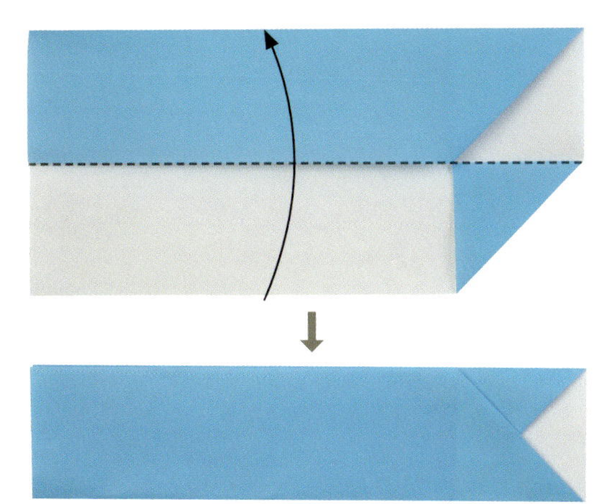

折ったところ。

5

左から3等分のところを折ります。

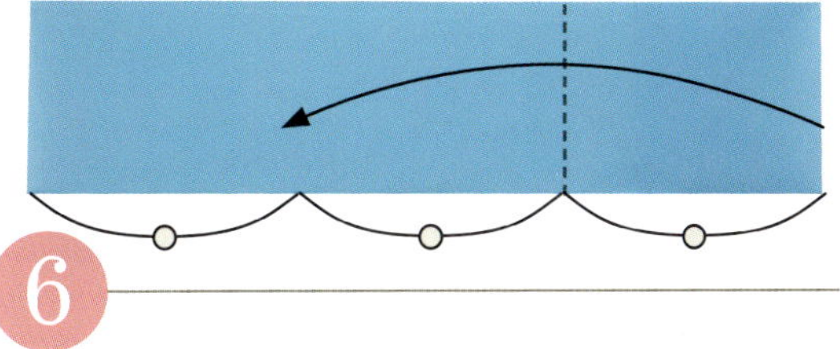

6

1cmずらして左側を折ります。

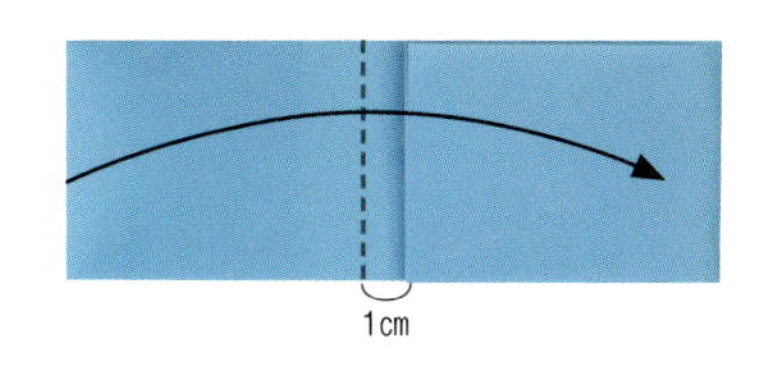

7

写真のように差し込みます。

奥までしっかり
差し込みます。

できあがり

Point

輪になっているところに、ひもや
リボンを通して結びます。

小銭入れ

難易度 ★☆☆

包み込むように
折るのが特徴。
耳をつけて
動物の顔にしたら
ユニークな小銭入れに。

紙のサイズ
15cm×15cm:1枚
仕上がりのサイズ
約4cm×5cm

お借りした小銭も、こんなふうに折り紙に入れてお返ししたら喜ばれそう。

1

下から1cmのところを折ります。

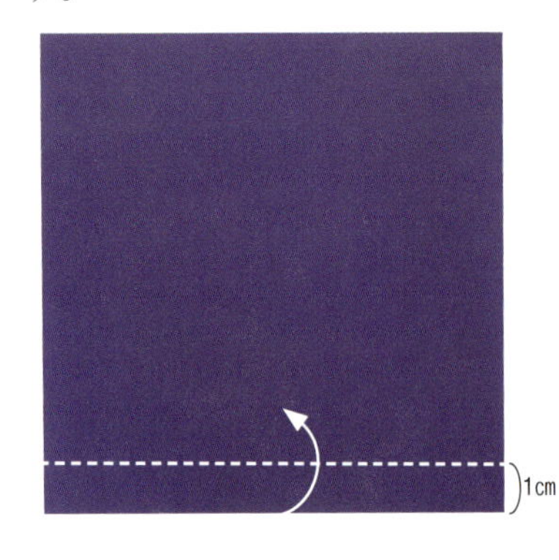

2

さらに1cm折ります。

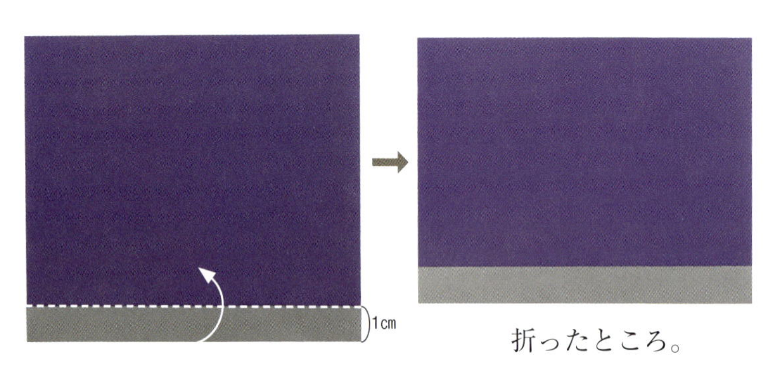

折ったところ。

3

左側を3等分より5mmほど長めに折ります。

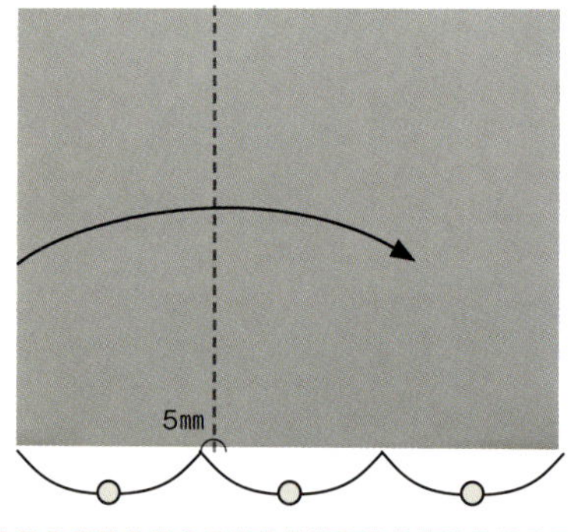

4

折った部分に合わせて折りすじをつけます。

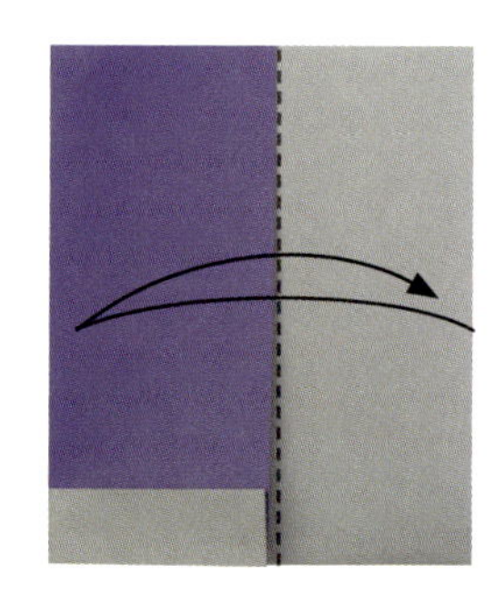

☆を★の部分に差し込みます。

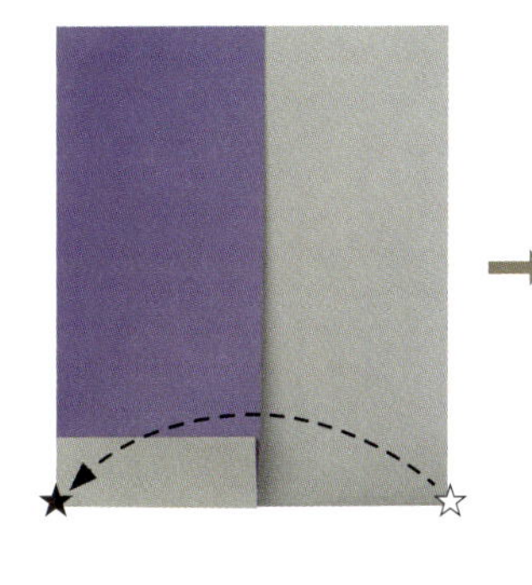

こんな感じです。

3等分より少し長めに下を折ります。

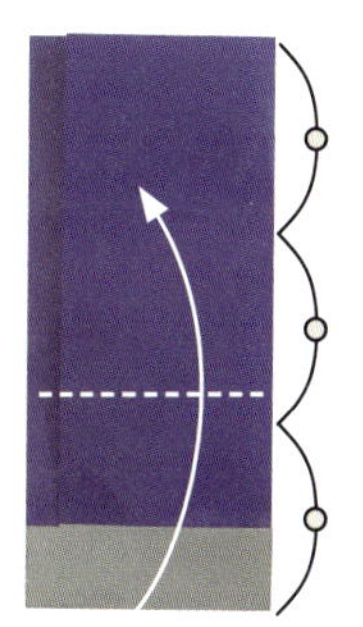

角を折ります。

上側を折ります。

内側にさしこむように折る。

Point

2カ所はさみで切り込みを入れて立て、顔を描くとネコになります。

10

さしこんでいるところ。

できあがり

ペンケース&ペンキャップ

難易度 ★★☆

見た目も愛らしい、
折り紙ならではの形。

紙のサイズ
30cm×22cm:1枚(ペンケース)
15cm×7.5cm:1枚(ペンキャップ)
仕上がりのサイズ
約19cm×5.5cm×2.5cm(ペンケース)
約2.5cm×8cm(ペンキャップ)

鉛筆型キャップは子どもたちにも大人気の折り方です。

ペンケース

1

半分に折って折りすじをつけます。

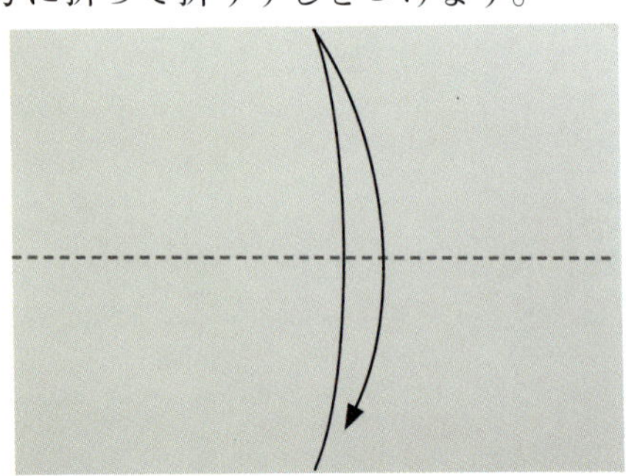

2

まん中に合わせて折ります。

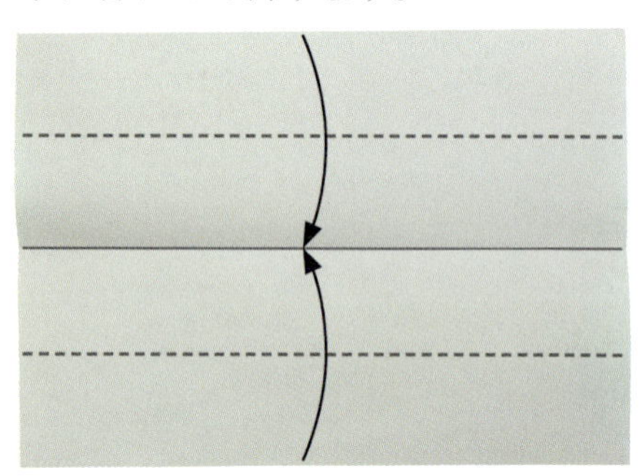

3

さらにまん中に合わせて折ります。

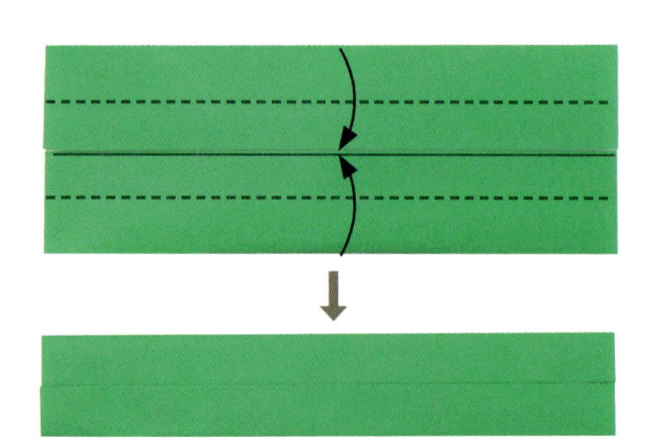

折ったところ。

4

全部開き、折りすじに合わせて2回巻くように折ります。

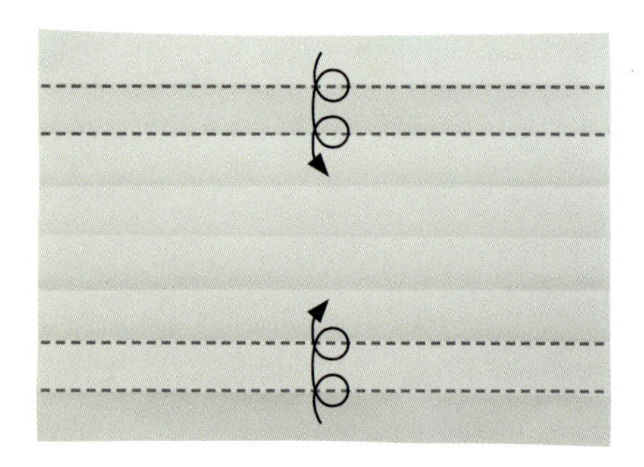

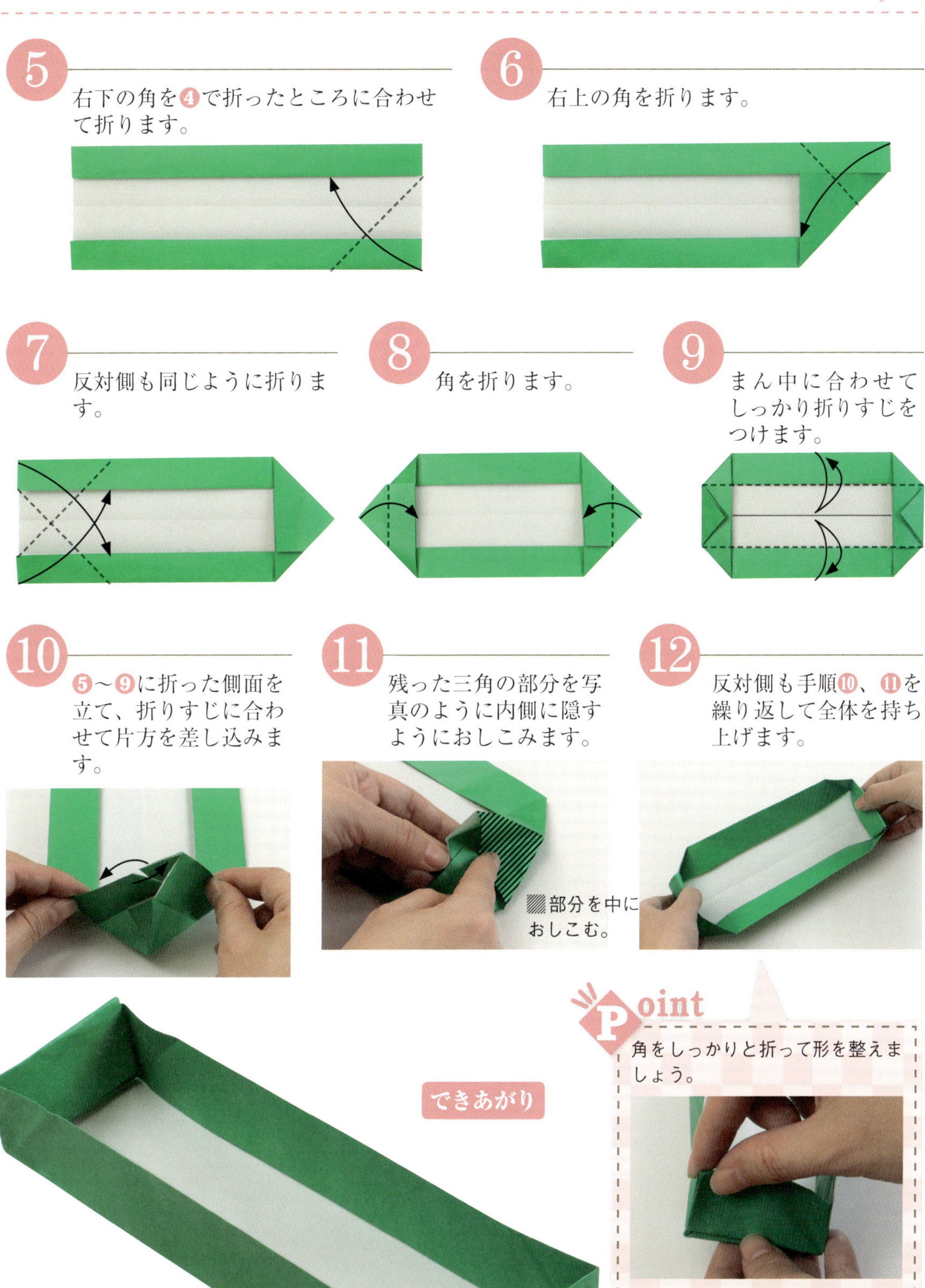

5 右下の角を❹で折ったところに合わせて折ります。

6 右上の角を折ります。

7 反対側も同じように折ります。

8 角を折ります。

9 まん中に合わせてしっかり折りすじをつけます。

10 ❺〜❾に折った側面を立て、折りすじに合わせて片方を差し込みます。

11 残った三角の部分を写真のように内側に隠すようにおしこみます。

▨部分を中におしこむ。

12 反対側も手順❿、⓫を繰り返して全体を持ち上げます。

できあがり

Point 角をしっかりと折って形を整えましょう。

Point 底に長方形に切った色の違う紙を入れると丈夫になります。

Point ⓫で三角を内側にかくすとこんな形になります。

ペンキャップ

1

半分に切ります。１枚だけ使います。

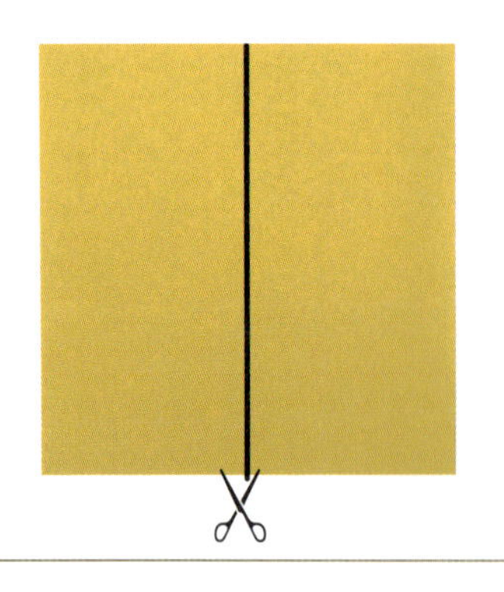

2

上の辺を１㎝ほど折ります。

3

下の辺をギザギザに切ります。

4

1.5㎝あけて折ります。

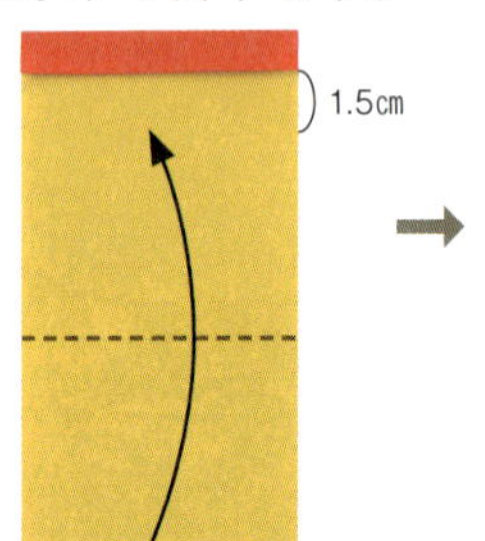

折ったところ。

5

うらがえす

まん中に合わせて角を折ります。

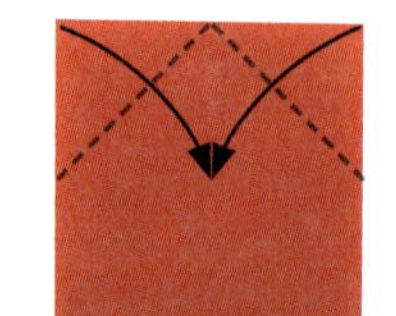

6

左から３等分のところを折ります。

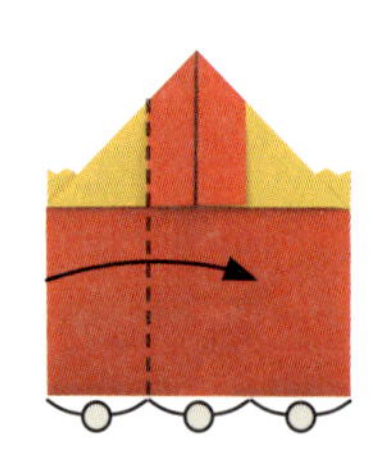

7

右側は折りすじをつけます。

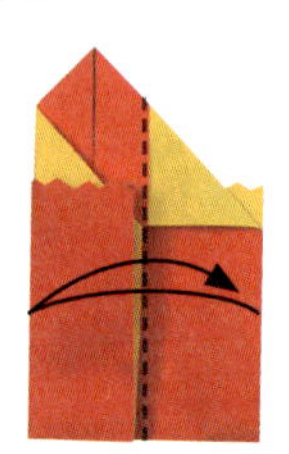

8

☆を★の部分に差し込みます。

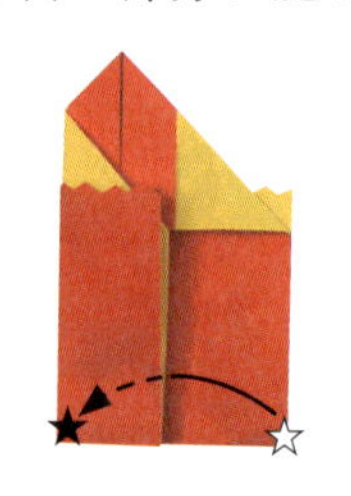

差し込むところ。

9

まん中に合わせて角を折ります。

折ったところ。

できあがり

Point

両面に色がある折り紙で折るととてもカラフルです。

薬ケース

難易度 ★☆☆

三角形の先端で支える
モダンな形。
伝承アレンジの
アイデアケースです。

紙のサイズ
15cm×15cm:1枚
仕上がりのサイズ
約7.5cm×7.5cm×5cm

ボタンやスナップなどちっちゃな物を入れておくのにとっても便利。

1

縦、横半分に折りすじをつけます。

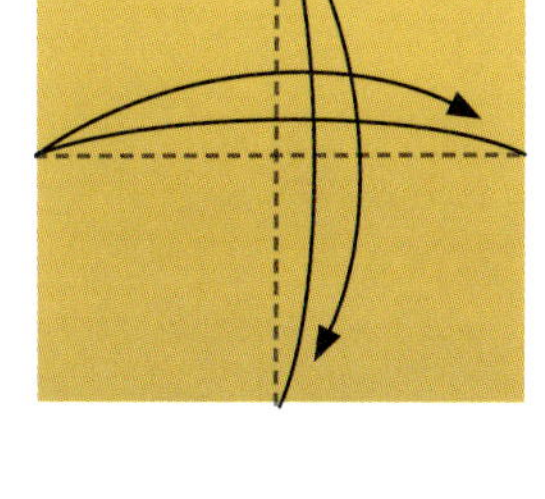

2

4つの角がまん中にくるように折ります。

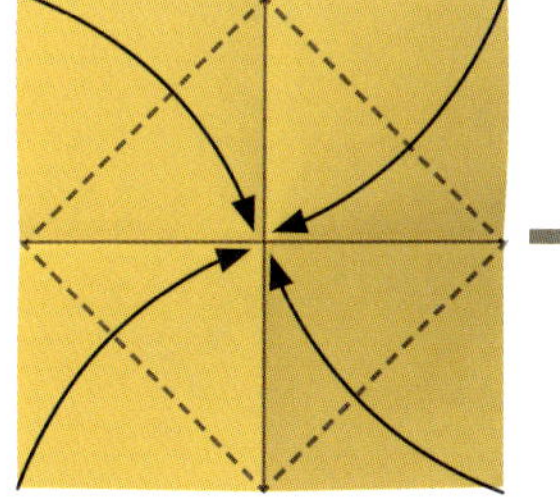

折ったところ。

3

さらに4つの角がまん中にくるように折ります。

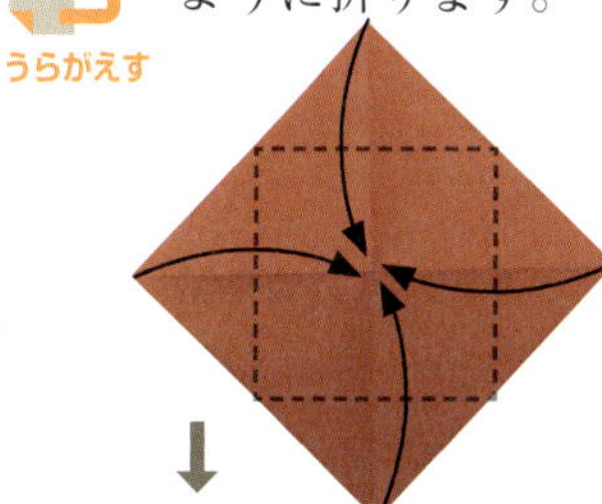

折ったところ。

4

まん中から外側に広げ、内側に空間をつくります。

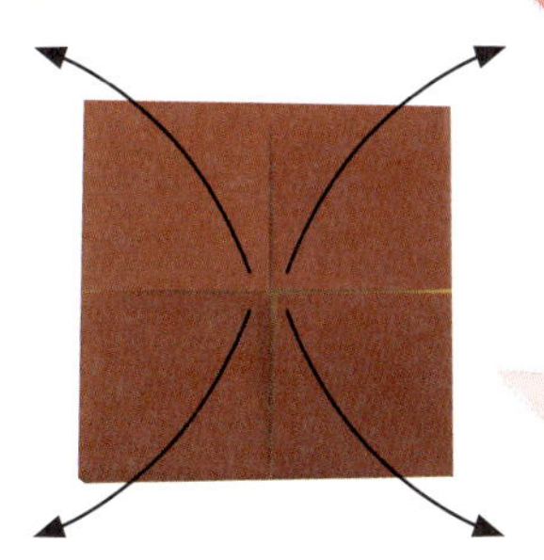

Point

十字に軽く折ってから戻し、指を4本各場所に入れ、つまむように広げるとやりやすいです。

できあがり

アクセサリー入れ

難易度 ★★☆

花びら風の部分を
めくるのがポイント。
裏表、色や柄の違う
折り紙でカラフルに。

リングやネックレスなど、アイテム別に分けて入れてもいいですね。

紙のサイズ
15cm×15cm:1枚
仕上がりのサイズ
約7cm×7cm×3.5cm

Point

厚い紙でつくると途中で破れてしまうかも。なるべく薄めの紙を使うときれいに仕上がります。コーティングされた紙や薄い和紙などがおすすめです。

1

縦、横半分に折りすじをつけます。

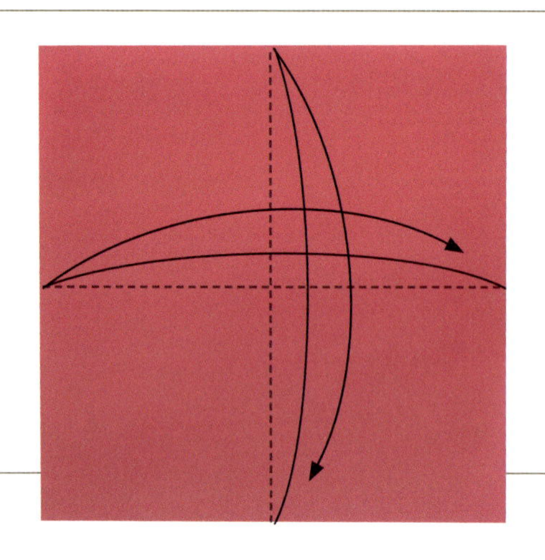

2

折りすじに合わせ、4つの角がまん中にくるように折ります。

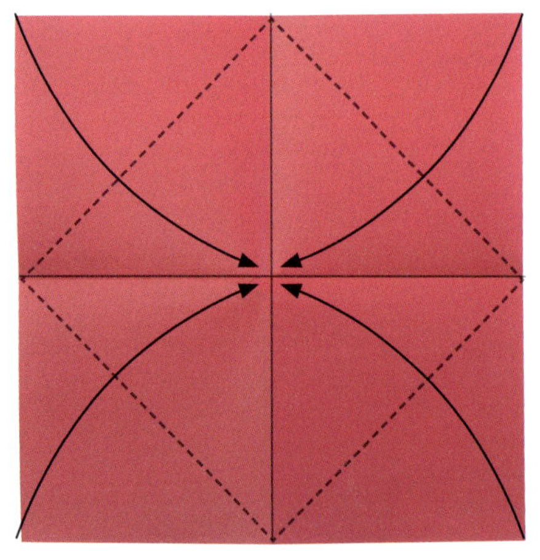

折ったところ。

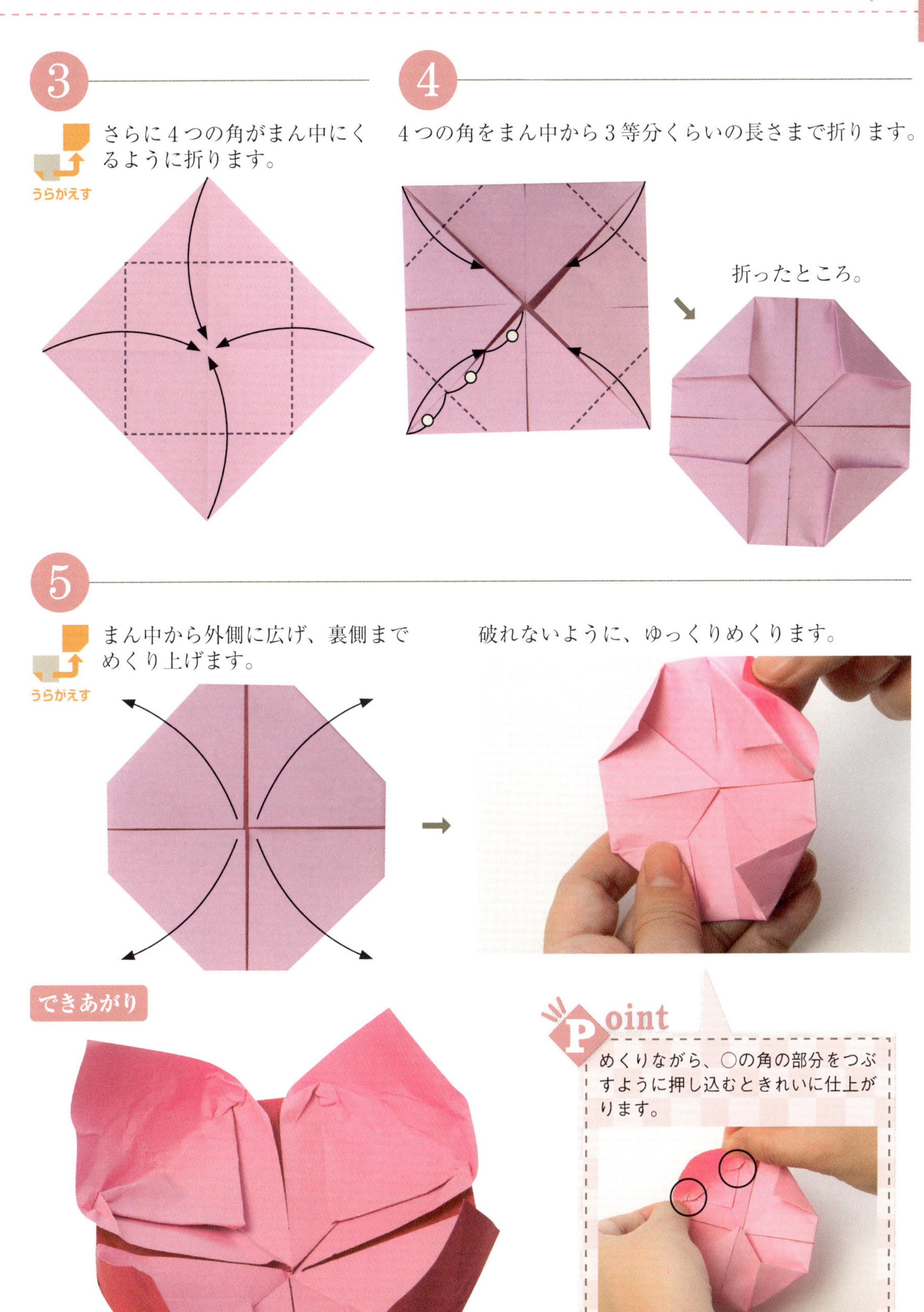

Point

めくりながら、○の角の部分をつぶすように押し込むときれいに仕上がります。

カードケース

難易度 ★☆☆

カードの大きさに
きっちり折りましょう。
表も裏もカードを
入れられます。

紙のサイズ
15cm×15cm:1枚
仕上がりのサイズ
約9cm×6cm

どこにしまったか忘れてしまいがちなカード類。こうしてまとめてね。

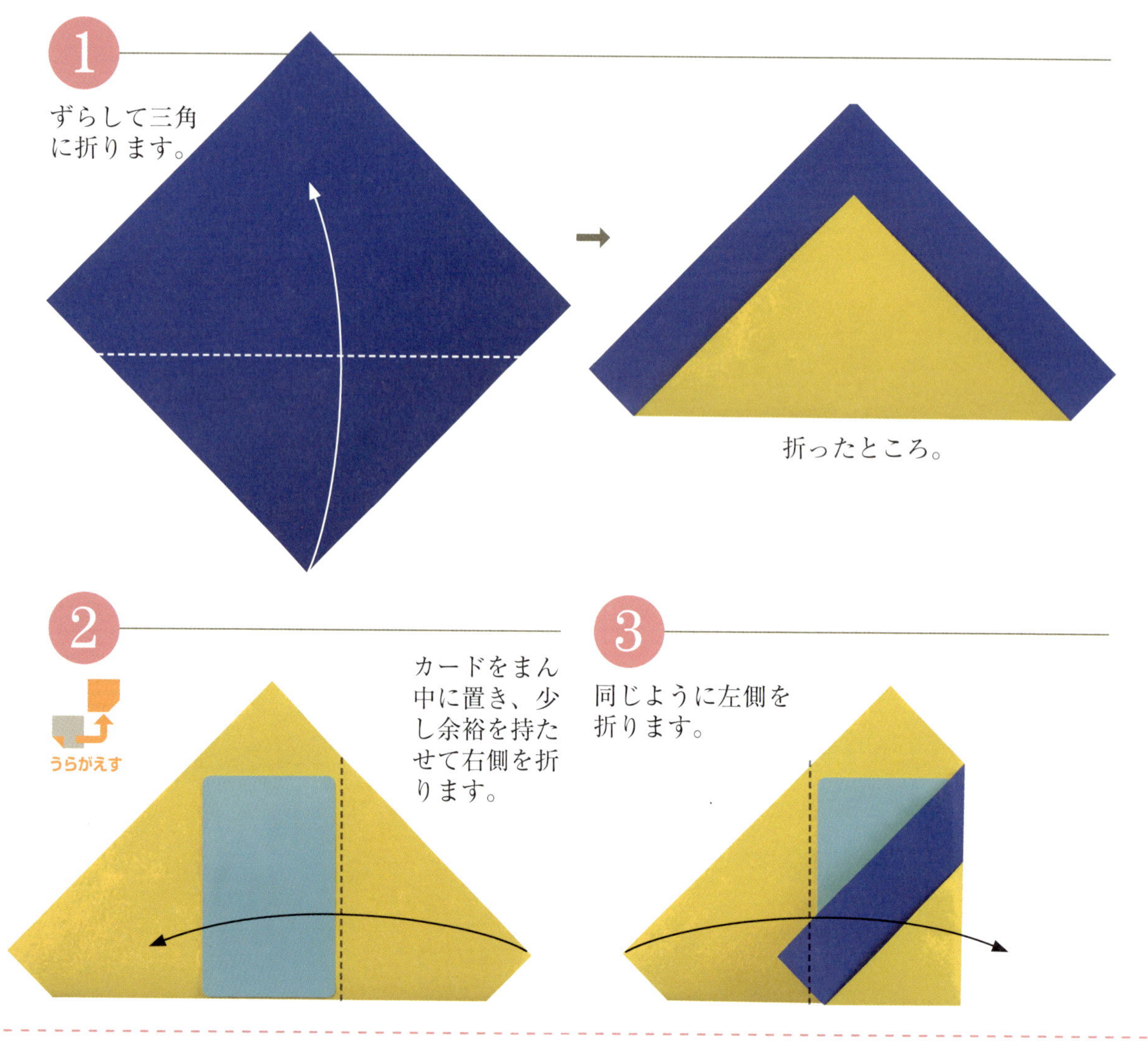

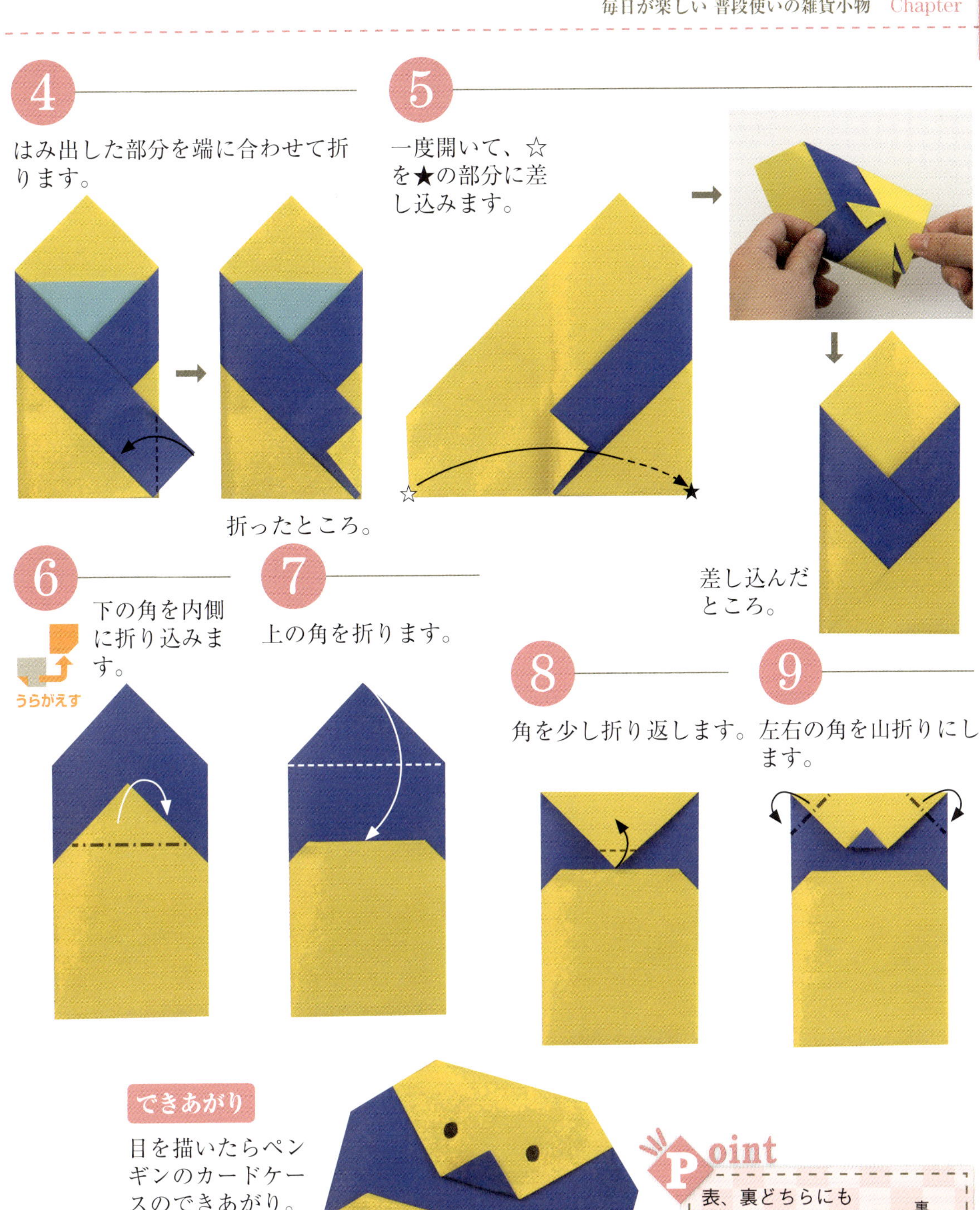

4 はみ出した部分を端に合わせて折ります。

折ったところ。

5 一度開いて、☆を★の部分に差し込みます。

差し込んだところ。

6 下の角を内側に折り込みます。

うらがえす

7 上の角を折ります。

8 角を少し折り返します。

9 左右の角を山折りにします。

できあがり

目を描いたらペンギンのカードケースのできあがり。

❷でカードの位置をずらして折ると、❺の合わせ部分に変化がつきます。

Point

表、裏どちらにもカードが入ります。

メガネケース

難易度 ★☆☆

船のような感じに折るケース。
サングラス入れなら
少し大きめの紙で
折りましょう。

紙のサイズ
20cm×20cm:1枚
仕上がりのサイズ
約7cm×17cm×3cm

テーブルの上に無造作におくより、ずっと素敵です。

1

3等分に折ります。

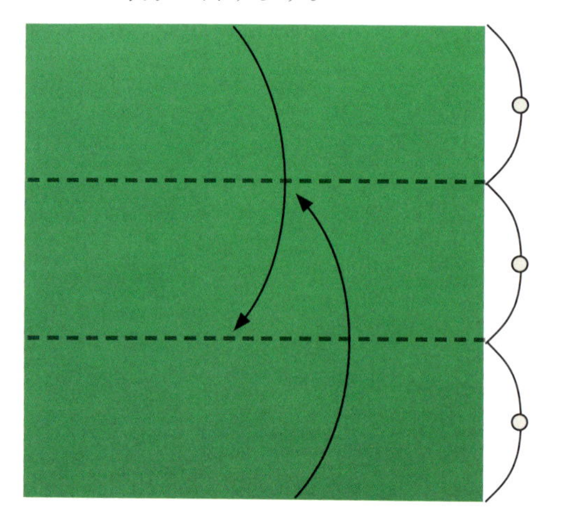

2

写真のように上の1枚を開き、下の1枚を半分に折ります。

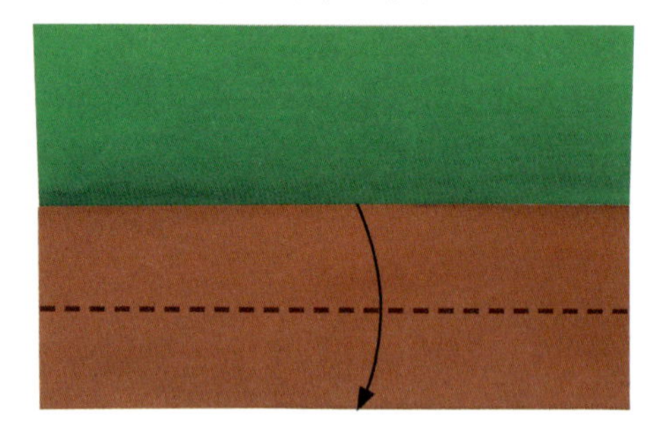

3

上側を折りすじに合わせて折ったあと、山折りにします。

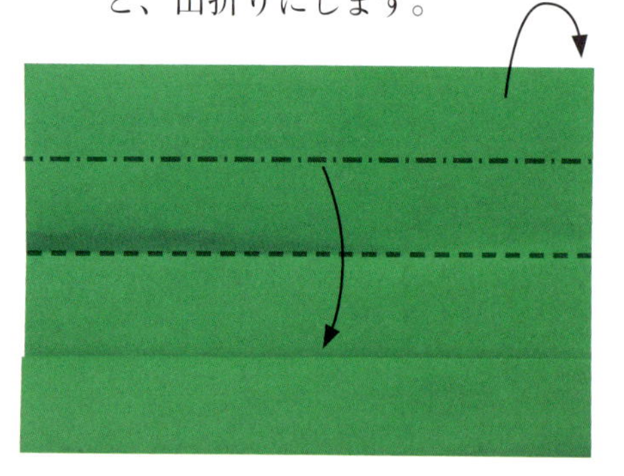

4

下側を1枚めくります。

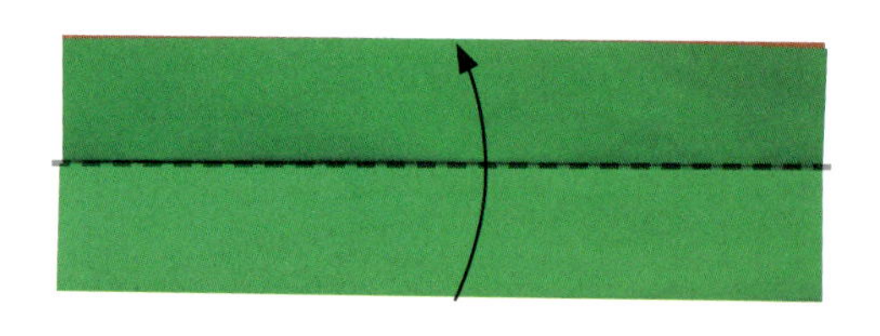

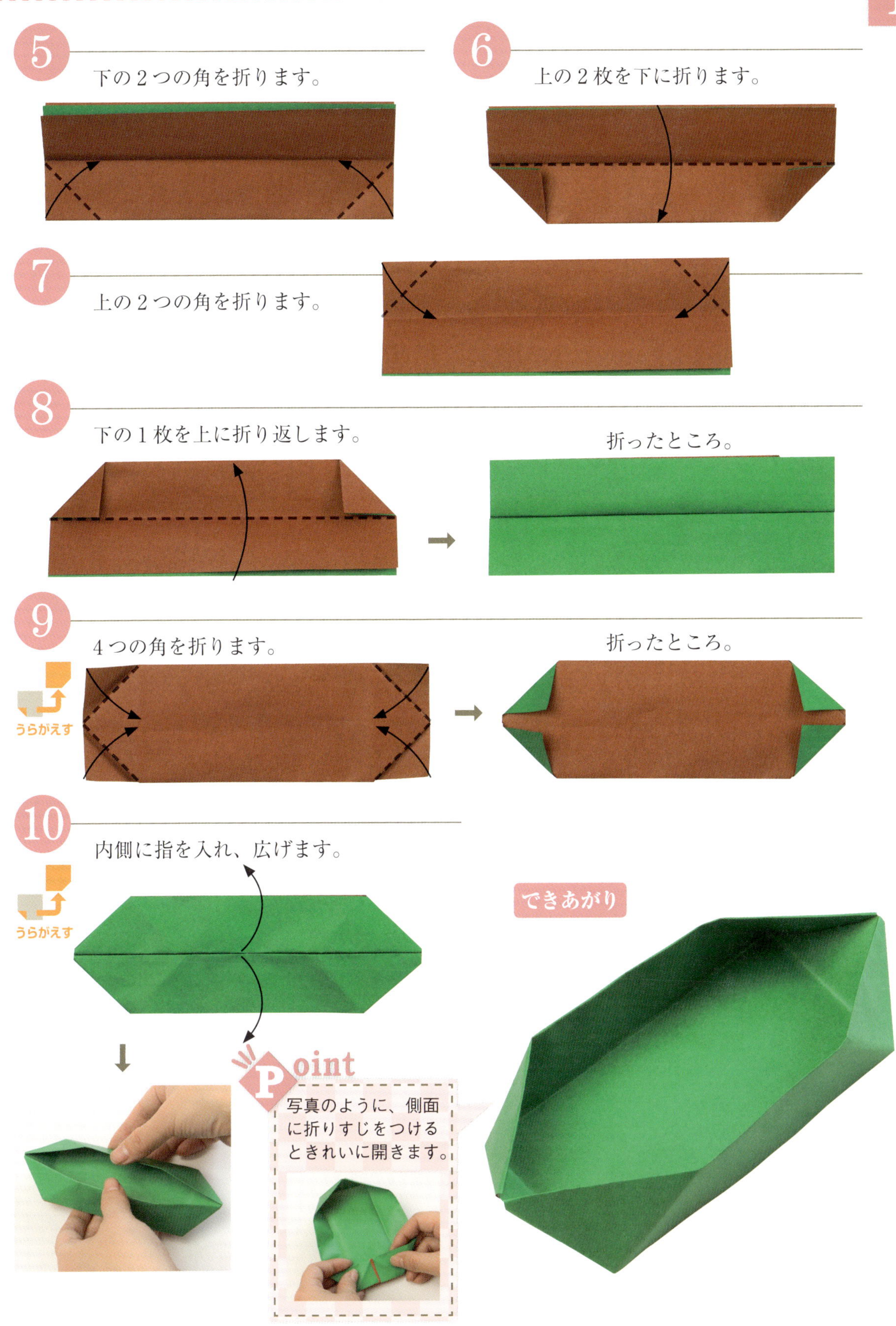
5
下の２つの角を折ります。
6
上の２枚を下に折ります。
7
上の２つの角を折ります。
8
下の１枚を上に折り返します。
折ったところ。
9
うらがえす
４つの角を折ります。
折ったところ。
10
うらがえす
内側に指を入れ、広げます。
できあがり
Point
写真のように、側面に折りすじをつけるときれいに開きます。

ブックマーカー

難易度 ★☆☆

本の四隅に
ちょこっとはさむだけ！
とってもかわいくて
機能的な折り方です。

本をお返しするときは、折り紙にお礼のメッセージを添えて。

紙のサイズ
7.5cm×7.5cm：1枚
仕上がりのサイズ
約3.8cm×3.8cm（三角）
約4.5cm×5.2cm（イチゴ）

三角

1

三角に折ります。

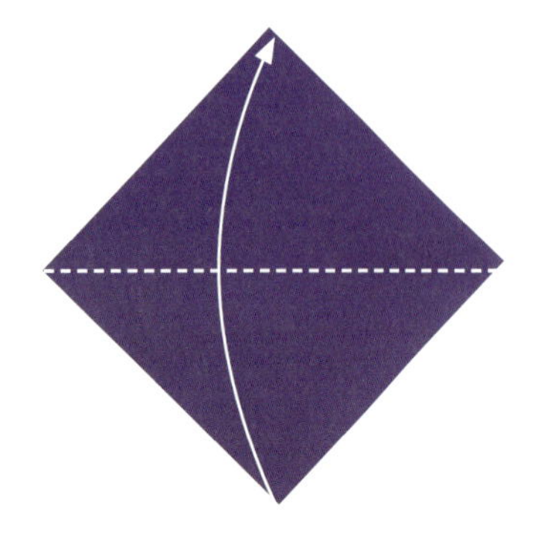

2

さらに三角に折ります。

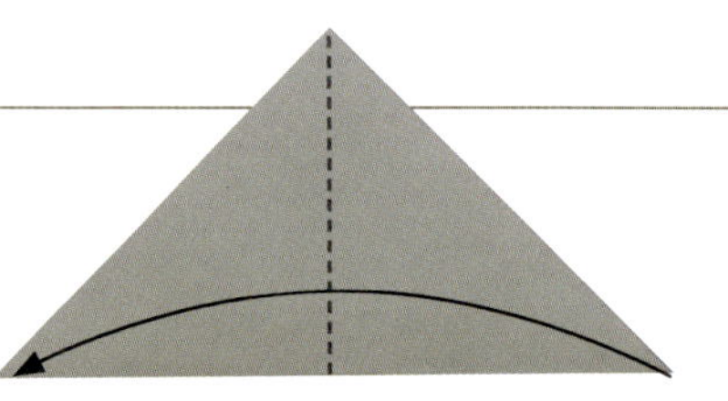

3

広げてつぶすように折ります。

折ったところ。

4

広げてつぶすように折ります。

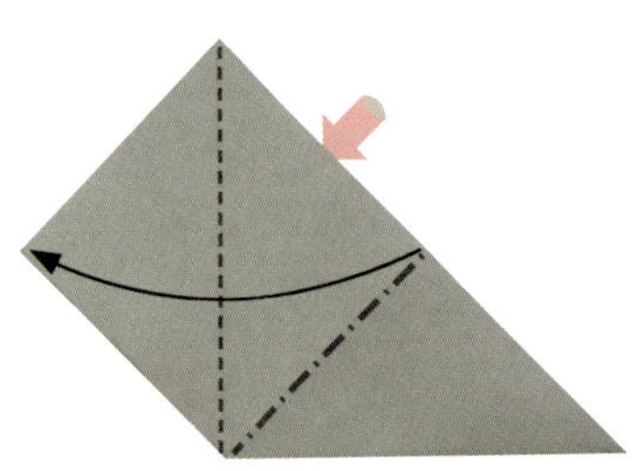

5

上の１枚を半分に折ります。

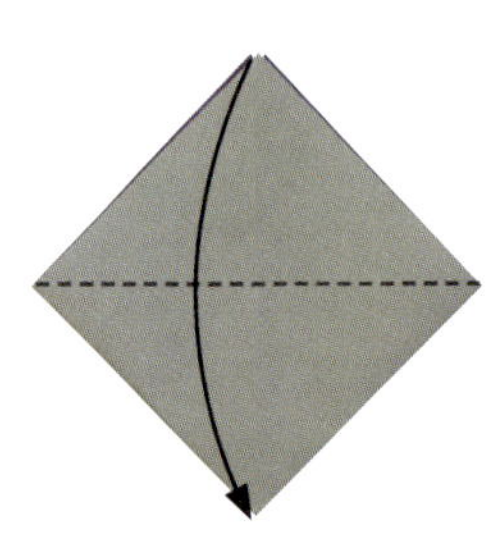

6
左右の三角を下の角まで折ります。
折ったところ。
むきをかえる
できあがり
7
56で折った部分を内側にさしこみます。
Point
写真のように、さしこみます。
イチゴ
1
P26の工程4まで折ります。
折ったところ。
2
上の1枚を1.5cm内側に折ります。
1.5cm
折ったところ。
Point
イチゴのつぶつぶをペンで描くとさらに可愛くなります。
使うときはイチゴが逆さまになります。
3
裏側も同じように内側に折り込みます。
うらがえす
1.5cm
4
左右どちらとも広げてつぶすように折ります。
できあがり

フォト フレーム

難易度 ★★☆

センターの窓まわりを
華やかに折り上げる
豪華な造り。

紙のサイズ
15cm×15cm:1枚
仕上がりのサイズ
約7.5cm×7.5cm

写真を入れて、アルバムに貼ってもいいですね。

1

縦、横半分に折りすじをつけます。

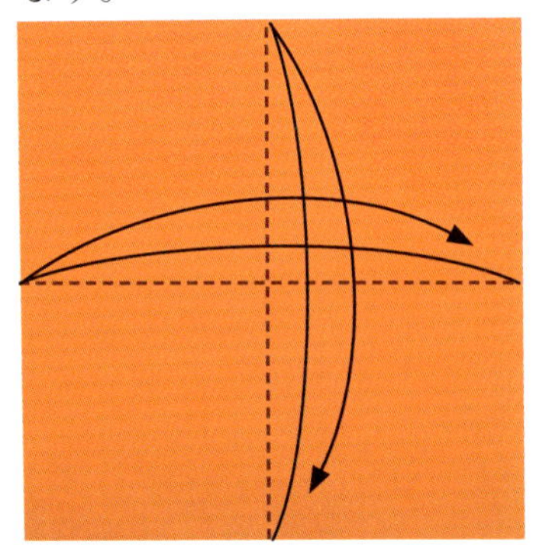

2

折りすじに合わせて左右を折ります。

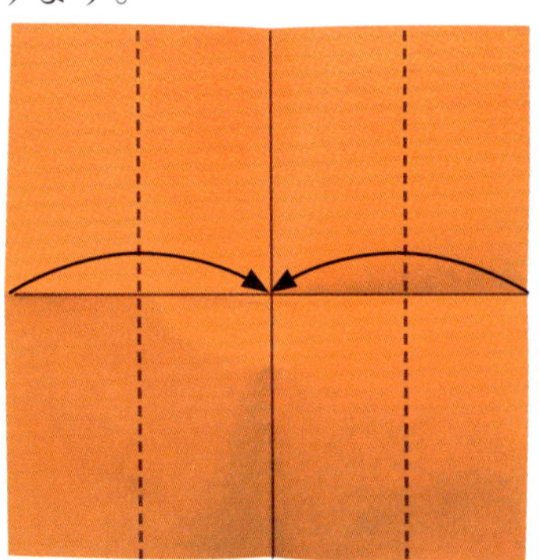

3

上下も折りすじに合わせて折ります。

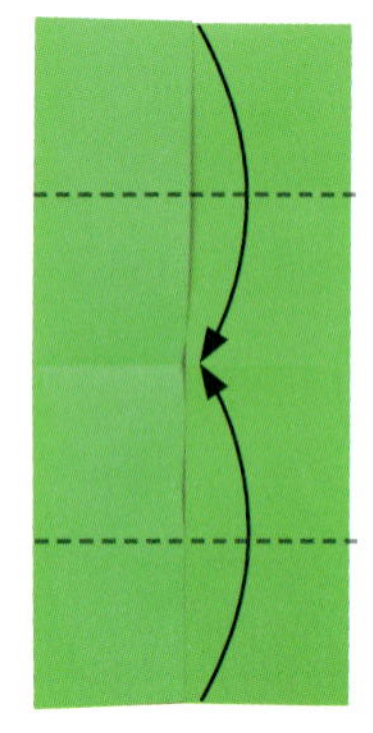

4

左右を広げてつぶすように折ります。

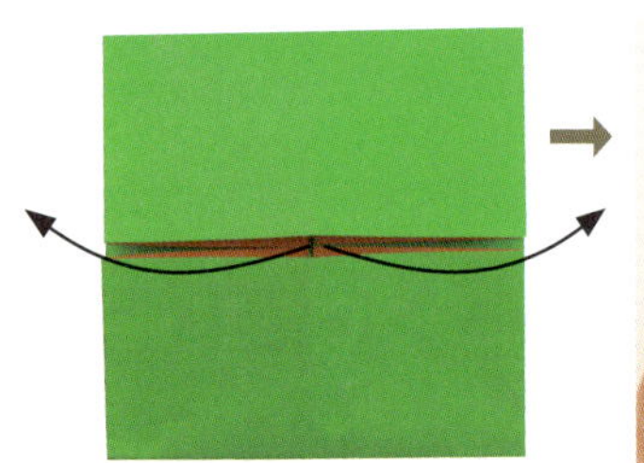

5

下側も同じように広げてつぶします。

6

内側に指を入れ、広げてつぶすように折ります。

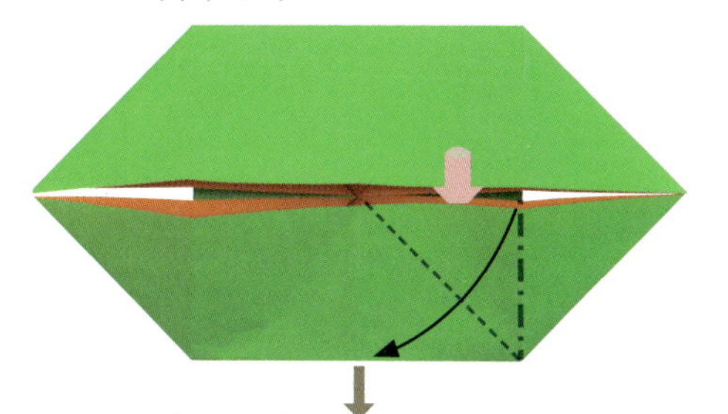

こんな感じです。

7

残り3カ所も同じように広げてつぶすように折ります。

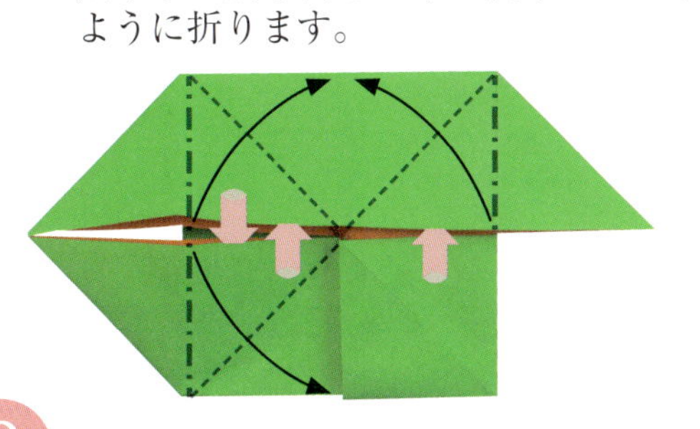

8

折りすじに合わせて折ります。

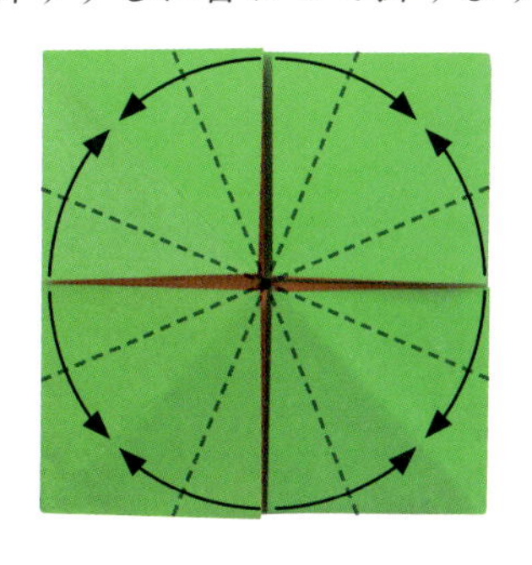

9

❽で折ったところを立て、広げてつぶすように折ります。

10

残り7カ所も同じように折ります。

11

まん中の4つの角を折ります。

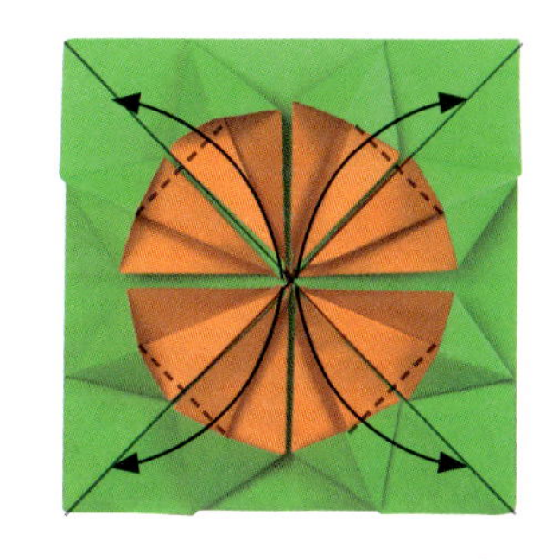

12

まん中の4つの角を折ります。

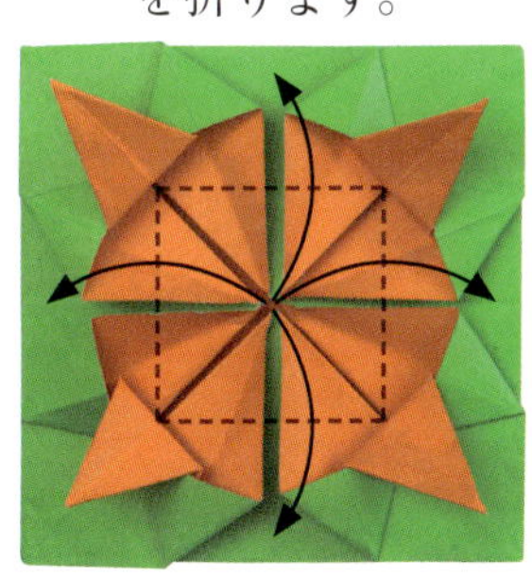

Point

外側の4つの角を折ると丸い花になります。

できあがり

正方形ボックス

難易度　★★☆

シンプルな伝承折り紙。
ふた付きの場合、
下のボックスは
少し小さく折りましょう。

ふたが付いているので、ひっくり返しても安心です。

紙のサイズ
15cm×15cm：1枚
仕上がりのサイズ
約5.5cm×5.5cm×2.5cm

1

縦、横半分に折りすじをつけます。

2

4つの角がまん中にくるように折ります。

3

左右をまん中に合わせて折ります。

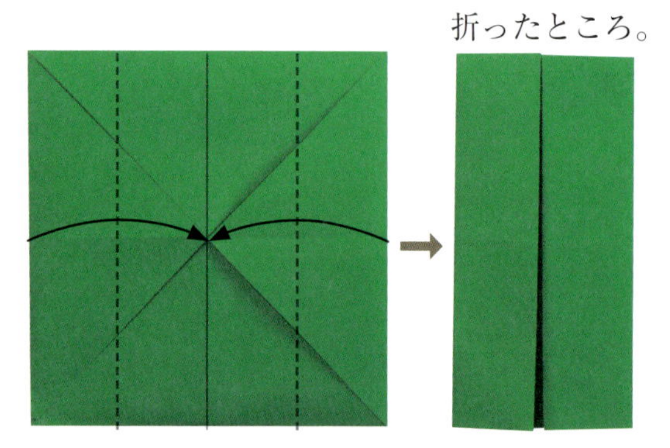

折ったところ。

4

左右を全部広げ、上下をまん中に合わせて折ります。

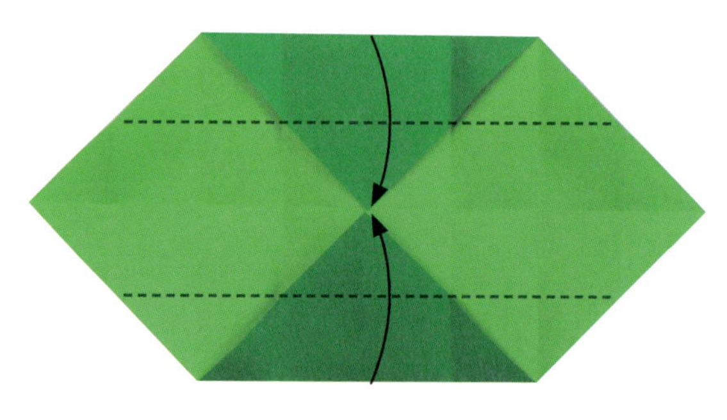

5

折りすじをつけます。

6

折りすじをつけます。

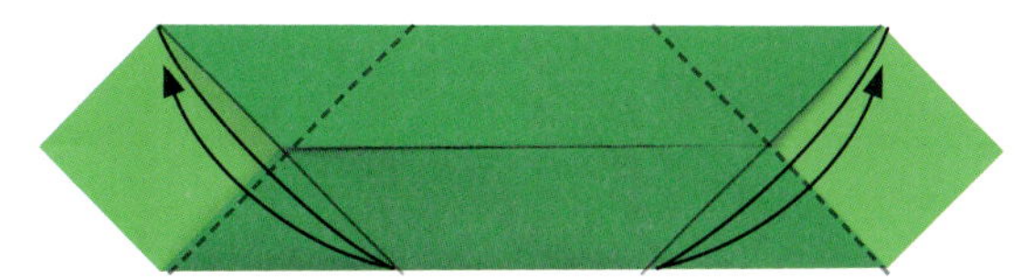

7

写真のように上下を広げ、側面を内側に折ります。角が○に合うように折ります。

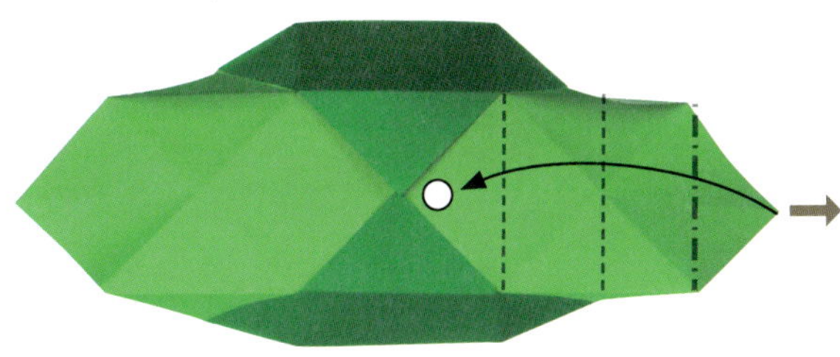

こんな感じに折り、箱形をつくります。

8

反対側も同じように折り、形を整えます。

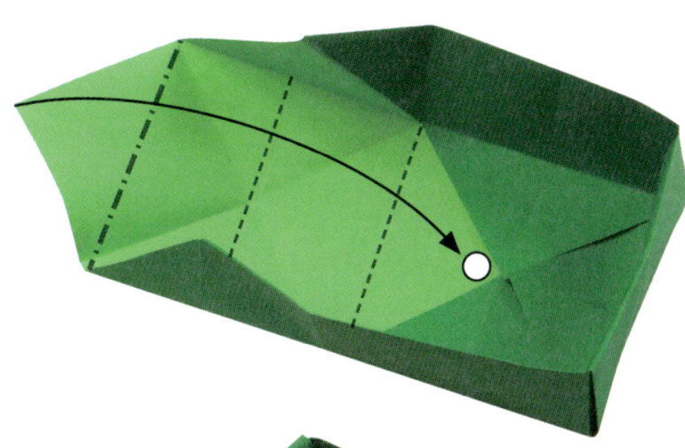

できあがり

Point

ふた付きのボックスをつくる場合、あらかじめ縦、横5㎜ずつ折ってから同じ工程でつくるとひと回り小さいボックスができます。

引き出しボックス

難易度 ★★☆

折り紙だからできる
こんなちっちゃな
引き出しボックス。

紙のサイズ
15cm×15cm：1枚
仕上がりのサイズ
約5.5cm×5.5cm×2.5cm

引き出しやすいように、付せんをつけるのがポイント。

1

縦、横半分に折りすじをつけます。

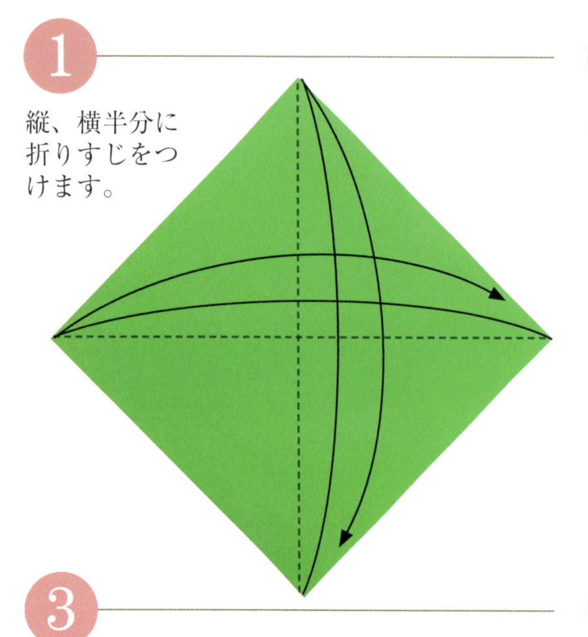

2

4つの角がまん中にくるように折ります。

3

左右をまん中に合わせて折ります。

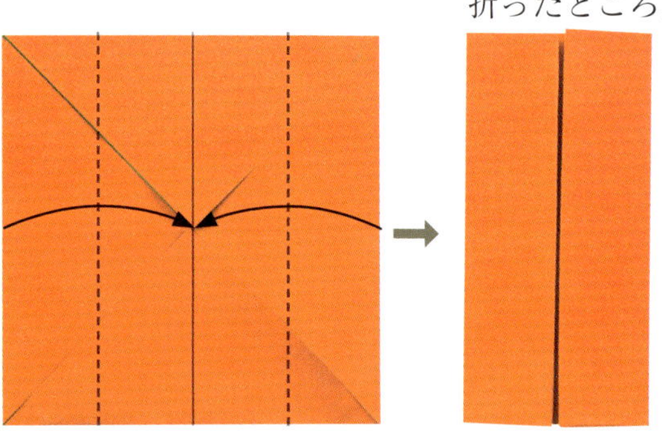

折ったところ。

4

左右を全部広げ、上下をまん中に合わせて折ります。

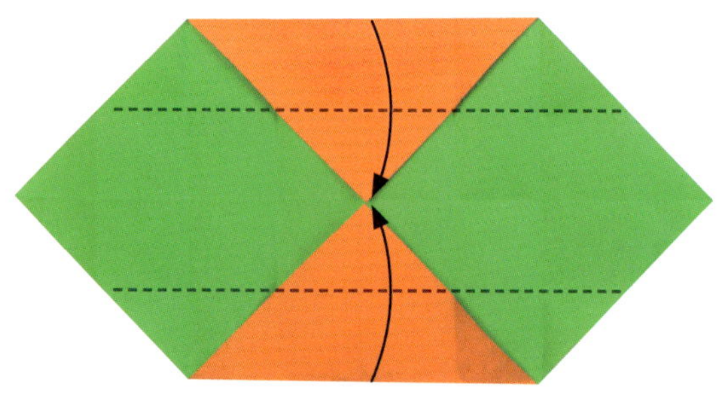

5

折りすじをつけます。

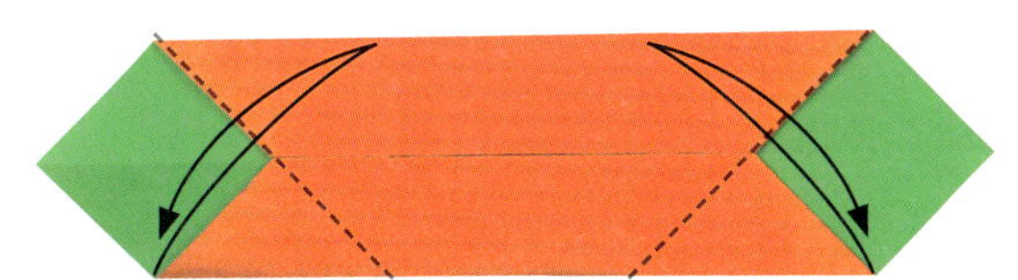

6

折りすじをつけます。

7

写真のように広げ、側面を内側に折り込みます。角が○に合うように折ります（P31の工程❼参照）。

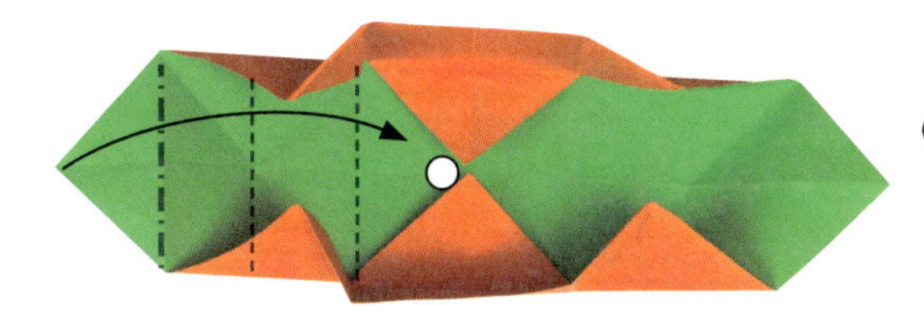

8

右側は、上下を広げながら、角が○のところまで重なるように折ります。

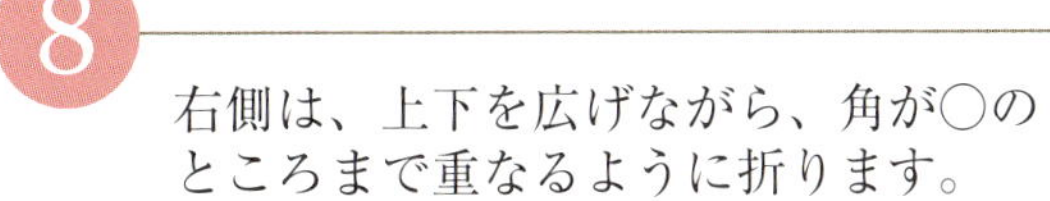

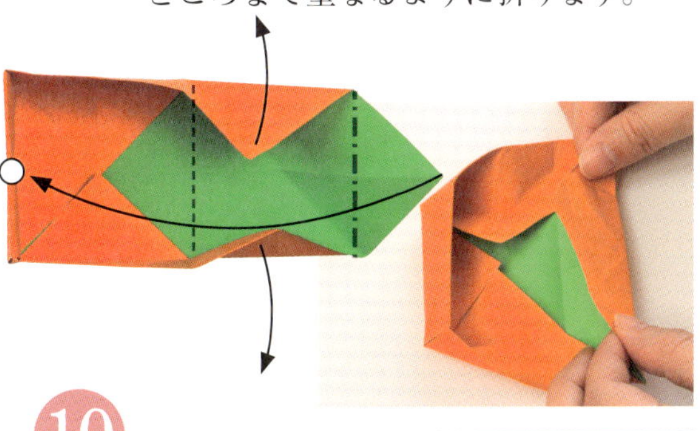

9

同じものをもう1つつくり、2つ用意します。

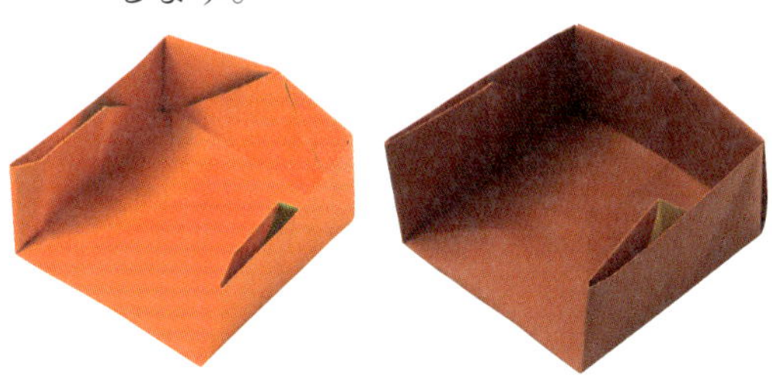

10

写真のように2つを重ね、差し込みます。

Point

中身の引き出しはP31の5㎜小さいボックスを使います。
取手は、付せん紙を用意し、箱の横面から底にまわして貼ります。
7.5㎝× 2.5㎝の紙でも OK ！

できあがり

ハガキ入れ

難易度 ★★☆

小窓も切り方次第で、いろいろな形にできます。

紙のサイズ
21cm×29cm:1枚
仕上がりのサイズ
約18cm×11cm

小窓がかわいいハガキ入れ。

1

半分に折りすじをつけます。

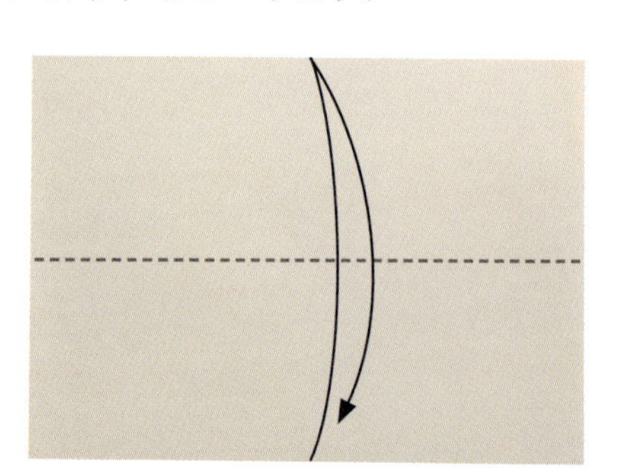

2

右から1cmのところで折りすじをつけます。

3

3等分のところで折ります。

うらがえす

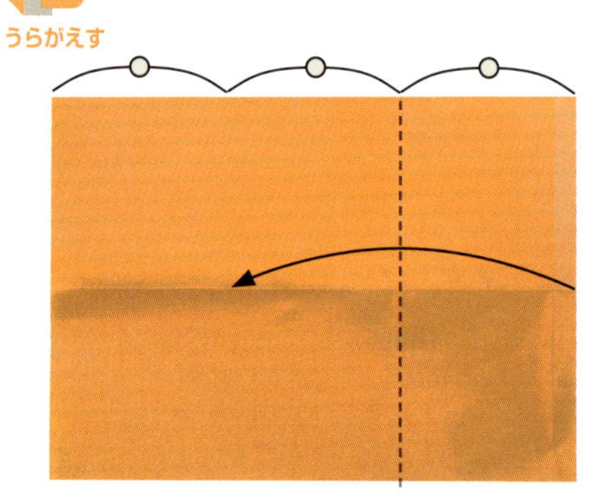

4

❷で折った折りすじを折ります。

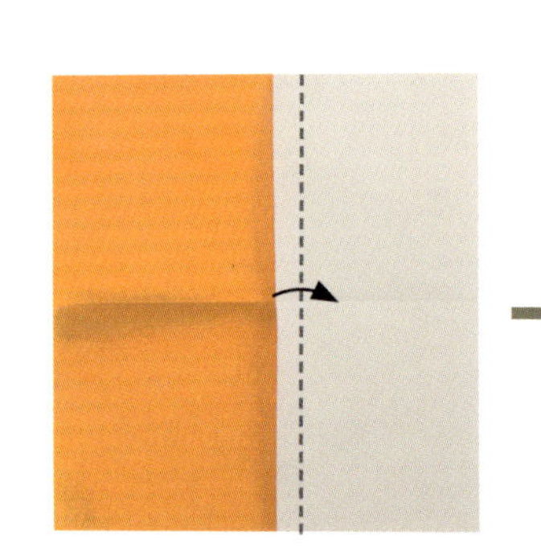

折ったところ。

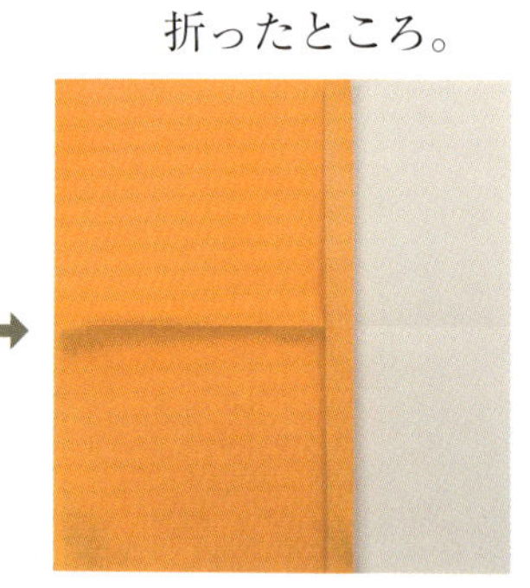

5

まん中に合わせて上下を折ります。

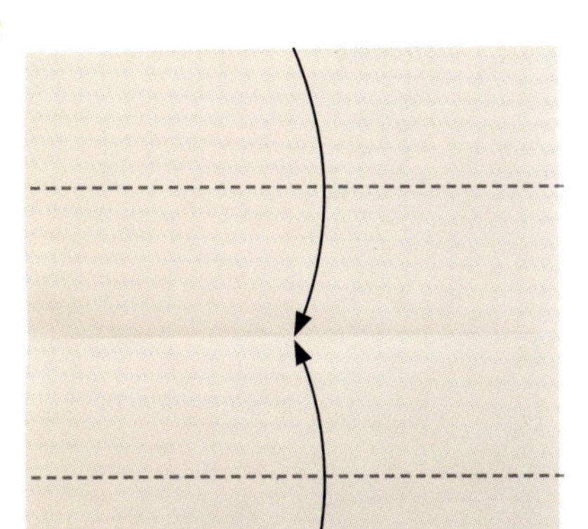

6

写真のように外にはみ出さないように三角に折ります。

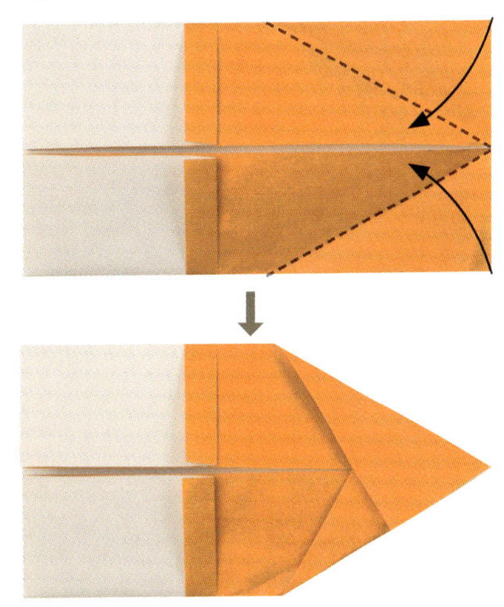

折ったところ。

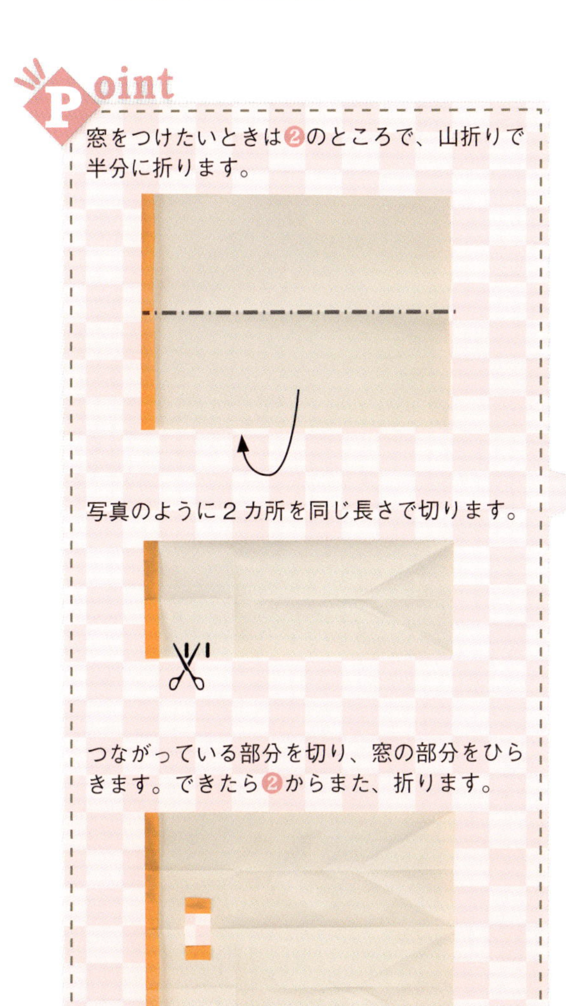

ポケットティッシュカバー

難易度　★★☆

折っている途中で、
ポケットティッシュを入れ、
大きさを調整しましょう。

紙のサイズ
24cm×24cm：1枚
仕上がりのサイズ
約12cm×8cm

ポケットティッシュ用のカバー。広告が隠れてちょっとおしゃれに変身です。

1

縦、横半分に折りすじをつけます。

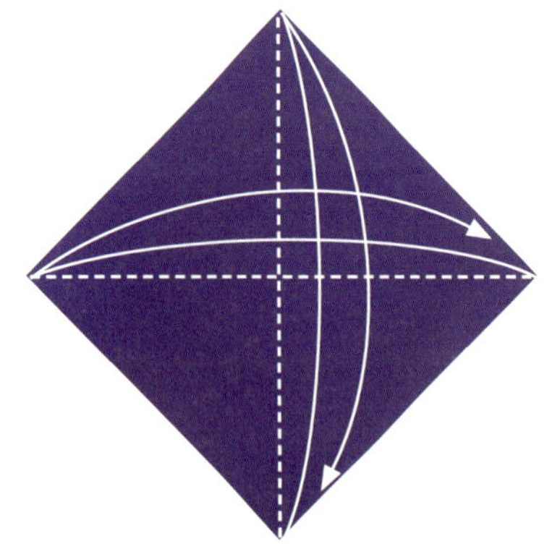

2

折りすじに合わせて上下を折ります。

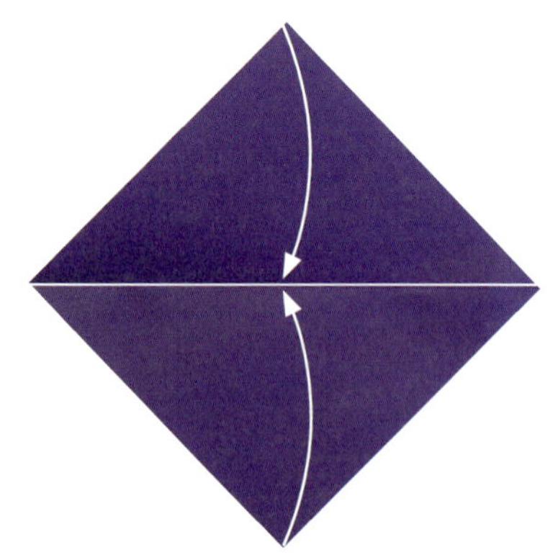

3

さらに上下を折ります。

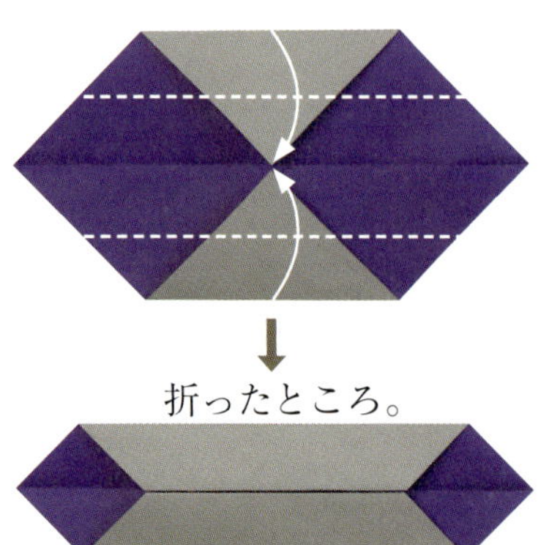

4

全部広げ、下の角を上から２番目の折りすじまで折ります。

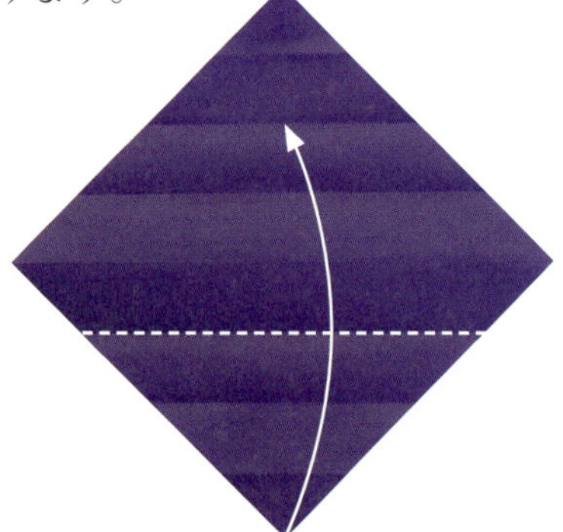

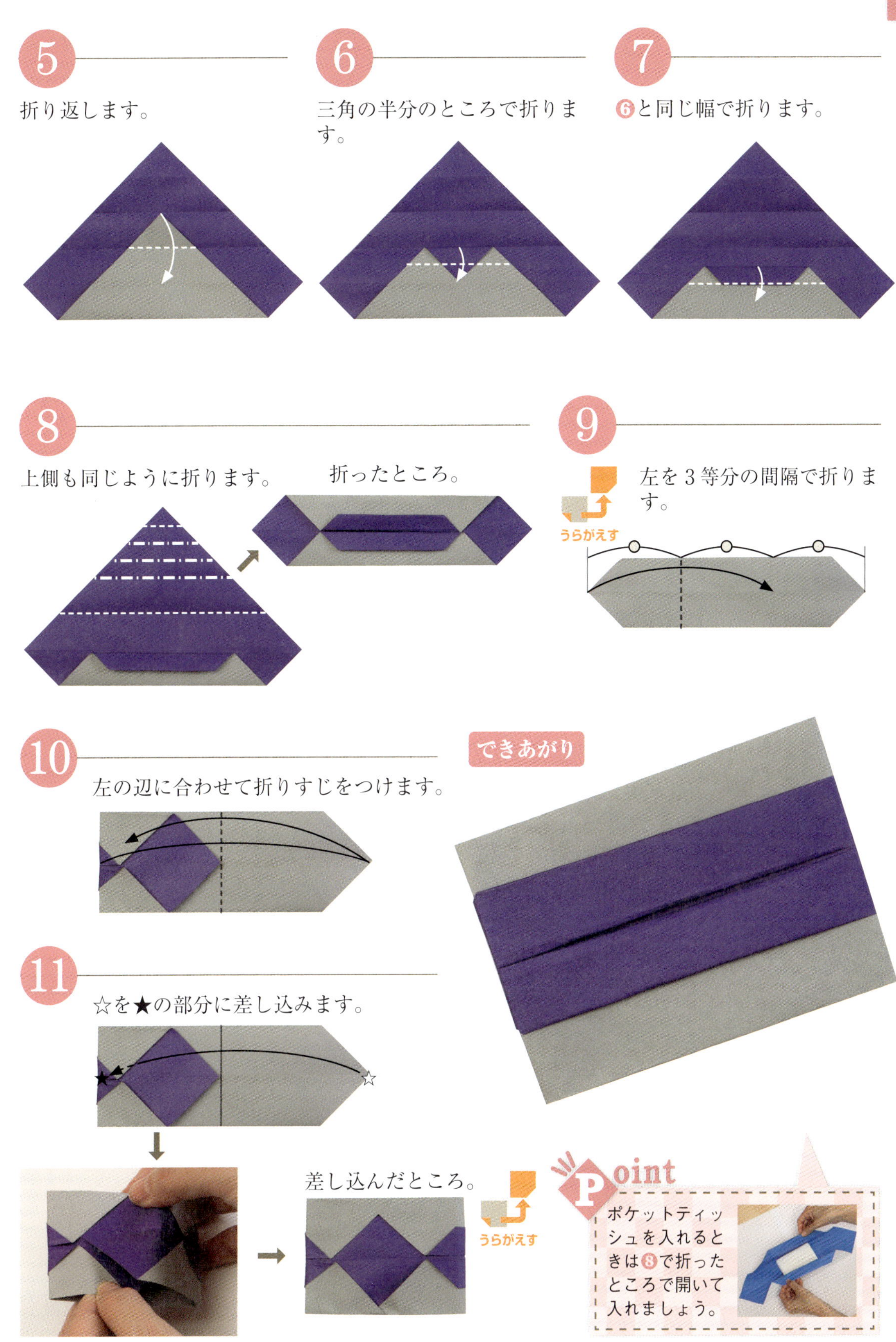
5
折り返します。
6
三角の半分のところで折ります。
7
6と同じ幅で折ります。
8
上側も同じように折ります。
折ったところ。
9
左を3等分の間隔で折ります。
うらがえす
10
左の辺に合わせて折りすじをつけます。
11
☆を★の部分に差し込みます。
差し込んだところ。
うらがえす
できあがり
Point
ポケットティッシュを入れるときは8で折ったところで開いて入れましょう。

ティッシュカバー

難易度 ★★☆

ティッシュボックスも
カバーをつけるだけで
おしゃれなインテリアに。

紙のサイズ
28.5cm×40.5cm：1枚
仕上がりのサイズ
約24cm×12cm

選ぶ紙によって和風にも。お部屋の雰囲気に合わせて。

1

縦、横半分に折りすじをつけます。

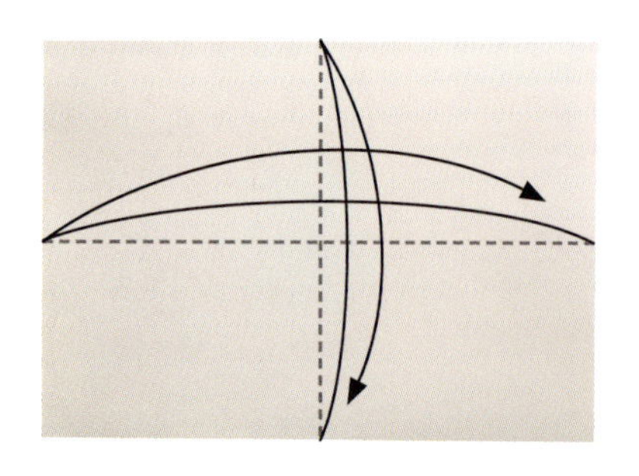

2

ティッシュのふたに縦、横半分に折りすじをつけます。

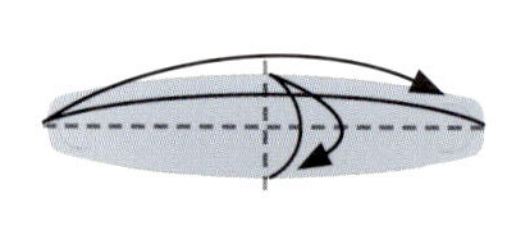

3

まん中と折りすじ同士を合わせてティッシュのふたにそって1/4だけ線をかきます。

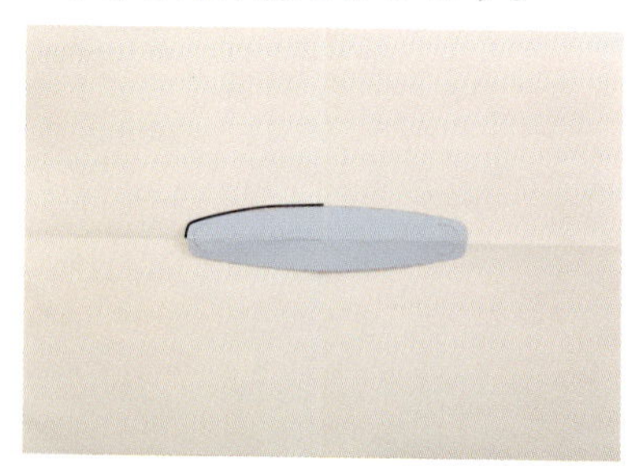

4

書いた線が見えるように折りすじにそって折り、切り抜きます。

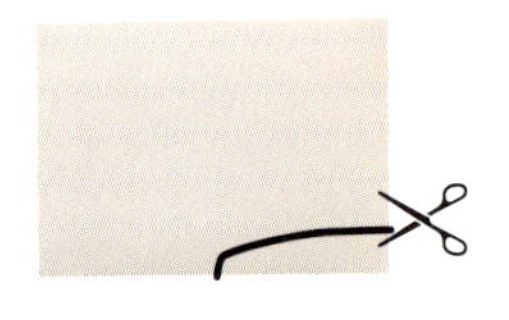

5

ひらいてで開けた穴をティッシュボックスに合わせます。

6

そのままふちを指でしっかりとなぞって、4辺にあとを残します。

7

箱ごとうらがえし、４辺に折りすじをつけます。

8

❼でつけた折りすじに合わせて上下の辺を折ります。

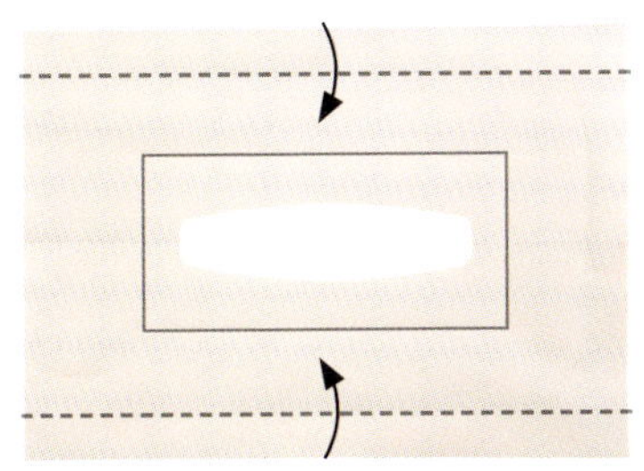

9

❼でつけた折りすじに合わせて左右の辺を折ります。

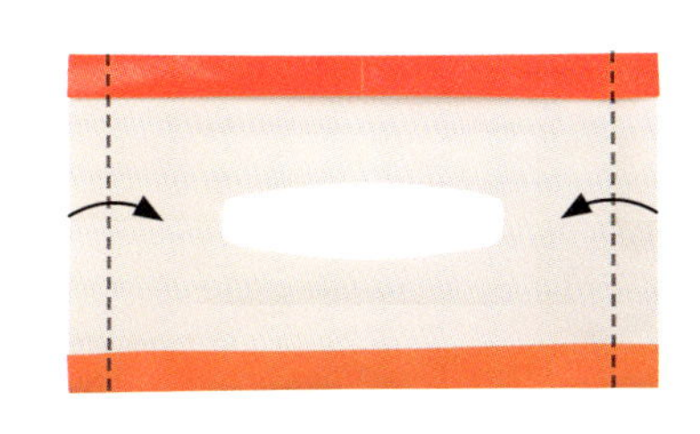

10

左右の辺を❻でつけた折りすじにそって折ります。

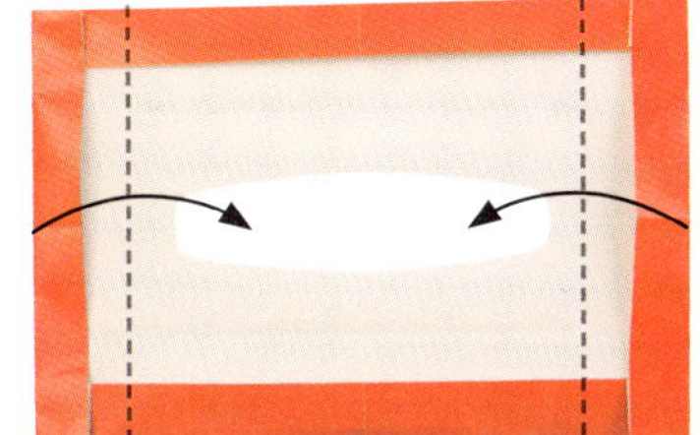

11

角を三角に折ります。

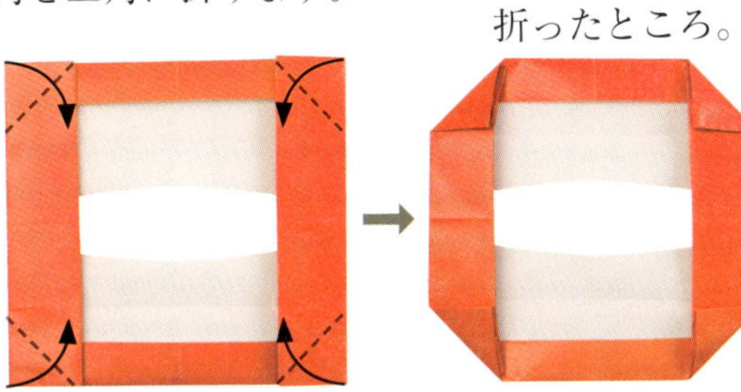

折ったところ。

12

三角の部分を広げながら内側に折り、つけ根のところをテープでとめます。残り３カ所も同じようにします。

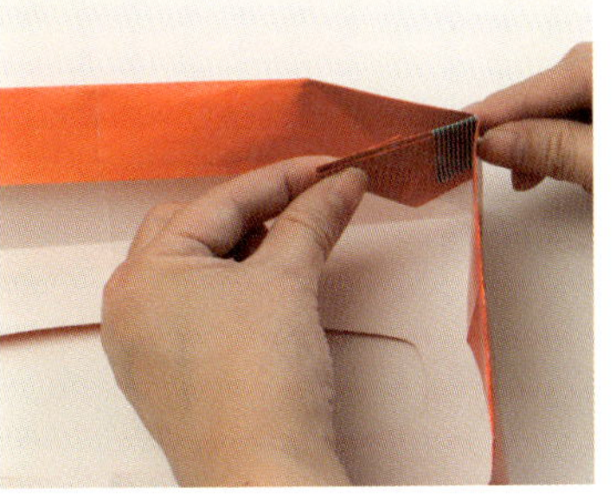

13

角を内側にテープで貼って固定します。

Point
大きめの包装紙を使うといいですよ。

できあがり

Column 1

カラフルで楽しい紙を使ってみましょう

折り紙の紙には、片面や両面に色が入っているものだけではなく
いろいろな種類があります。
カラフルな色や模様の紙で折ると贈りものにはもちろん、
お部屋をすてきに彩るインテリア雑貨にもなります。
季節や作品の内容、お部屋のカラーコーディネイトに合わせた紙を選んでみましょう。

チェック・ストライプ柄

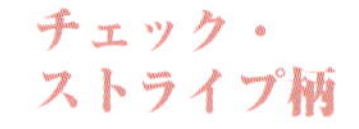

シンプルでさわやかなデザインは、明るくて若々しい感性の作品にぴったり。

グラデーション柄

シンプルな色ですが、変化をつけただけでとてもモダンな印象になります。

包装紙

特徴のあるデザインやきれいな柄の包装紙をとっておいて、ぜひ折り紙に使いましょう。

花柄

そこにあるだけで華やかさを添えてくれます。小さい花や大きめの花、季節を感じさせる花など選び方もいろいろ。

水玉・ハート柄

かわいらしく、誰にでも愛される柄です。小さな作品にも映えます。

Chapter 2

料理や食事が楽しくなる！テーブル＆キッチン小物

おもてなしのテーブル雑貨や
キッチン雑貨をいろいろ折ってみました。
お客さまのタイプや
そのときのテーマに合わせた様々な紙で折ると
楽しみもグンと広がります。

コースター

難易度 ★☆☆

どちらともしっかりと
差し込めば
丈夫なコースターに。

無地と模様の入った紙を交互に組み合わせても面白いです。

紙のサイズ
15cm×15cm：1枚（コースター1）
15cm×7.5cm：4枚（コースター2）
仕上がりのサイズ
約7.5cm×7.5cm（コースター1、2）

コースター1

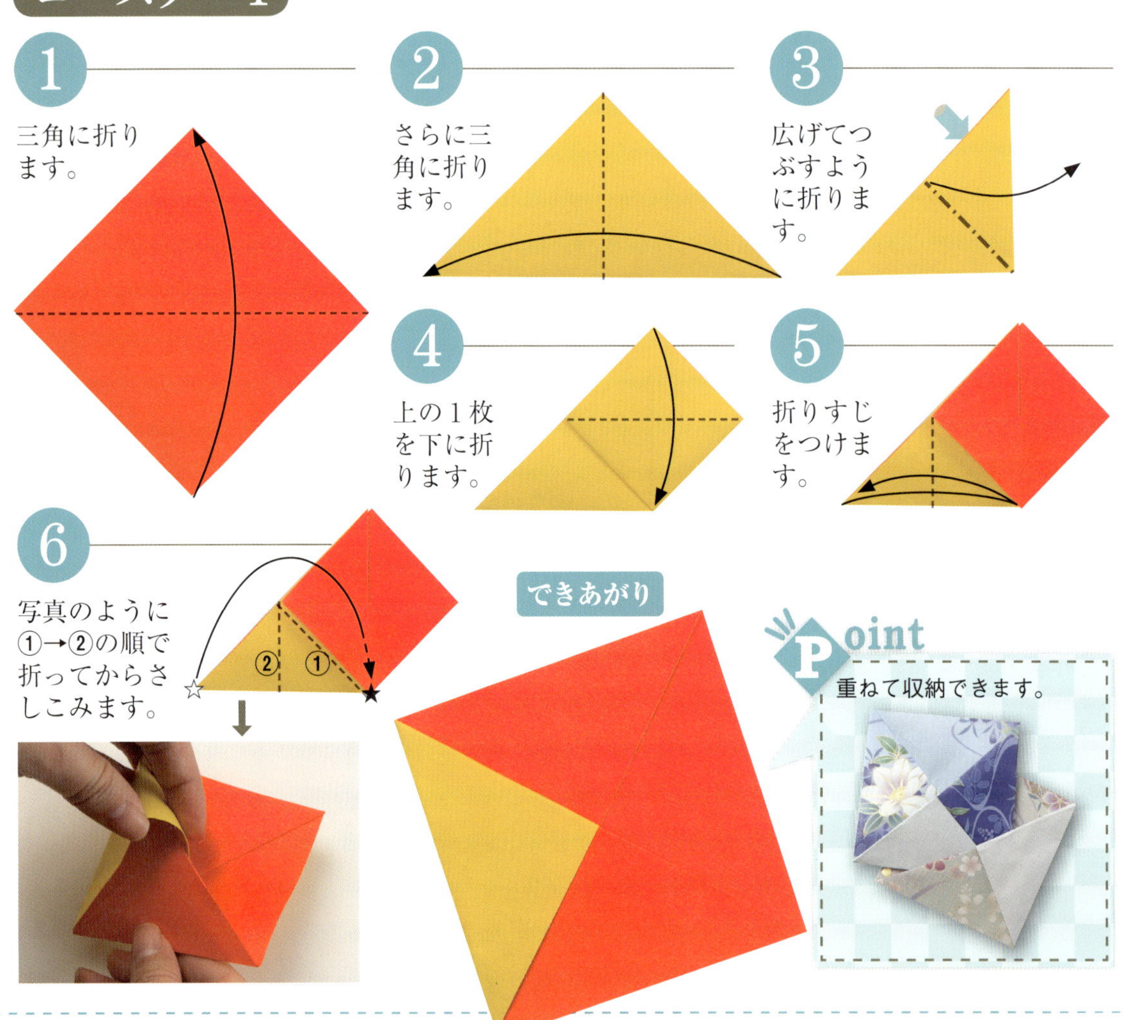

コースター2

1

2枚の折り紙を半分に切り、長方形を4枚つくります。

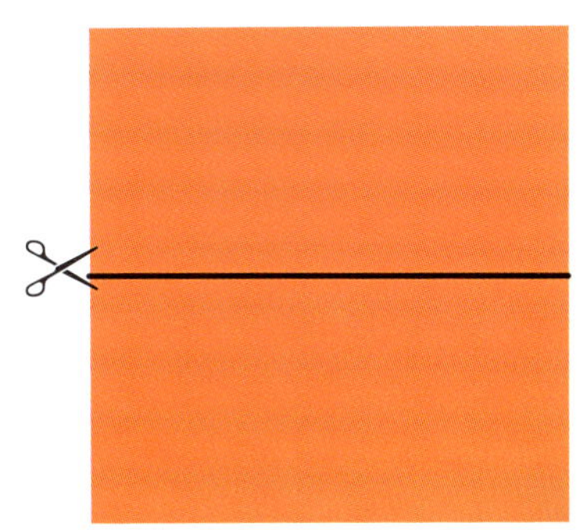

2

半分に折ります。

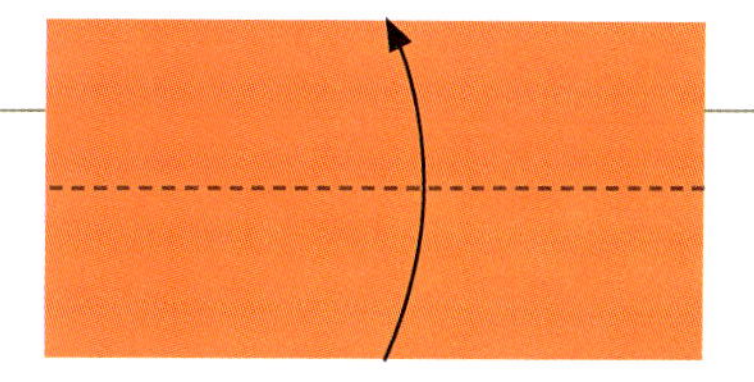

3

横に半分に折ります。

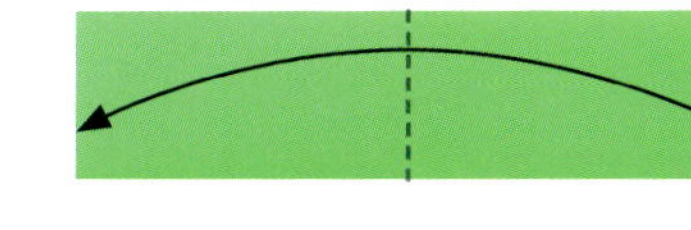

Point

4枚とも外側が山折りになるように組み合わせます。

4

残りの3枚も❷〜❸をし、写真のように外側が山折りになるように並べます。

5

❹で並べた下の2枚うえから、挟み込むように組み合わせます。

6

3枚目いも同様に挟み込みます。

7

最後の4枚目あは、裏側から先に下の輪に入れて、上側から同じところに差し込みます。

できあがり

バスケット

難易度 ★☆☆

最後に折り目をつければ
きれいな舟の形に
なります。

紙のサイズ
15cm×15cm:1枚
仕上がりのサイズ
約6cm×14cm×4cm

ひと口サイズのお菓子入れにぴったりです。

1

半分に折ります。

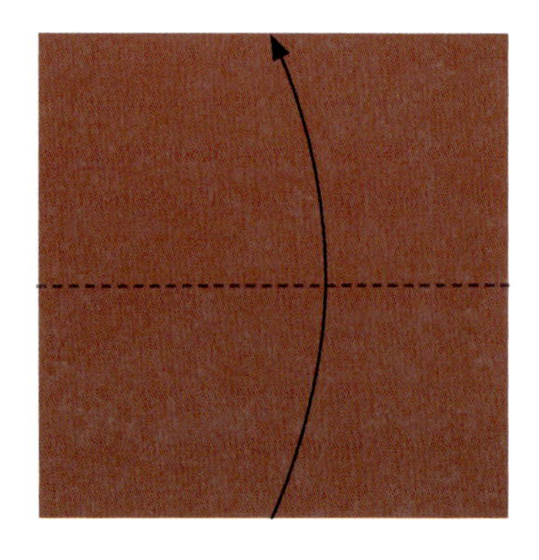

2

半分に折りすじを
つけます。

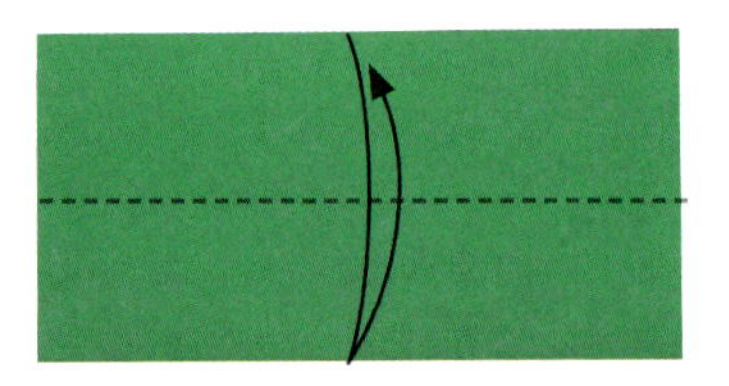

3

まん中の折りすじ
に合わせて、下の
角を三角に折りま
す。

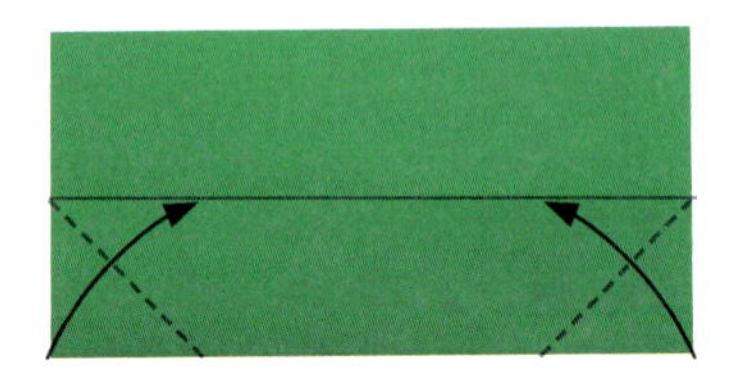

4

上の1枚だけをまん中の折りすじに合わせて三角に折ります。

折ったところ。

5

うらがえす

上の角を三角に折りま
す。

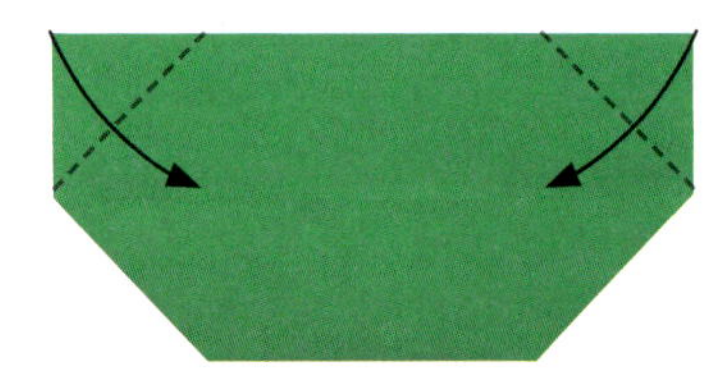

6

上の１枚めくって折ります。

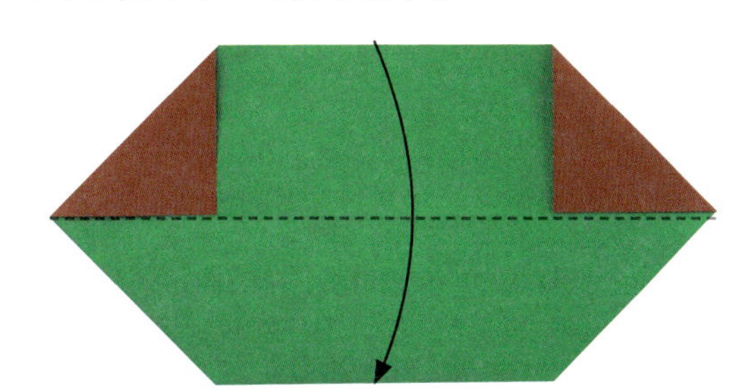

7

もう１枚を山折りにします。

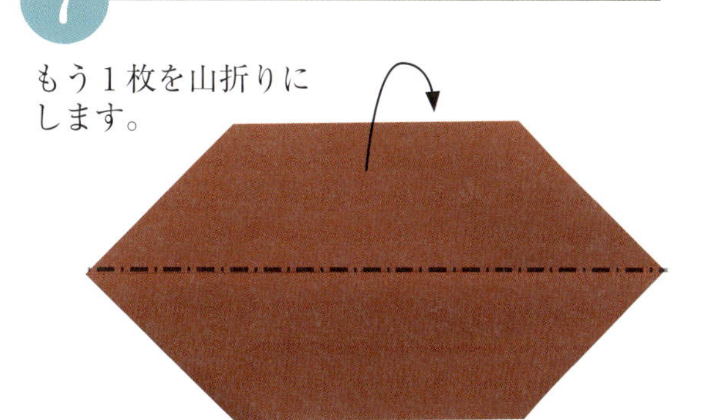

8

指を入れ、広げます。

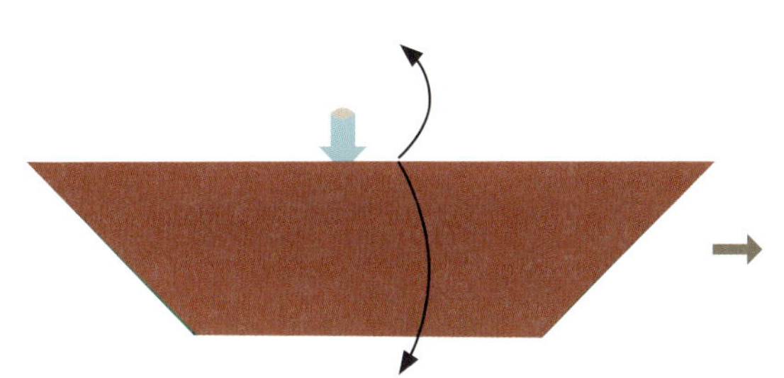

Point

写真のように、広げたところに折り目をつけておくと広がった状態がキープできます。

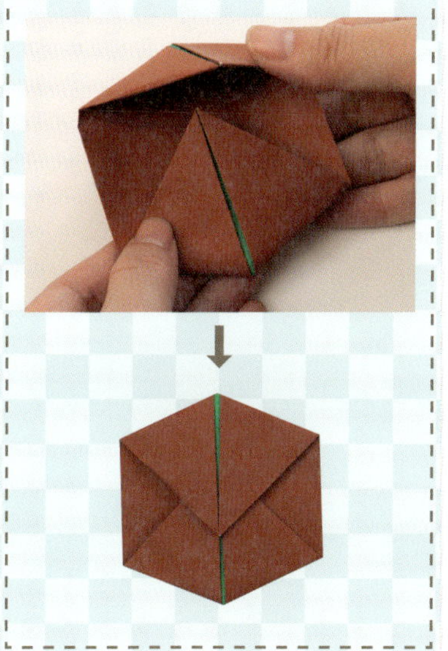

鍋敷き

難易度 ★★☆

8枚の折り紙を
折り込むと
ユニークな形の
鍋敷きのできあがり。

厚手の紙で作れば、もっと丈夫な鍋敷きになります。

紙のサイズ
15cm×15cm:8枚
仕上がりのサイズ
約21cm×21cm

Point

8枚の折り紙を組み合わせるので、色や柄のいろいろなバリエーションが楽しめます。

1

半分に折りすじをつけます。

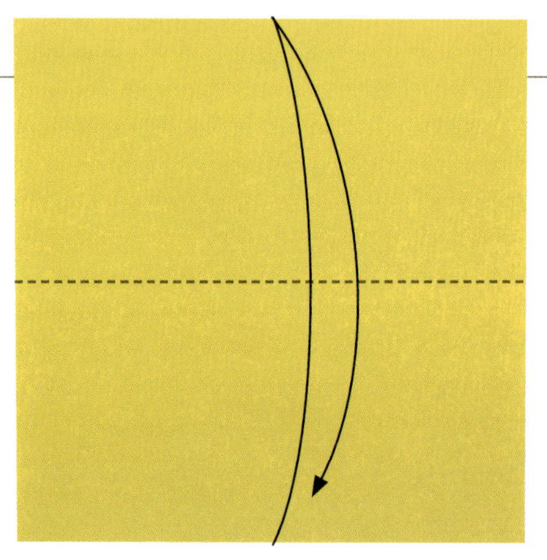

2

まん中に合わせて折ります。

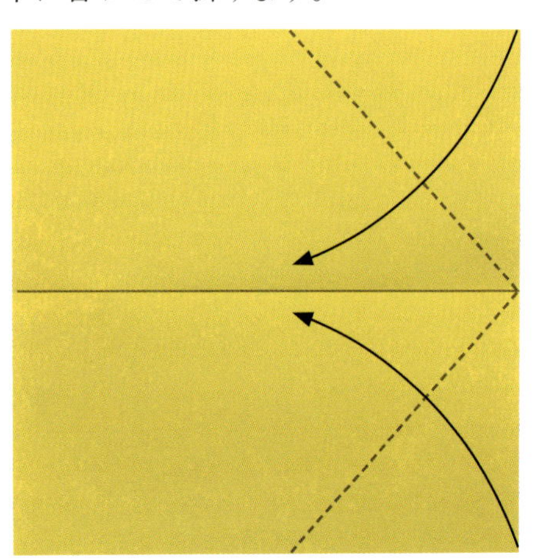

3

半分に折ります。

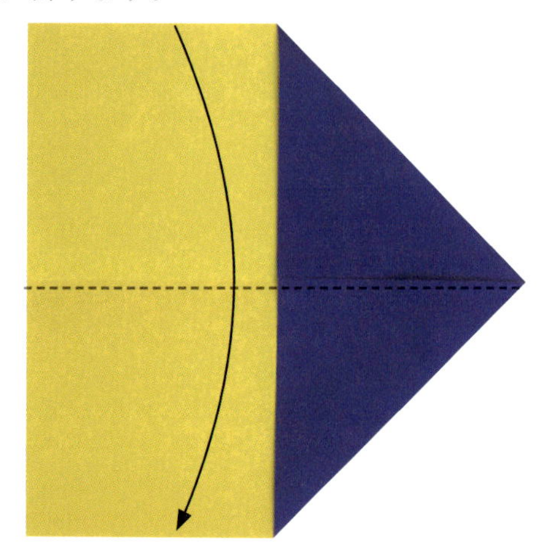

4

角を○に合わせて折りすじをつけます。

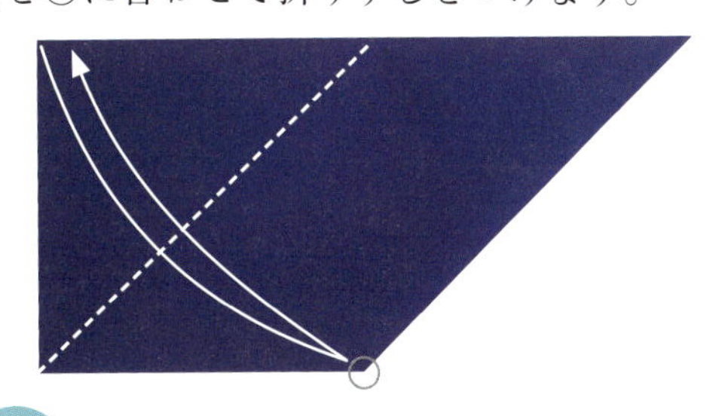

5

❹で折ったところをひらいてつぶすように折りながら、内側に折りこむ。

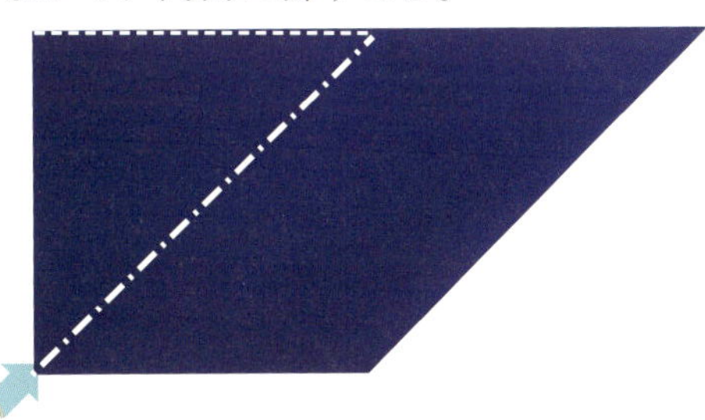

➡のところを内側に折りこむ。

さしこんだところ。

6

残り７枚も❶～❺のように折り、８枚用意します。

7

❻の折り紙を写真のように挟み込んで組み合わせます。

挟んだところ。

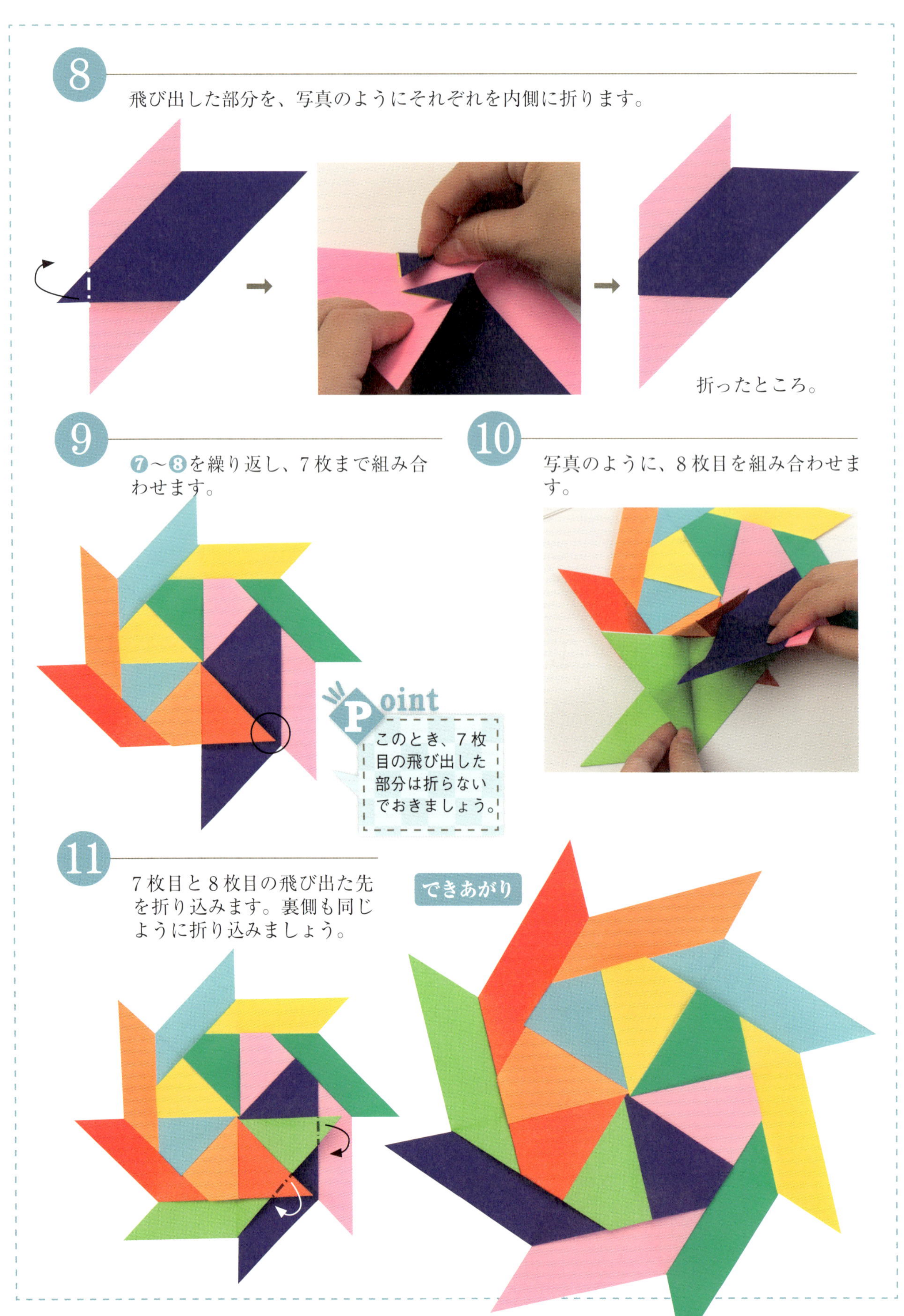
8
飛び出した部分を、写真のようにそれぞれを内側に折ります。
折ったところ。
9
❼～❽を繰り返し、7枚まで組み合わせます。
Point
このとき、7枚目の飛び出した部分は折らないでおきましょう。
10
写真のように、8枚目を組み合わせます。
11
7枚目と8枚目の飛び出た先を折り込みます。裏側も同じように折り込みましょう。
できあがり

見た目もかわいい、ネコとハートの２種類です。

ナフキンリング

難易度 ★★☆

巻くときはしっかりと
折りながらがポイント。
ネコの顔はペンで描いて。

紙のサイズ
15cm×15cm：1枚
仕上がりのサイズ
約2.5cm×6cm（ネコ）
約5cm×5cm（ハート）

ネコ

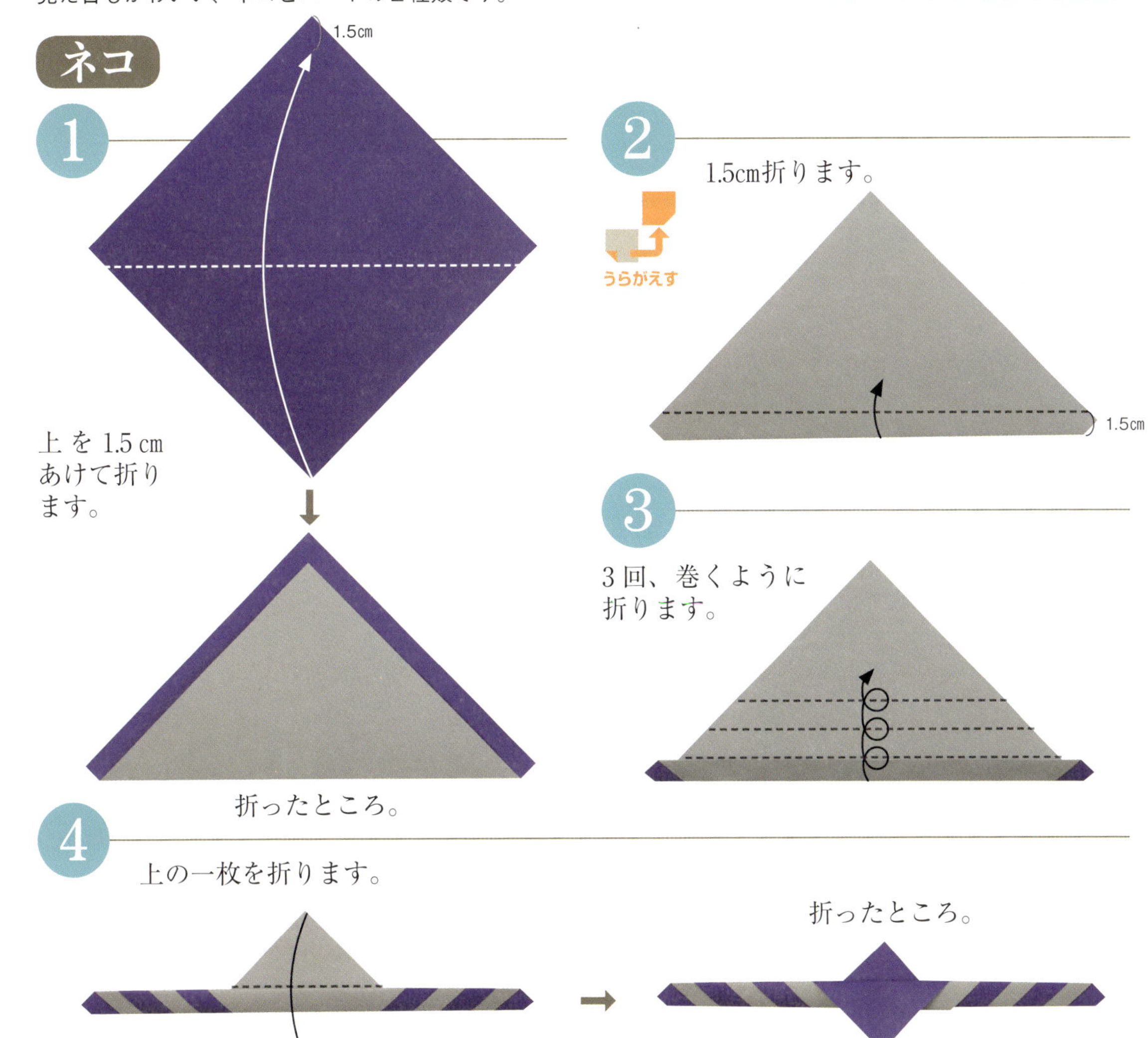

5 下を折ります。

6 少し折り返します。

7 はさみで切ります。

8 切った部分を折ります。

折ったところ。

9 写真のように、ねこの目を描きます。

10 写真のように差し込んでリング状にします。

Point
ナフキンの大きさに合わせて差し込む場所を変えましょう。

できあがり

ハート

1 半分に折りすじをつけます。

2 5cmほど角を折ります。

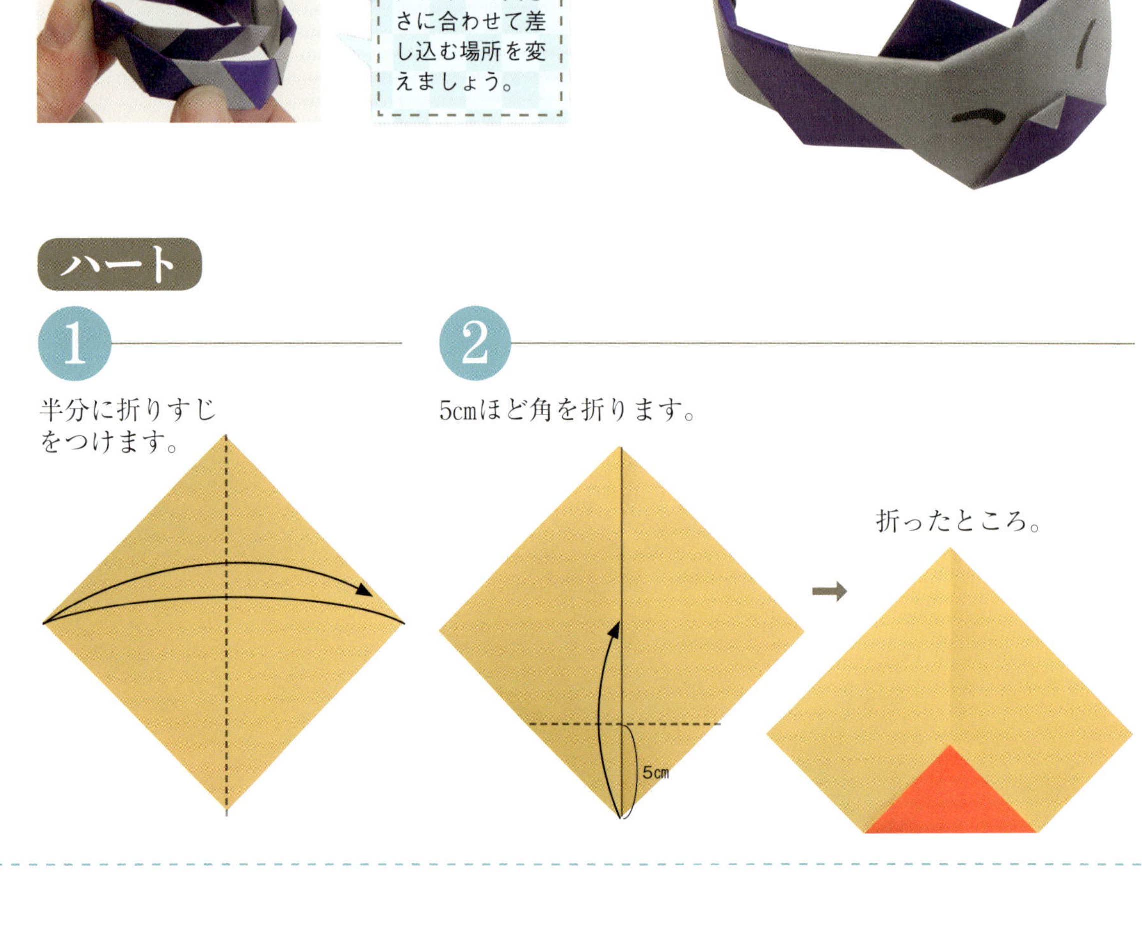

折ったところ。

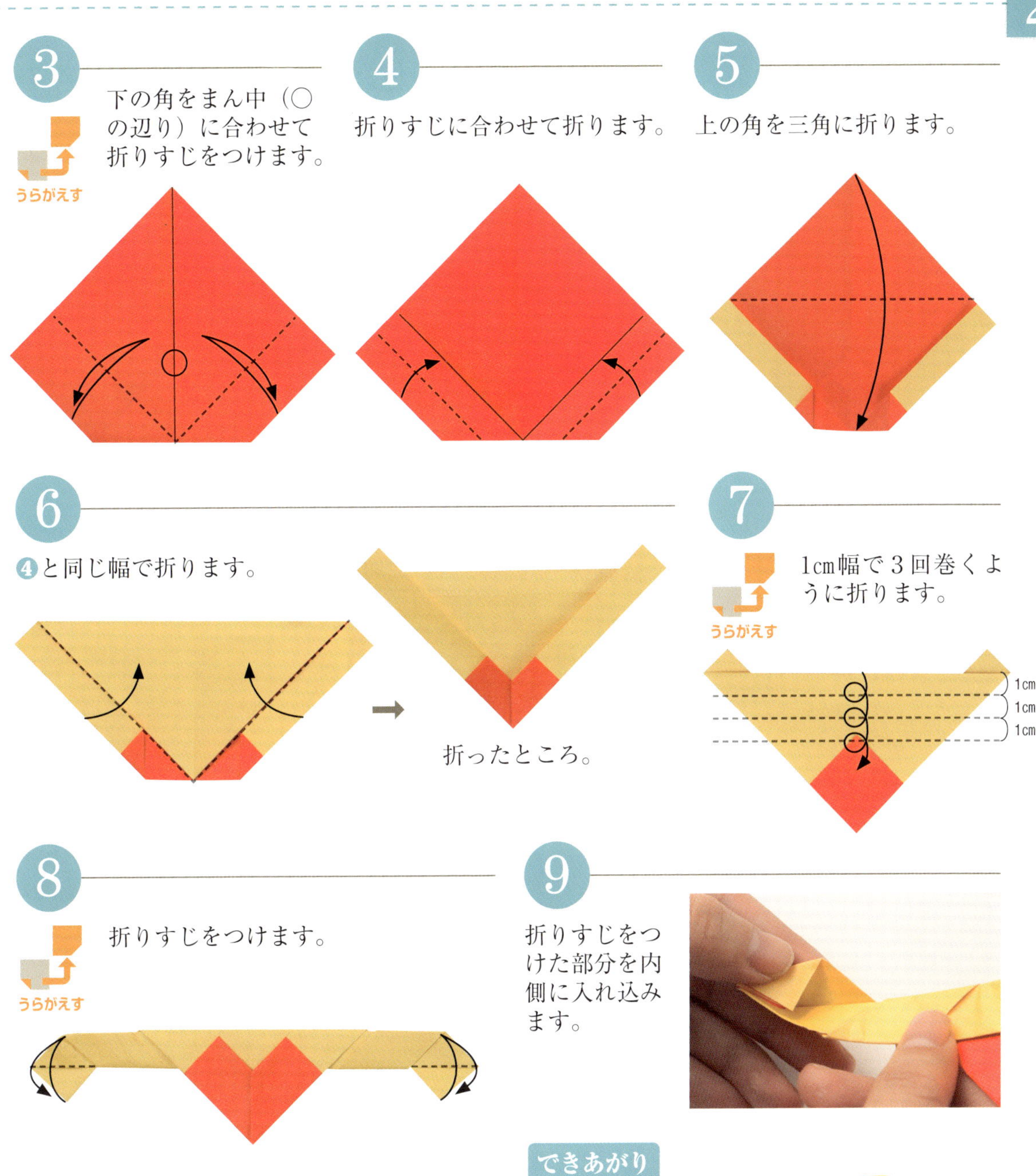

3

下の角をまん中（○の辺り）に合わせて折りすじをつけます。

4

折りすじに合わせて折ります。

5

上の角を三角に折ります。

6

❹と同じ幅で折ります。

折ったところ。

7

1cm幅で３回巻くように折ります。

8

折りすじをつけます。

9

折りすじをつけた部分を内側に入れ込みます。

できあがり

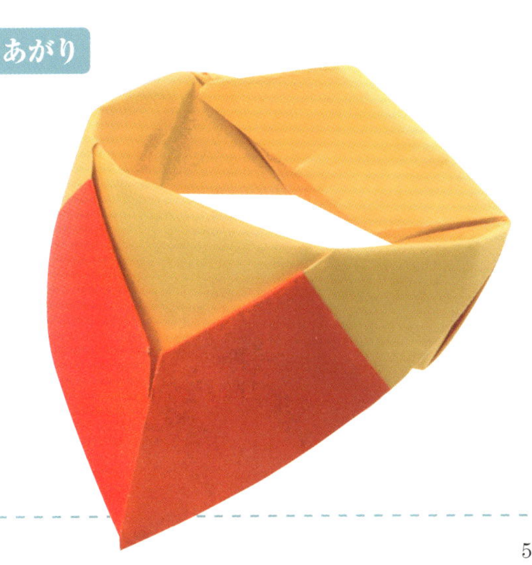

10

輪になるように差し込みます。

Point

しっかり固定させたいときは、のりやセロハンテープでとめてください。

カトラリーカバー

難易度 ★★☆

ちょうちょのモチーフで
テーブルを華やかに演出。
立体感も出すように折って。

紙のサイズ
15cm×15cm：1枚
仕上がりのサイズ
約7.5cm×10cm

ランチョンマットの色とコーディネートしても素敵。

1

半分に折ります。

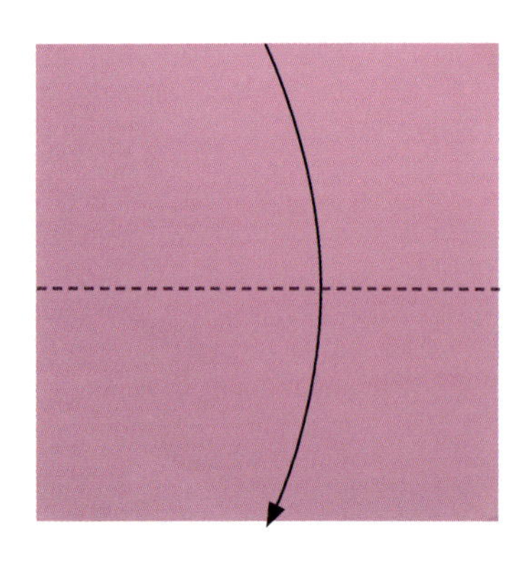

2

さらに半分に折ります。

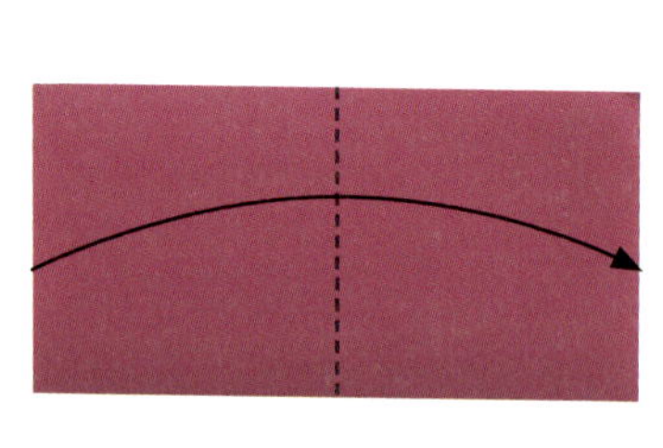

3

広げてつぶすように折ります。

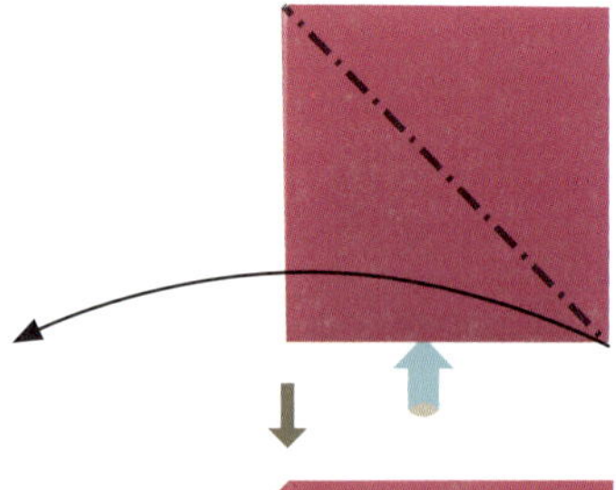

折ったところ。

4

同じように広げてつぶすように折ります。

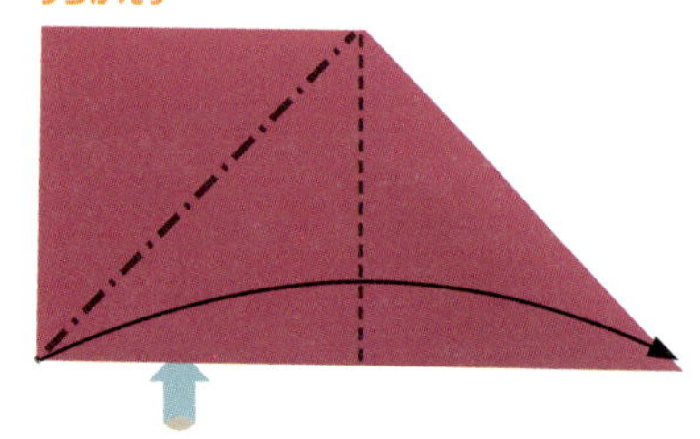

5

写真のように広げてつぶすように折ります。

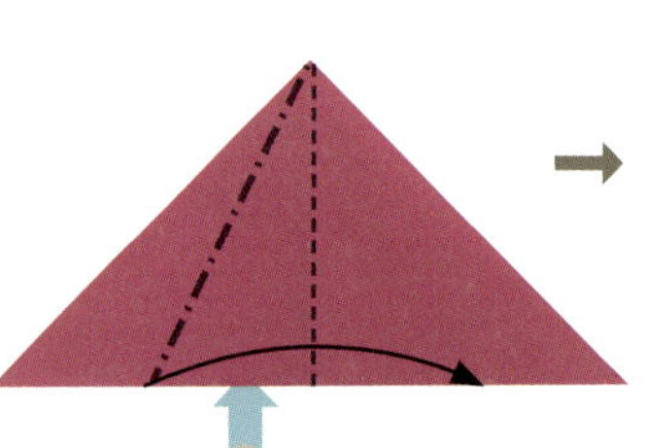

右側を折ります。

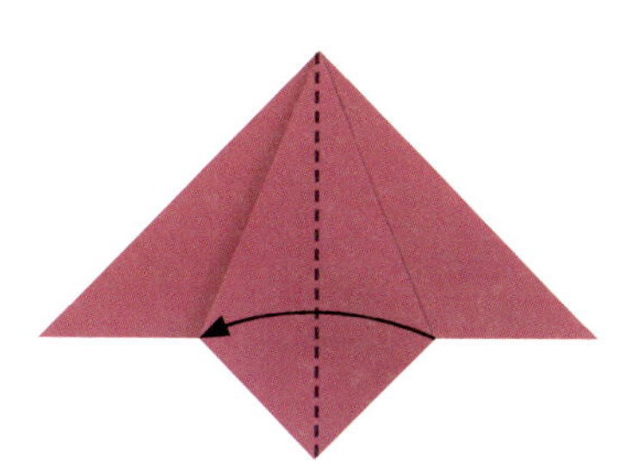

右側の１枚を取り、広げてつぶすように折ります。

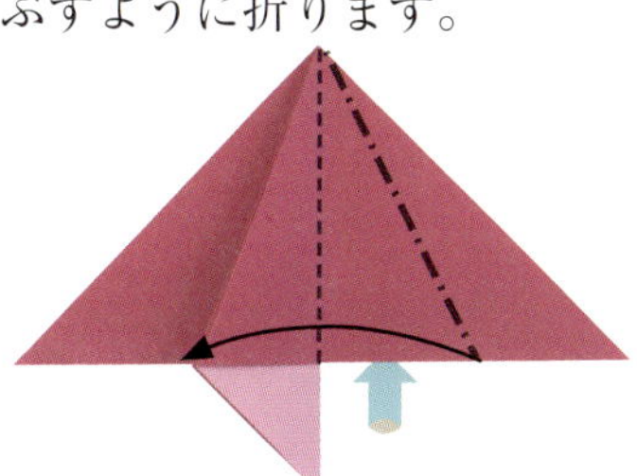

左側を折ります。

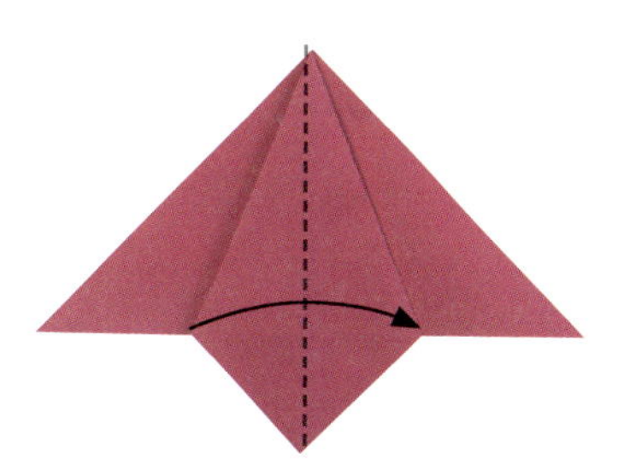

9

上に持ち上げながら写真のように左右をつぶします。

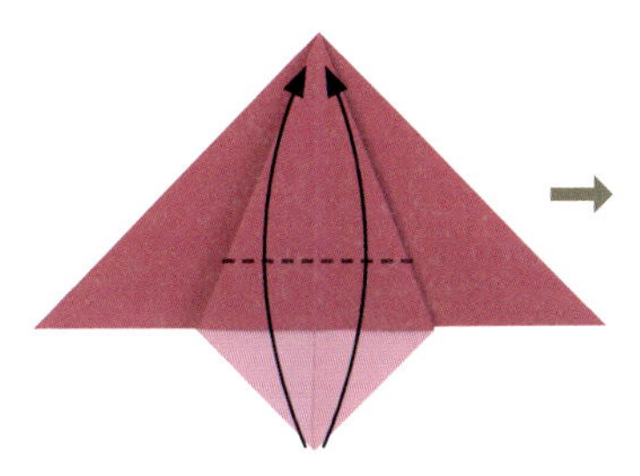

チョウチョの部分を立てるように整え、立体感を出します。

10

広げてつぶすように折ります。

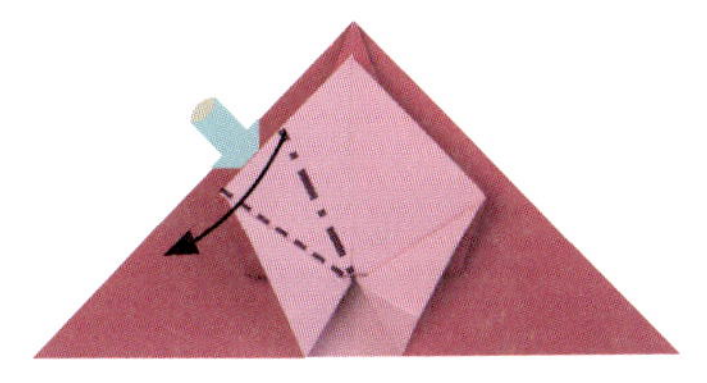

11

右側も広げてつぶします。

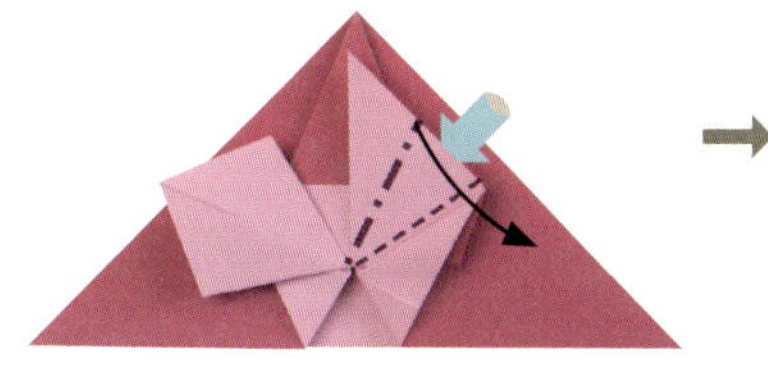

折ったところ。

12

カトラリーを入れ、大きさに合わせて左右を山折りします。

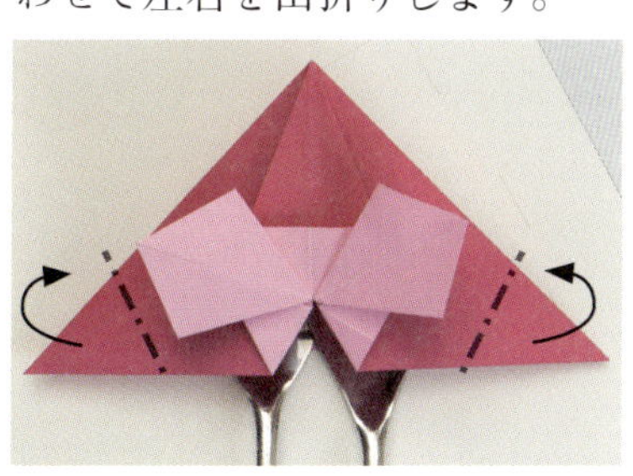

できあがり

ランチョンマット飾り

難易度 ★★☆

伝承の折り鶴を
アレンジして
テーブルウェアに。

紙のサイズ
15cm×15cm:1枚
仕上がりのサイズ
約7.5cm×15cm×5cm

ランチョンマットのコーナーをいかす折り紙アイデアです。

1

半分に折ります。

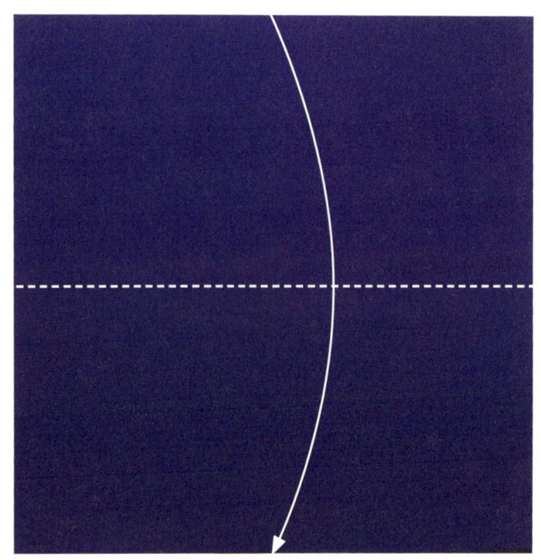

2

半分に折ります。

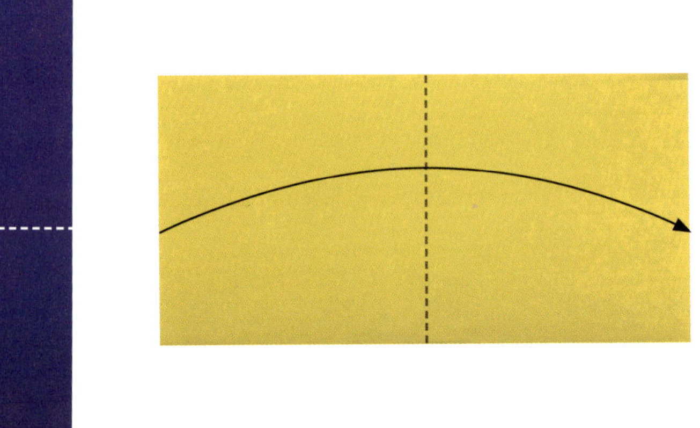

3

広げてつぶすように折ります。

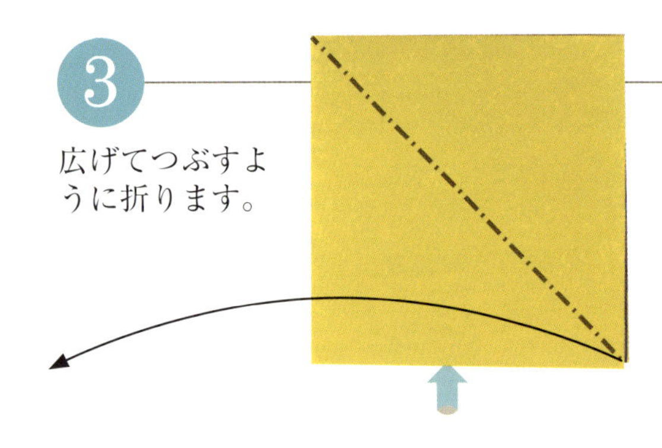

折ったところ。

4

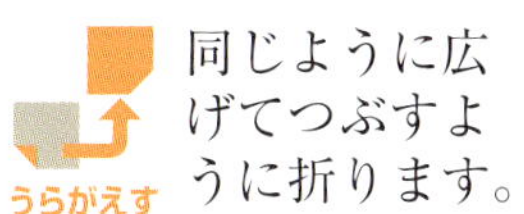

同じように広げてつぶすように折ります。

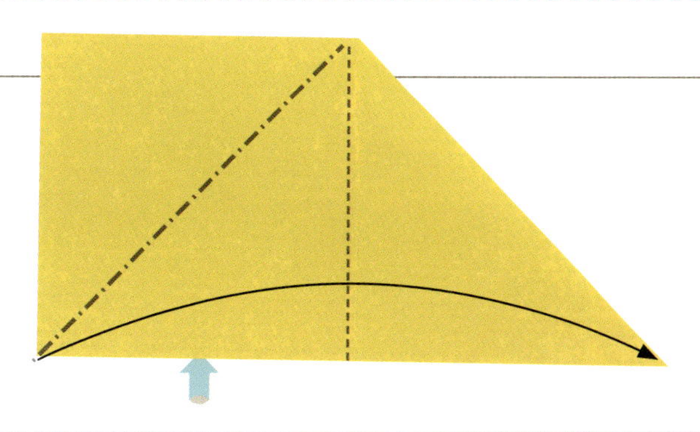

5

写真のように広げてつぶすように折ります。

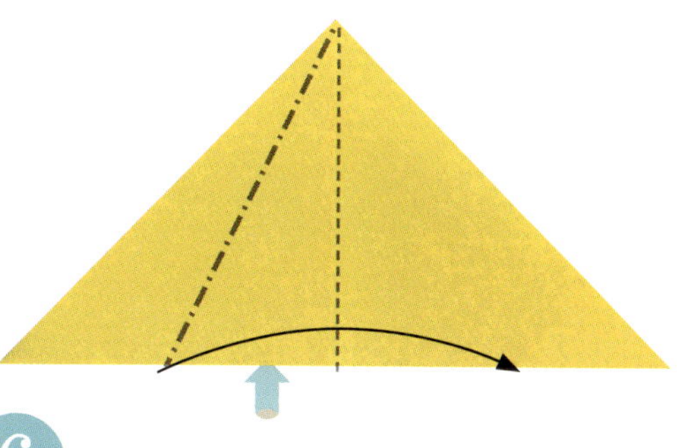

6

右側を折ります。

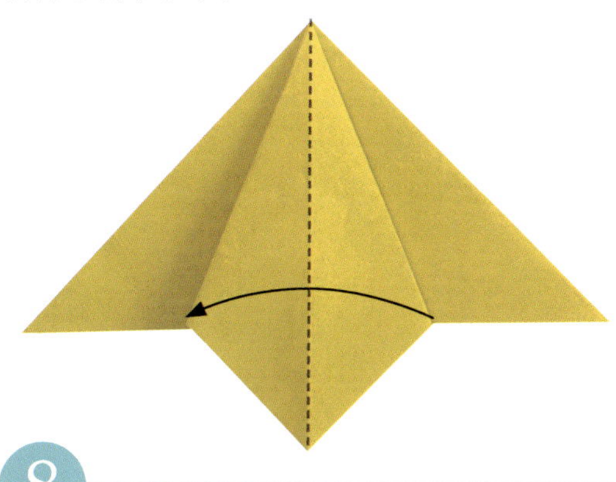

7

右側の１枚を取り、広げてつぶすように折ります。

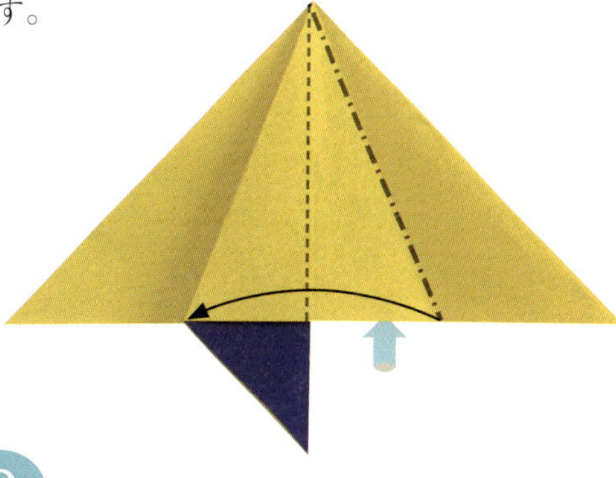

8

角をまん中に合わせて、折りすじをつけます。

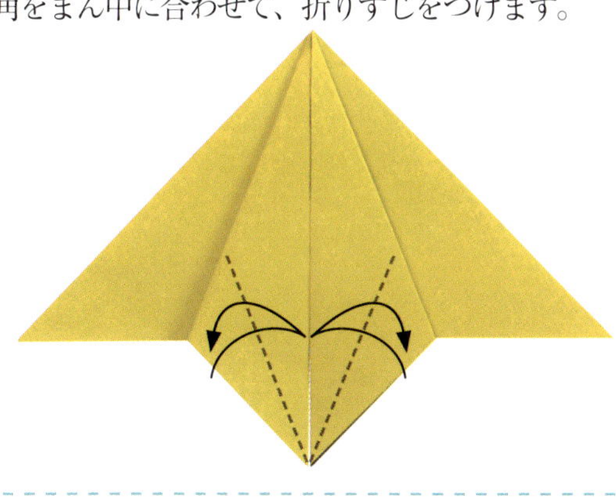

9

上下の角を合わせて、折りすじをつけます。

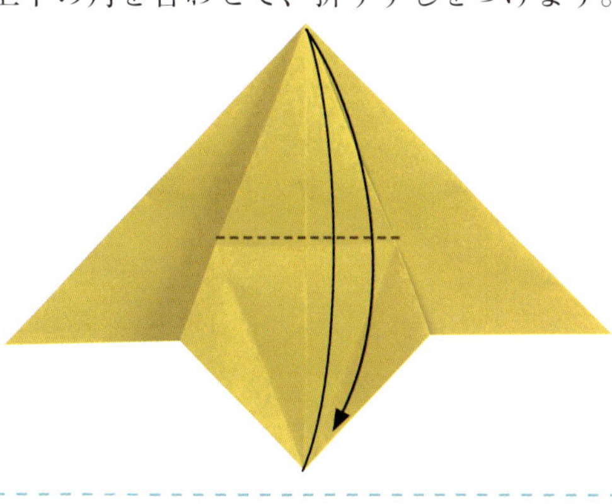

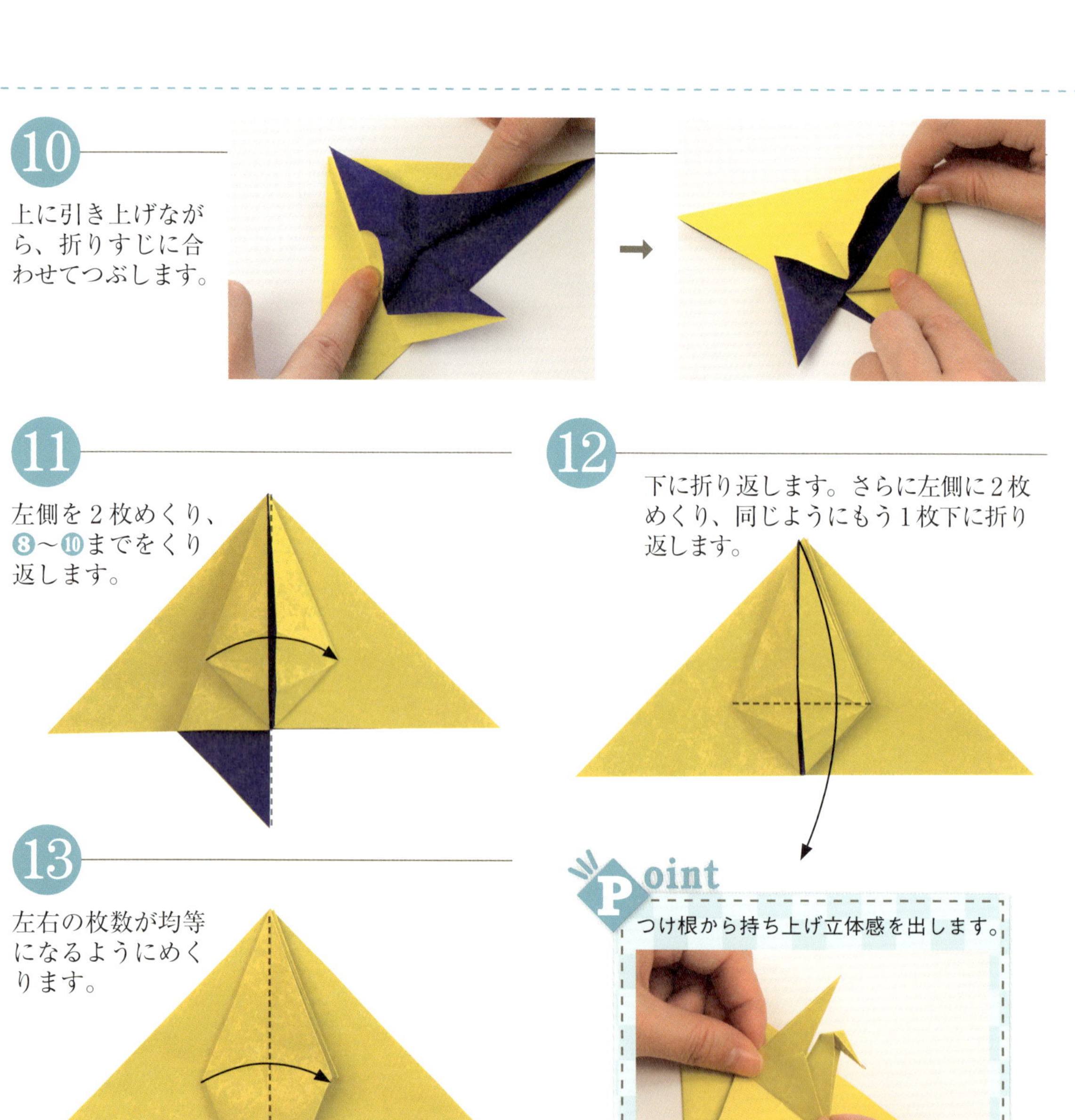

10

上に引き上げながら、折りすじに合わせてつぶします。

11

左側を２枚めくり、❽〜❿までをくり返します。

12

下に折り返します。さらに左側に２枚めくり、同じようにもう１枚下に折り返します。

13

左右の枚数が均等になるようにめくります。

Point

つけ根から持ち上げ立体感を出します。

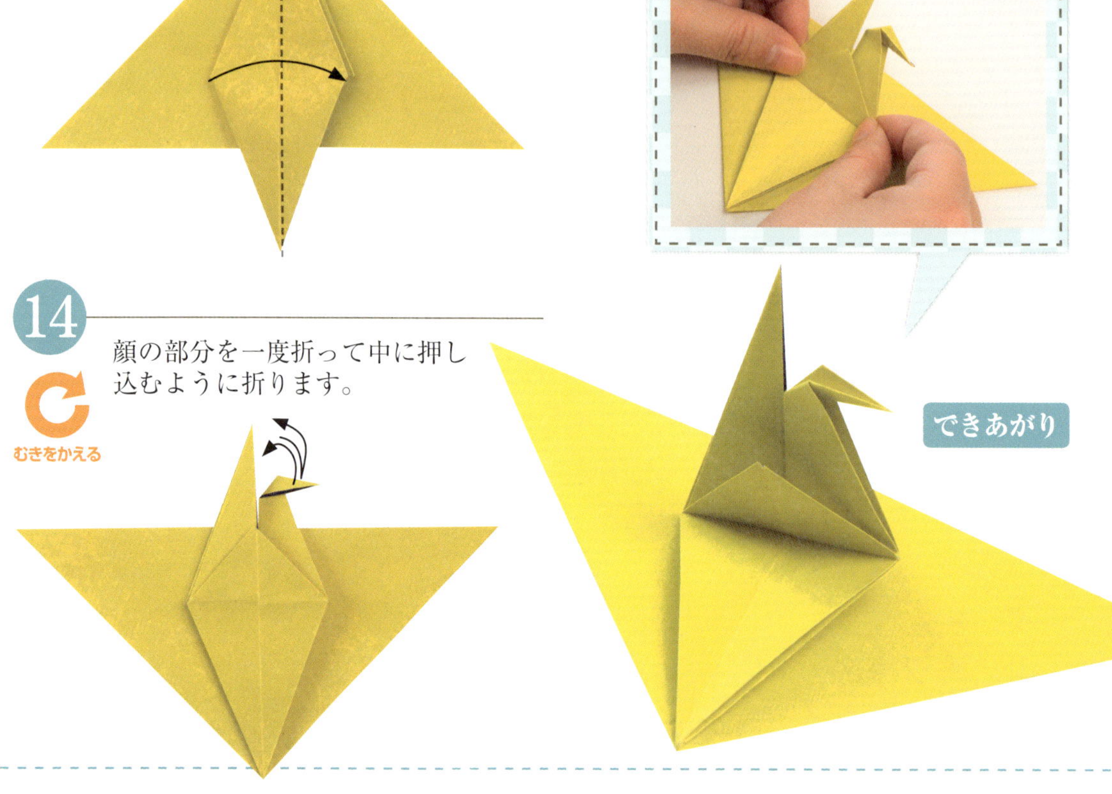

14

顔の部分を一度折って中に押し込むように折ります。

パンの大きさによって、紙のサイズを変えましょう。

パン皿

難易度 ★☆☆

お皿に見立てて
角をくるんと
丸めましょう。

紙のサイズ
15cm×15cm:1枚
仕上がりのサイズ
約10.5cm×10.5cm

1

縦、横半分に折りすじをつけます。

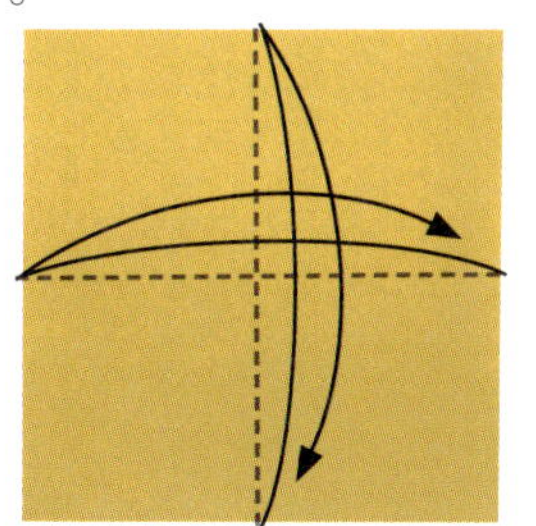

2

4つの角がまん中にくるように折ります。

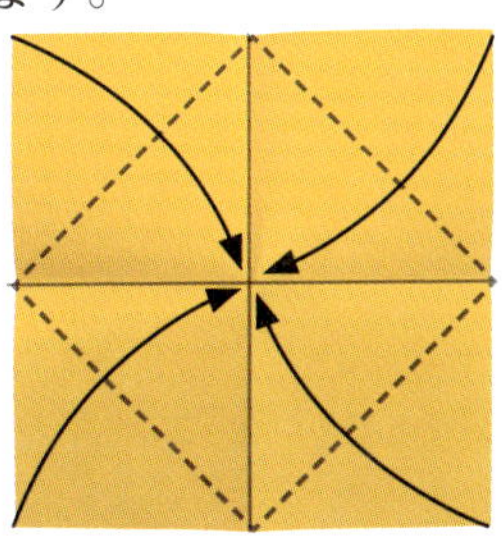

3

外側の辺に合わせて折ります。

4

4つの角がまん中にくるように折ります。

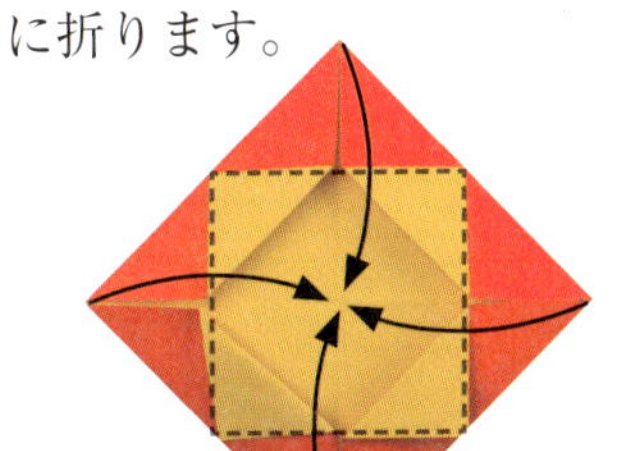

5

外側の辺に合わせて折ります。

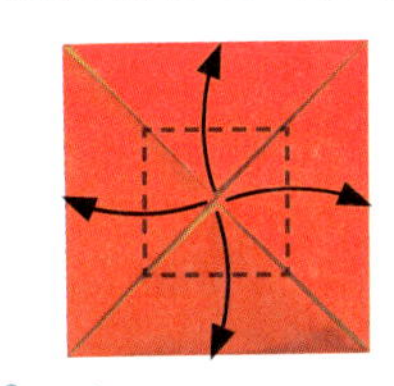

6

4辺を開きます。

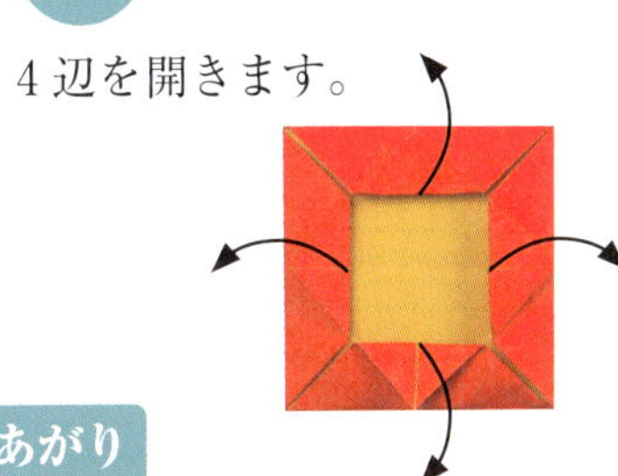

7

★のついた場所を丸めます。

Point

鉛筆を使うときれいに丸まります。

できあがり

ピック

難易度 ★★☆

あじさいの花を
つくるように
折りましょう。

手軽で簡単にできるピックは、パーティーでも大活躍しそう。

紙のサイズ
7.5cm×7.5cm:1枚
仕上がりのサイズ
約4cm×4cm（花）
約3cm×7cm（チョウチョ）

花

1 三角に折ります。

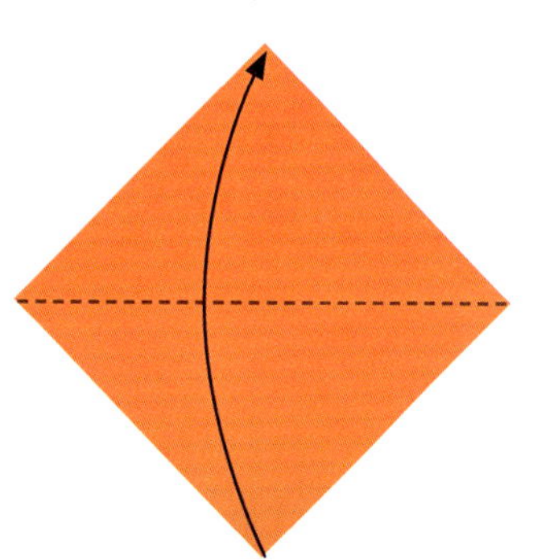

2 さらに三角に折ります。

3 広げてつぶすように折ります。

折ったところ。

4 広げてつぶすように折ります。

5 上の１枚をまん中に合わせて折ります。

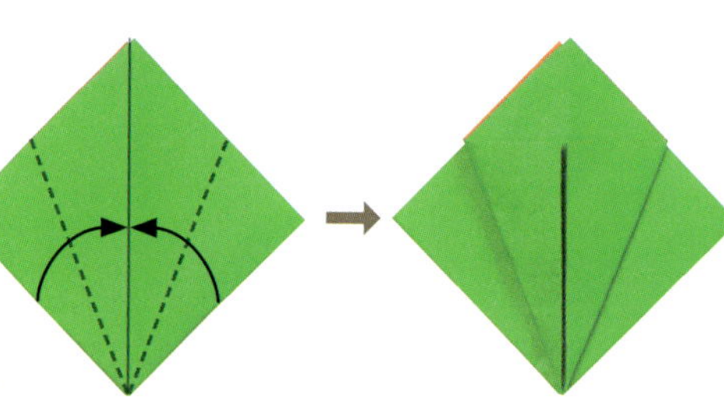

折ったところ。

6 まん中に合わせて折ります。

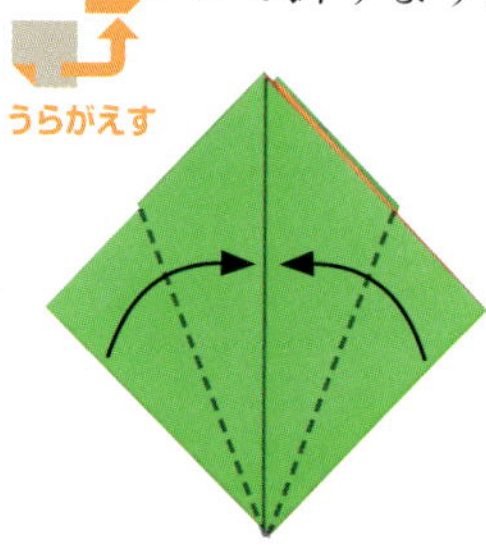

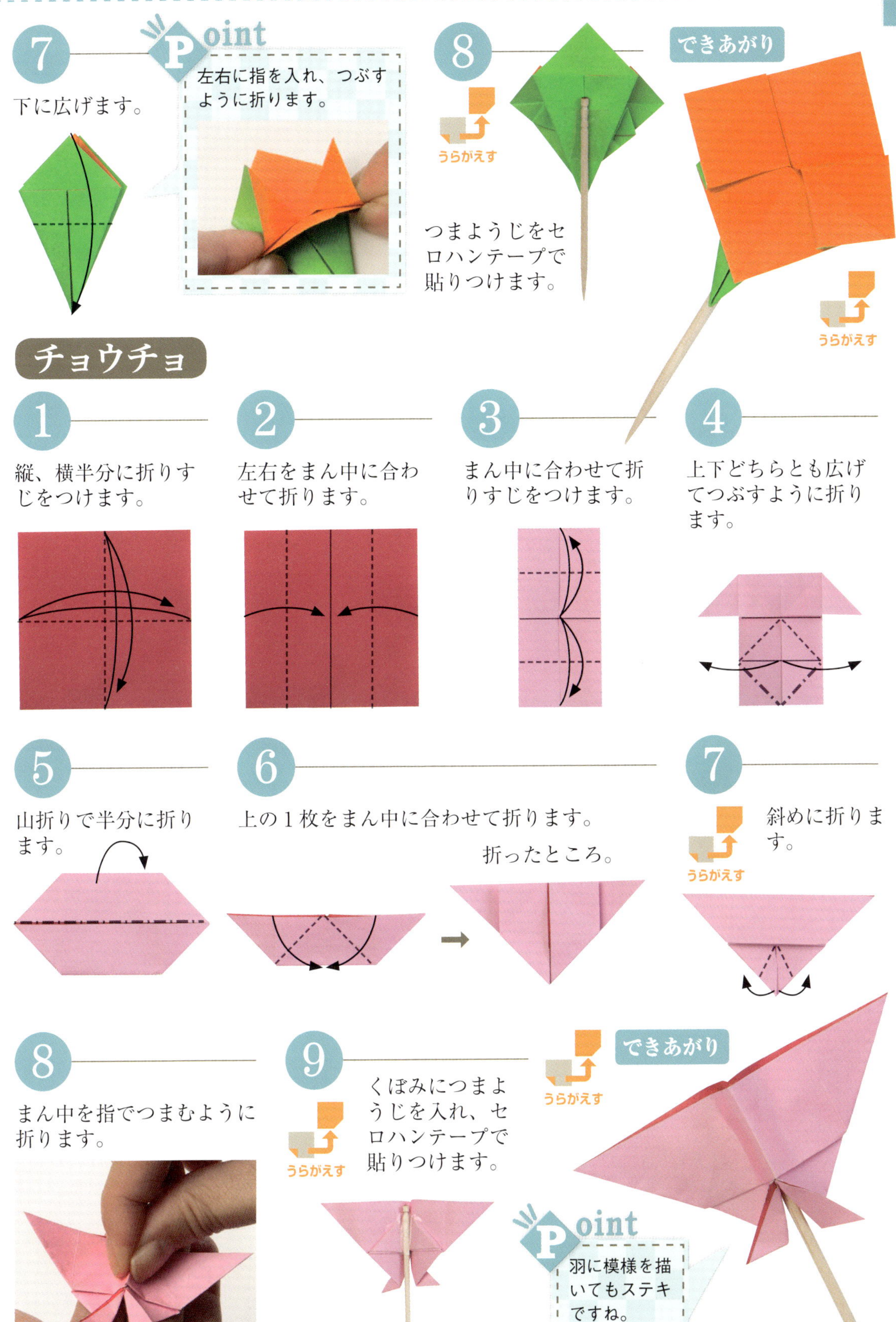
7
下に広げます。
Point
左右に指を入れ、つぶすように折ります。
8
うらがえす
つまようじをセロハンテープで貼りつけます。
できあがり
うらがえす
チョウチョ
1
縦、横半分に折りすじをつけます。
2
左右をまん中に合わせて折ります。
3
まん中に合わせて折りすじをつけます。
4
上下どちらとも広げてつぶすように折ります。
5
山折りで半分に折ります。
6
上の１枚をまん中に合わせて折ります。
折ったところ。
7
うらがえす
斜めに折ります。
8
まん中を指でつまむように折ります。
9
うらがえす
くぼみにつまようじを入れ、セロハンテープで貼りつけます。
うらがえす
できあがり
Point
羽に模様を描いてもステキですね。

プチダスト ボックス

難易度 ★★☆

両端部分をあえて
差し込んで
コンパクトなサイズにします。

紙のサイズ
15cm×15cm:1枚
仕上がりのサイズ
約6cm×6cm×5.5cm

机の上にもちっちゃなごみ箱を置いて、いつもきれいに。

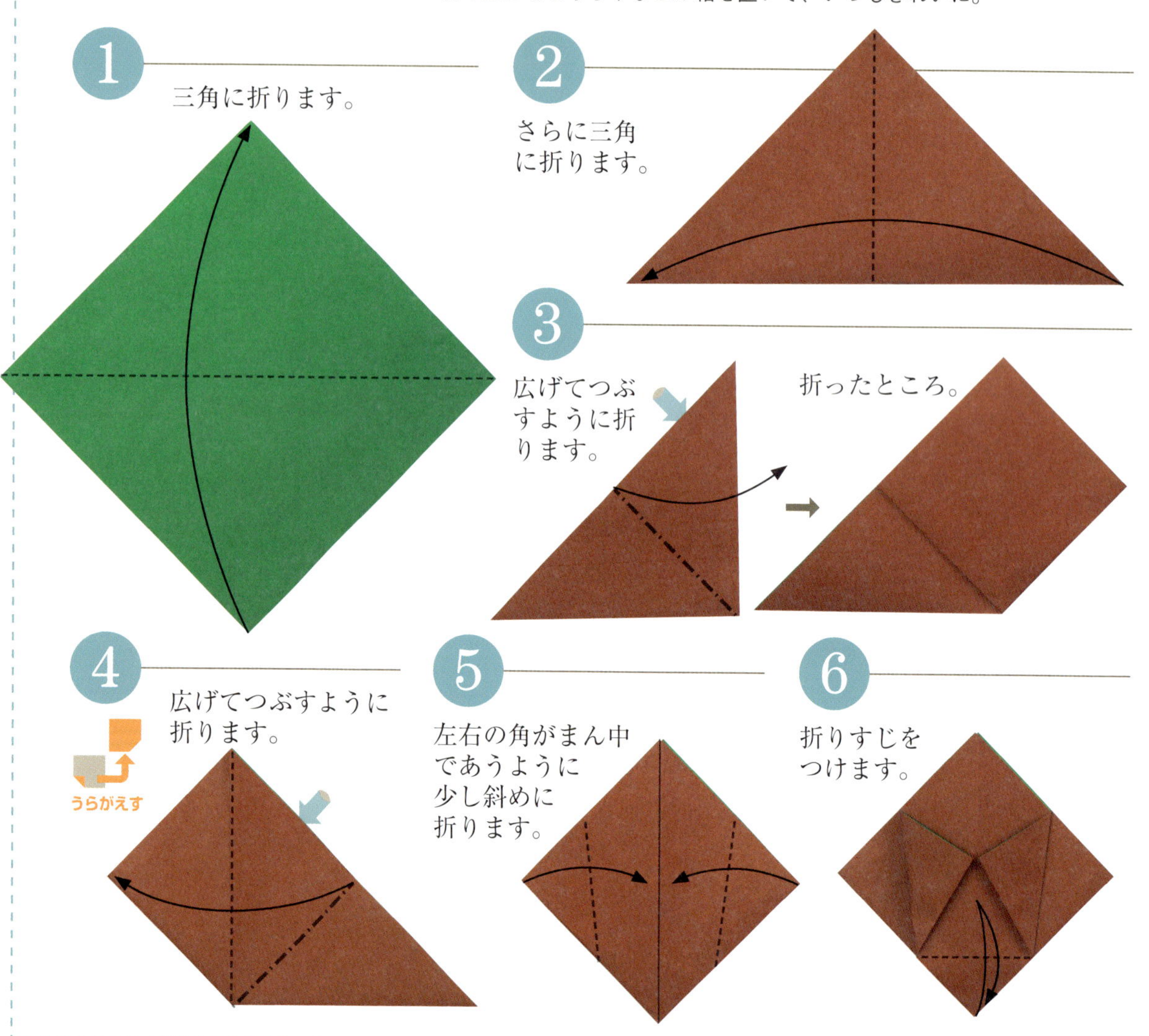

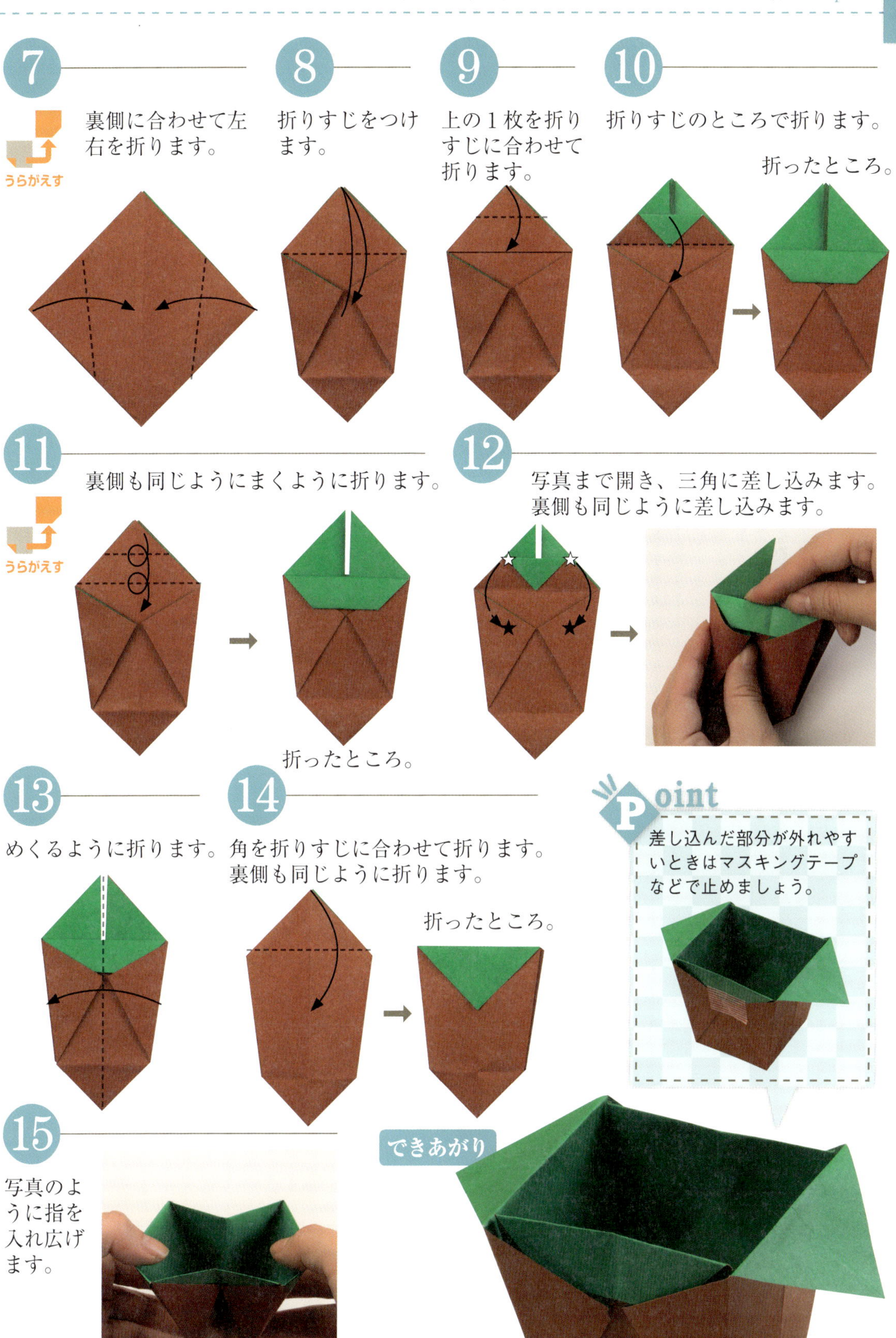
7
うらがえす
裏側に合わせて左右を折ります。
8
折りすじをつけます。
9
上の１枚を折りすじに合わせて折ります。
10
折りすじのところで折ります。
折ったところ。
11
うらがえす
裏側も同じようにまくように折ります。
折ったところ。
12
写真まで開き、三角に差し込みます。裏側も同じように差し込みます。
13
めくるように折ります。
14
角を折りすじに合わせて折ります。裏側も同じように折ります。
折ったところ。
Point
差し込んだ部分が外れやすいときはマスキングテープなどで止めましょう。
15
写真のように指を入れ広げます。
できあがり

パンのマグネット

難易度 ★★☆

角も折って
まるっこくすると
パンらしくなります。

紙のサイズ
7.5cm×7.5cm:1枚
仕上がりのサイズ
約6cm×3cm(クロワッサン)
約6cm×3.5cm(コロネ)

折り紙の色選びはパンを意識したものを。

クロワッサン

1

1cm折ります。

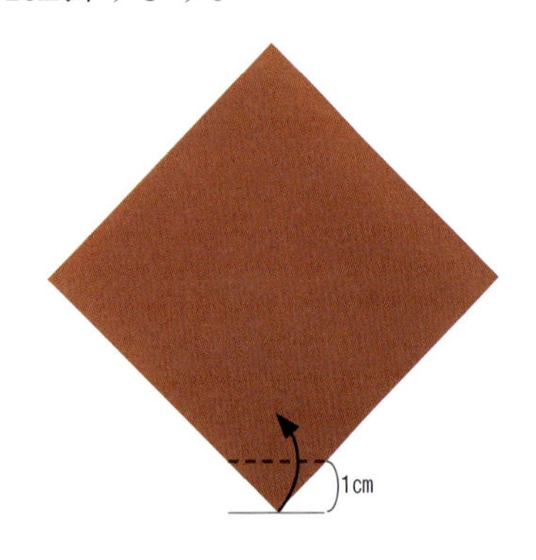

2

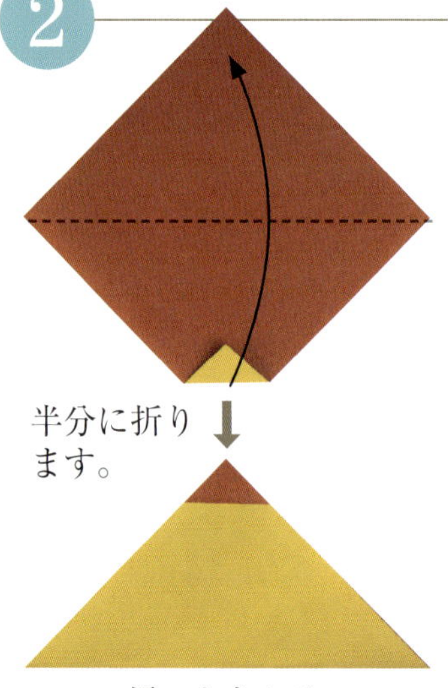

半分に折ります。

折ったところ。

3

下の辺まで折ります。

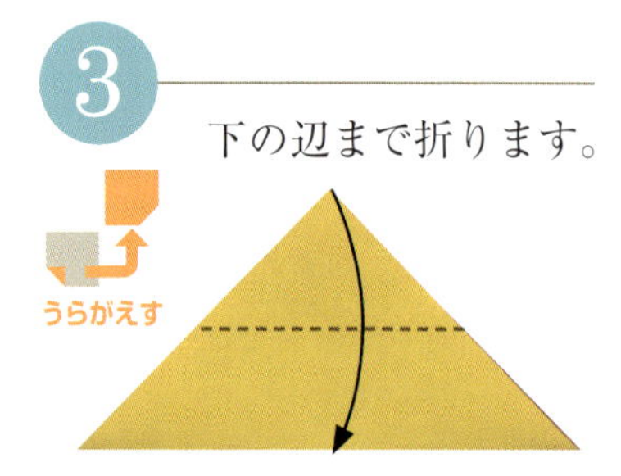

4

○の角をガイドに少し斜めに折ります。

5

5mmで折ります。

6

段折りにします。

7

○の角をガイドに少し斜めに折ります。

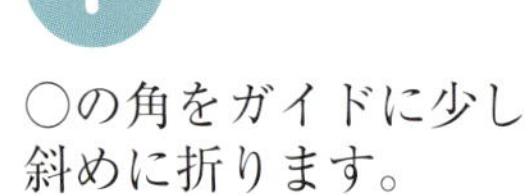

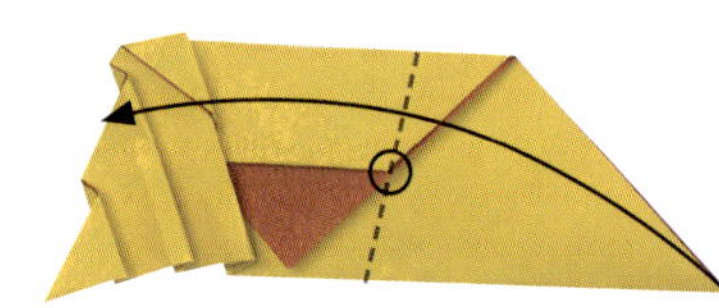

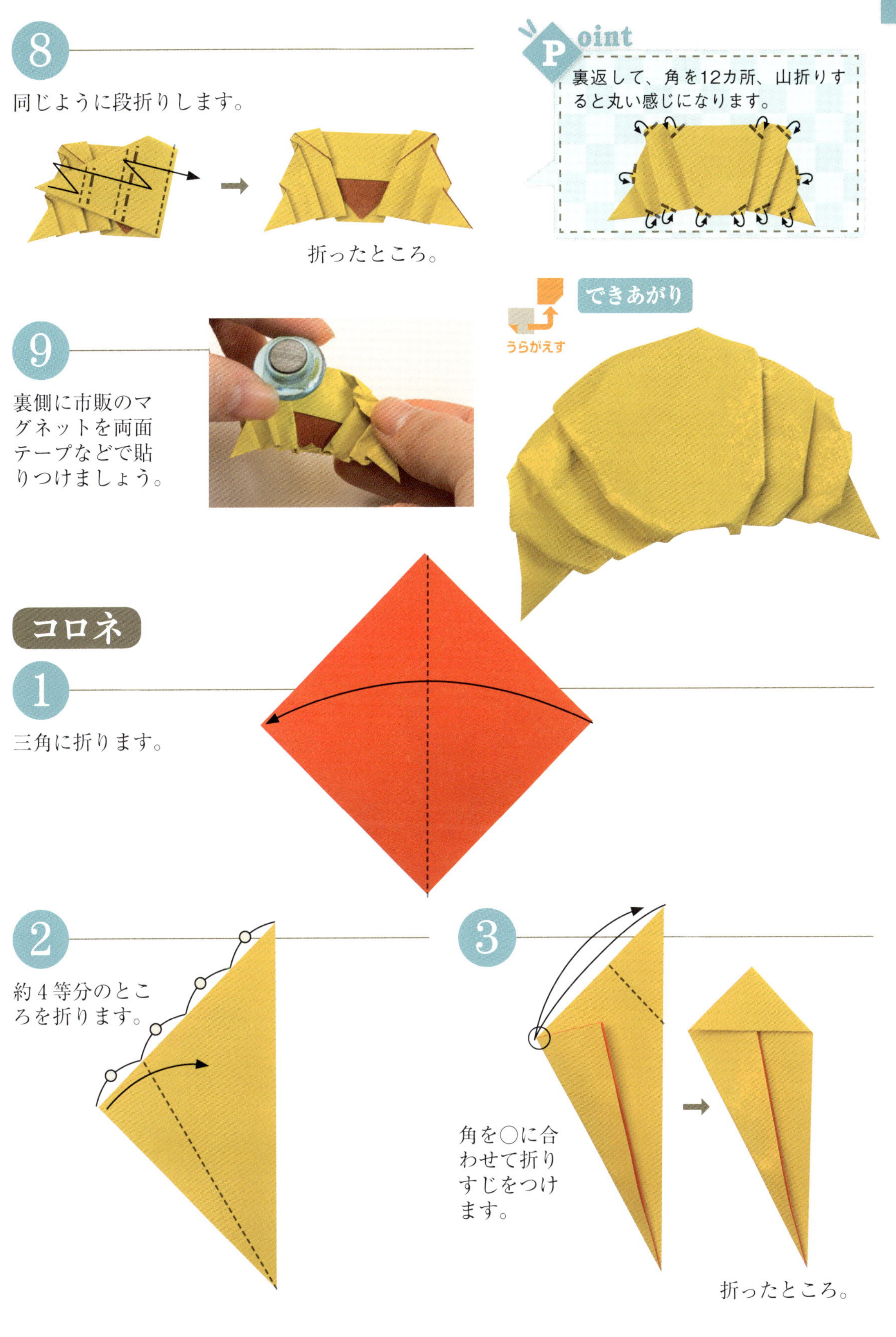

8

同じように段折りします。

折ったところ。

Point

裏返して、角を12カ所、山折りすると丸い感じになります。

9

裏側に市販のマグネットを両面テープなどで貼りつけましょう。

うらがえす

できあがり

コロネ

1

三角に折ります。

2

約４等分のところを折ります。

3

角を○に合わせて折りすじをつけます。

折ったところ。

4

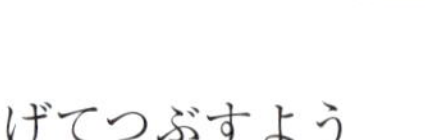

広げてつぶすように折ります。

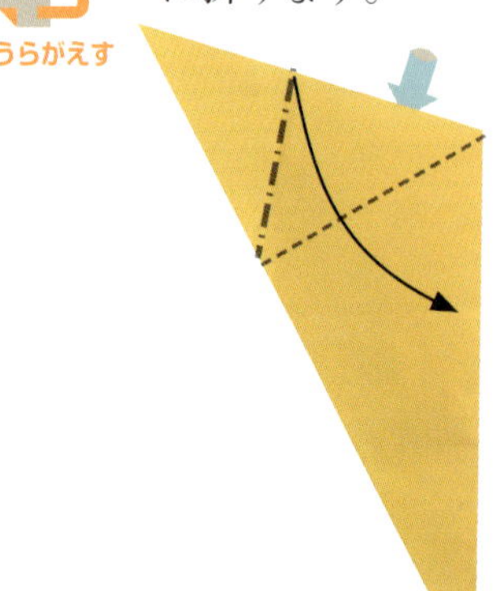

5

折りすじに合わせて折ります。

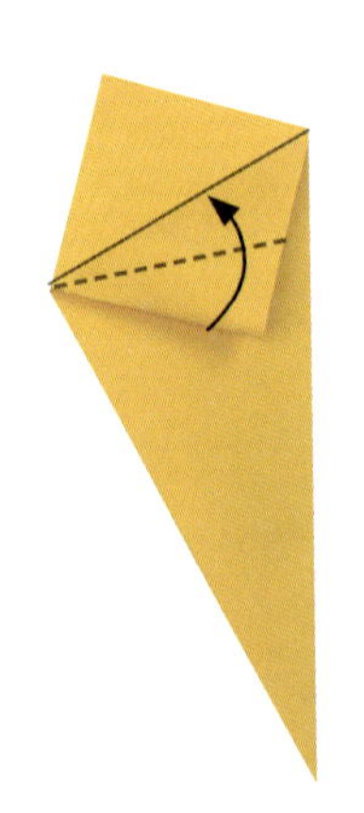

6

もう一度折ります。

7

段折りにします。

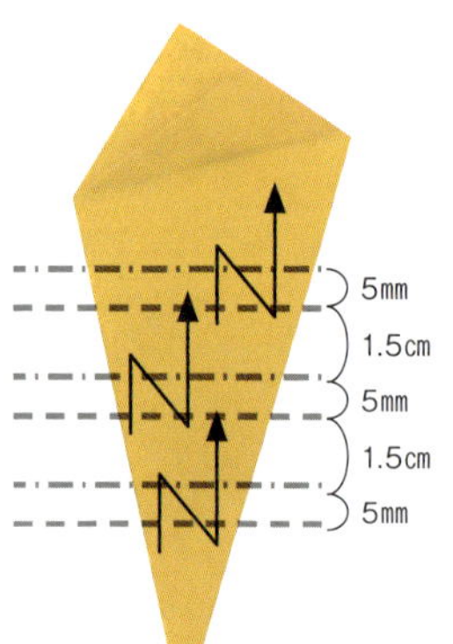

8

先のところを少しだけうしろに折ります。

9

上の角を一度ひらいてチョコの色をぬり、角を山折りにします。

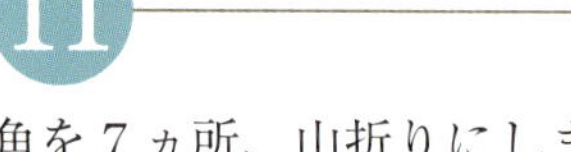

10

開いたところをもどします。

11

角を7ヵ所、山折りにします。

Point

それぞれの角を折るとパンらしさが出ます。

できあがり

裏側にマグネットを両面テープで貼りつけます。

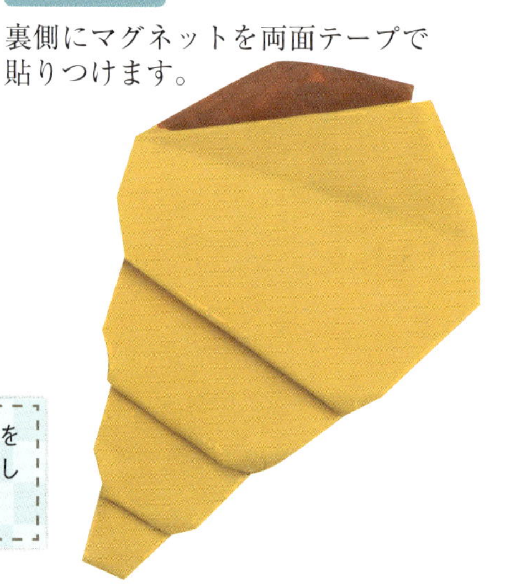

野菜のクリップ

難易度 ★☆☆

野菜に見立てるためには
ツートンカラーの
バランスが大切です。

紙のサイズ
7.5cm×7.5cm：1枚

仕上がりのサイズ
約2cm×5cm（ニンジン）
約2cm×6.5cm（ダイコン）

ニンジンやダイコンの色に合わせた折り紙で折りましょう。

ニンジン

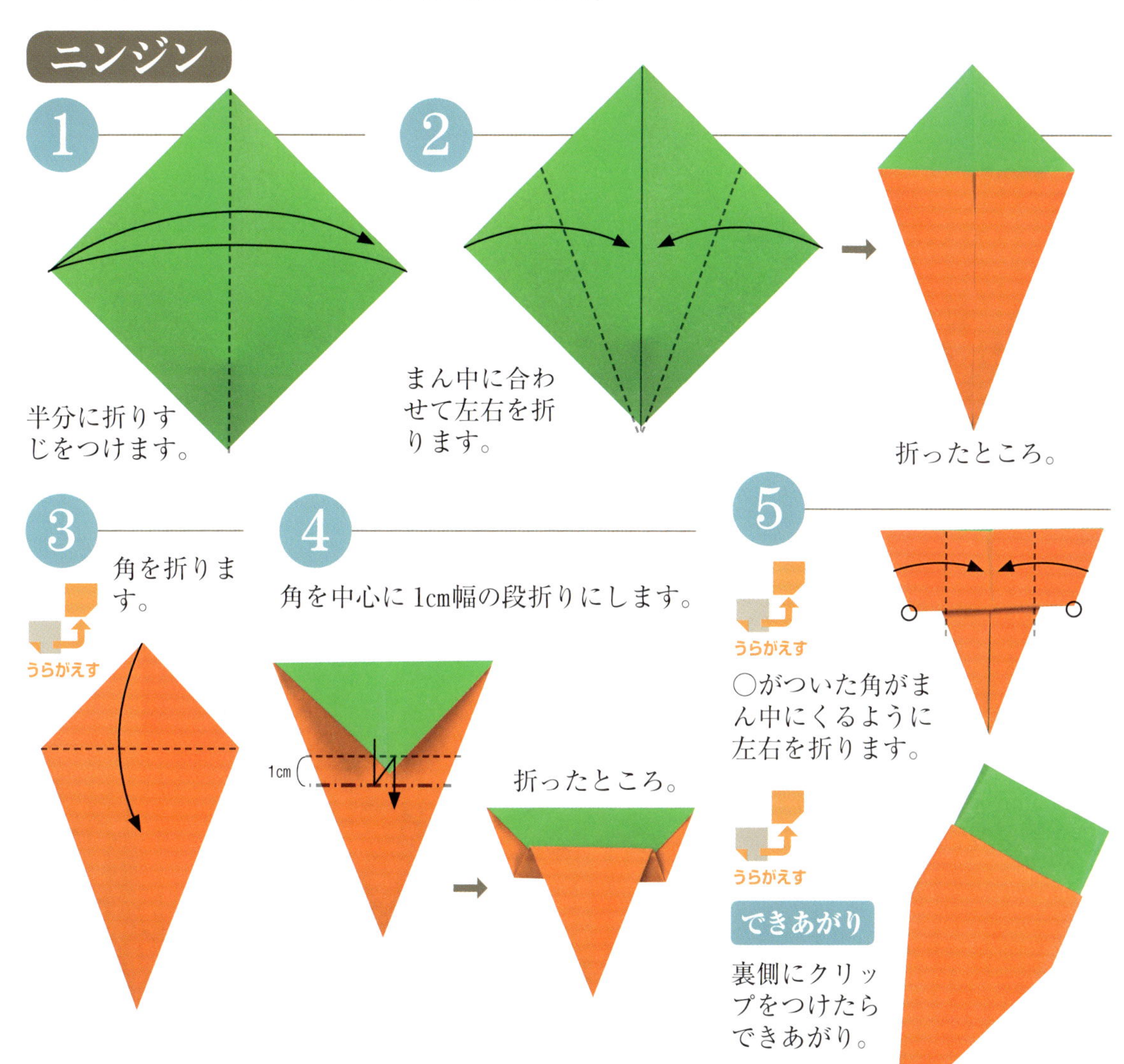

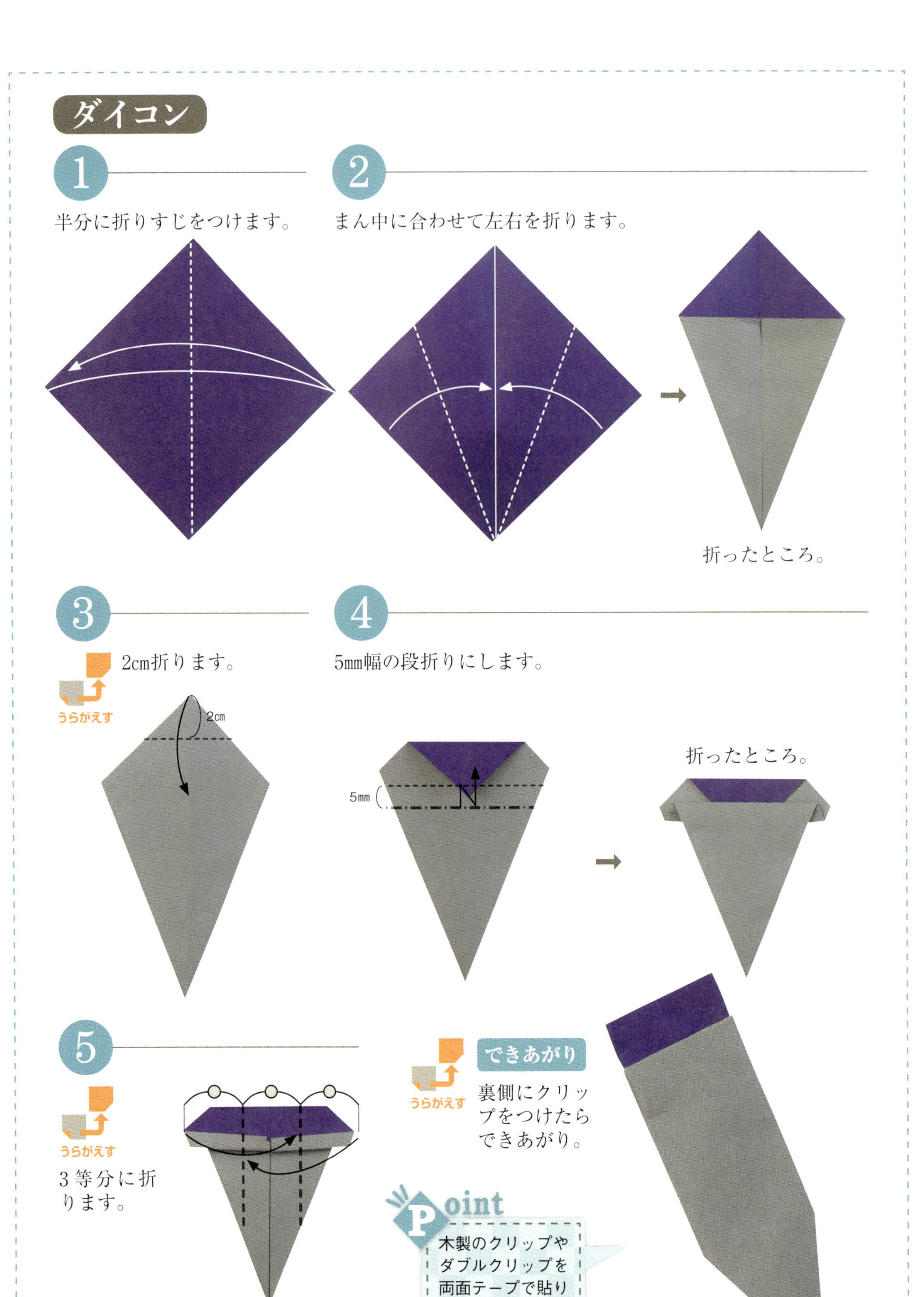
ダイコン
1
半分に折りすじをつけます。
2
まん中に合わせて左右を折ります。
折ったところ。
3
うらがえす
2cm折ります。
2cm
4
5mm幅の段折りにします。
5mm
折ったところ。
5
うらがえす
3等分に折ります。
うらがえす
できあがり
裏側にクリップをつけたらできあがり。
Point
木製のクリップやダブルクリップを両面テープで貼りましょう。

Chapter 3

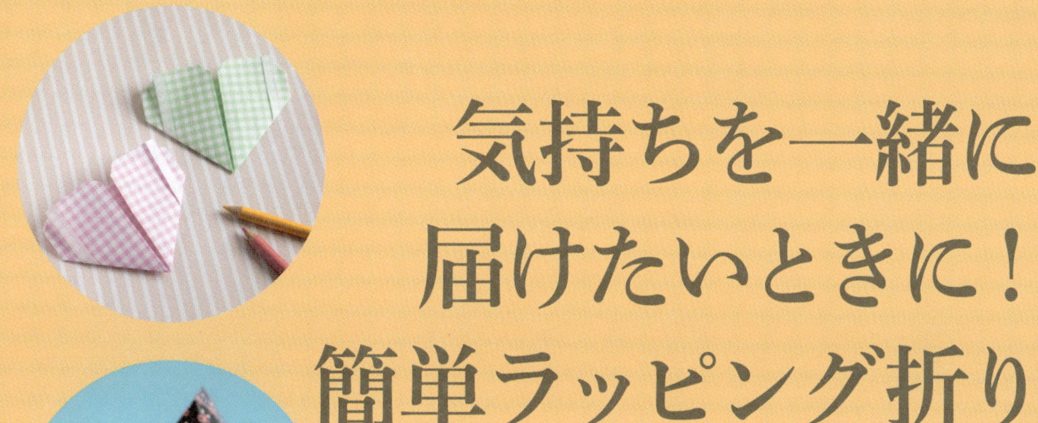

気持ちを一緒に届けたいときに！簡単ラッピング折り

買ってきた贈り物ではちょっと味気ない…
と思うことありませんか？
そんなときは手づくりの手紙や
カードを添えてみましょう。
相手の方の笑顔が見える
ステキな贈り物になるはずです。

ハートの折り手紙

難易度 ★★☆

ハートの形の中に
縦のラインの
折り返しがアクセントに。

紙のサイズ
15cm×15cm:1枚
仕上がりのサイズ
約7.5cm×9cm

ギフトに添えてもぴったりのハート型のお手紙。

1

下を5mm折ります。

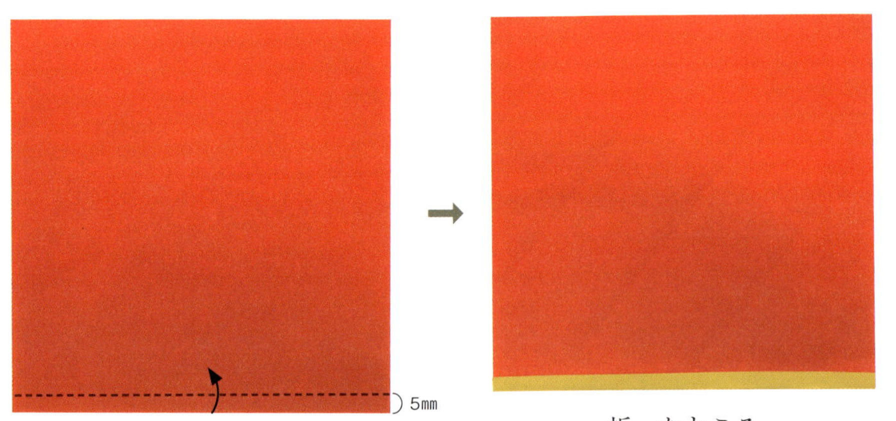

折ったところ。

2

うらがえす

半分に折りすじをつけます。

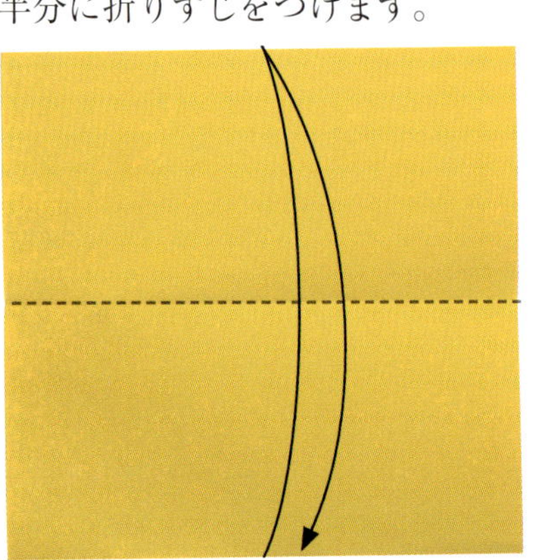

3

折りすじまで折ります。

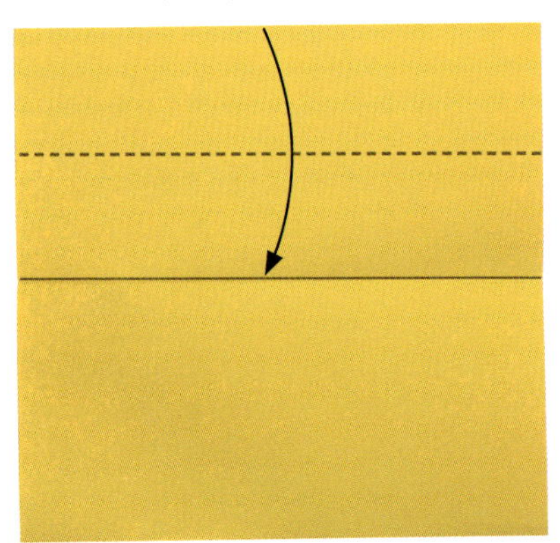

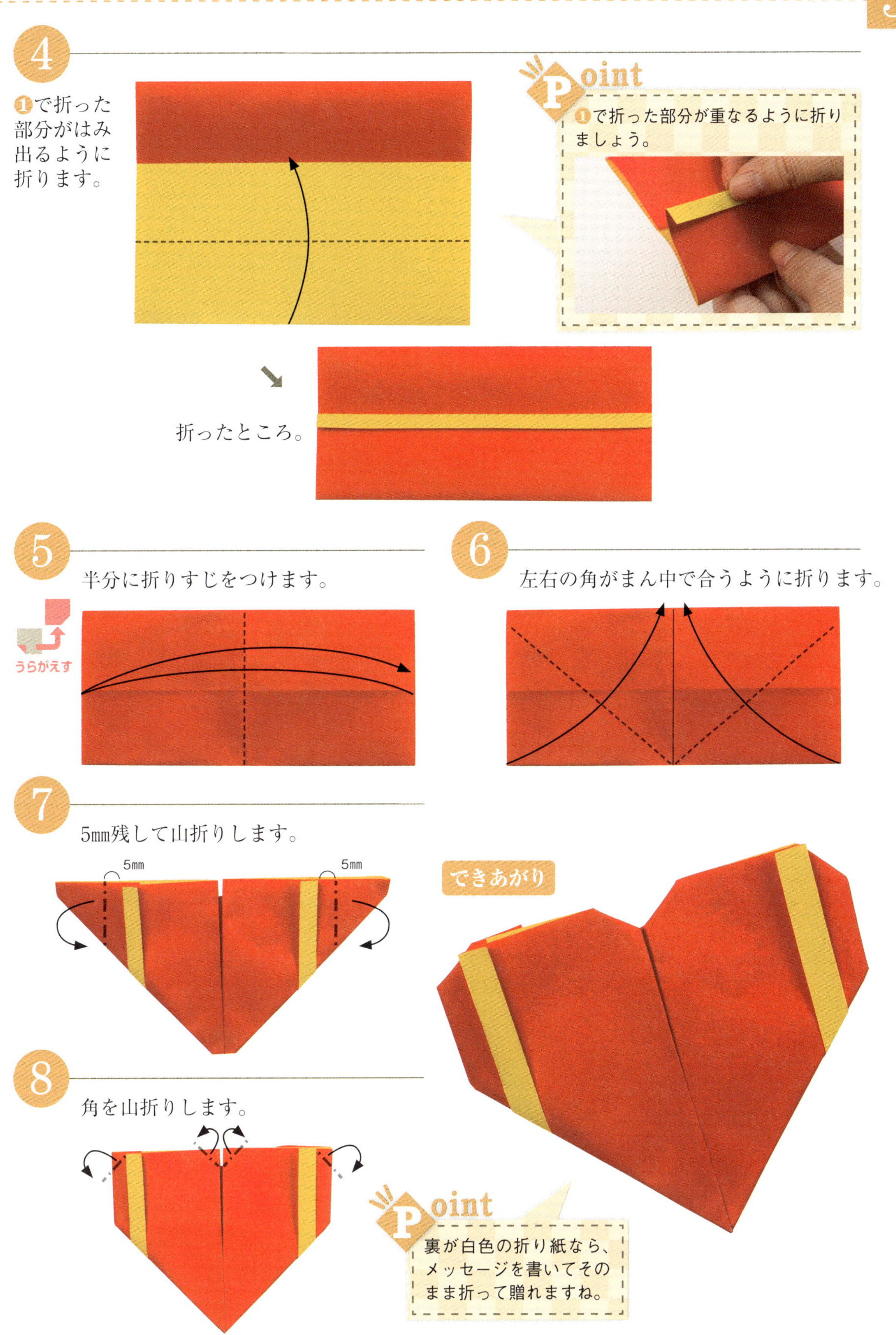
4
❶で折った部分がはみ出るように折ります。
Point
❶で折った部分が重なるように折りましょう。
折ったところ。
5
半分に折りすじをつけます。
うらがえす
6
左右の角がまん中で合うように折ります。
7
5㎜残して山折りします。
5㎜
5㎜
できあがり
8
角を山折りします。
Point
裏が白色の折り紙なら、メッセージを書いてそのまま折って贈れますね。

洋服の折り手紙

難易度 ★☆☆

すその折り返しや
ソデをつくって
ワンピース風に。

紙のサイズ
15cm×15cm:1枚
仕上がりのサイズ
約10cm×7.5cm

便箋など長方形のサイズでも折ることができます。

1

下を１cm折ります。

2

半分に折りすじをつけます。

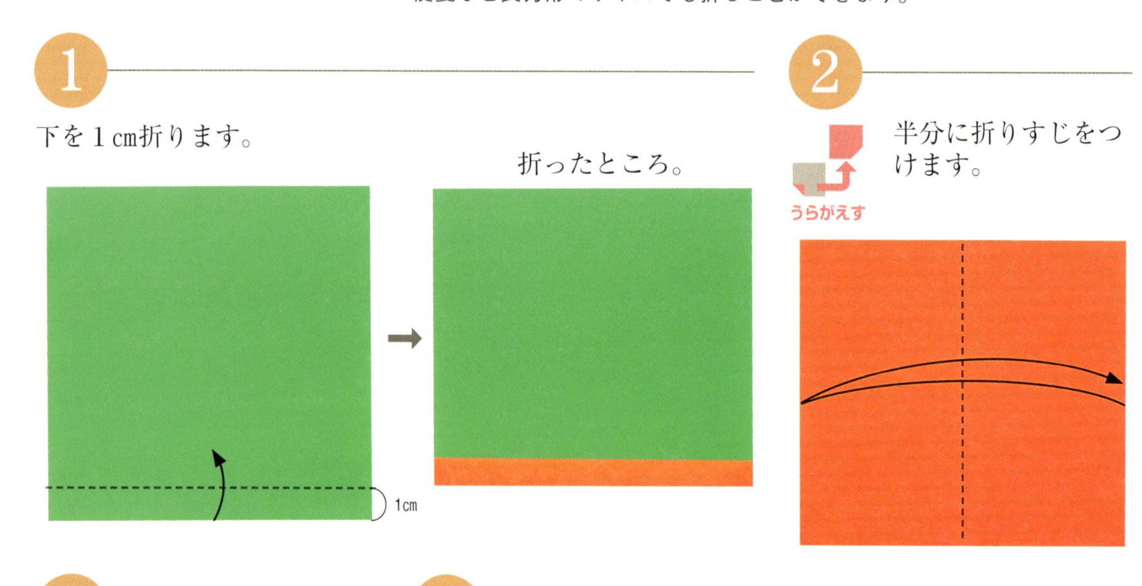

3

まん中に合わせて折ります。

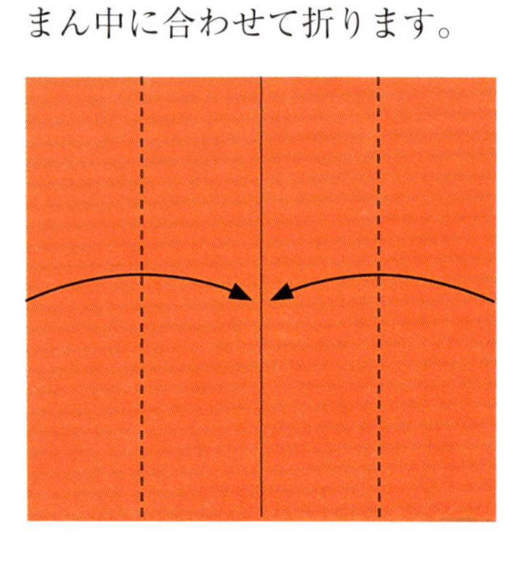

4

まん中に合わせて左右の角を折ります。

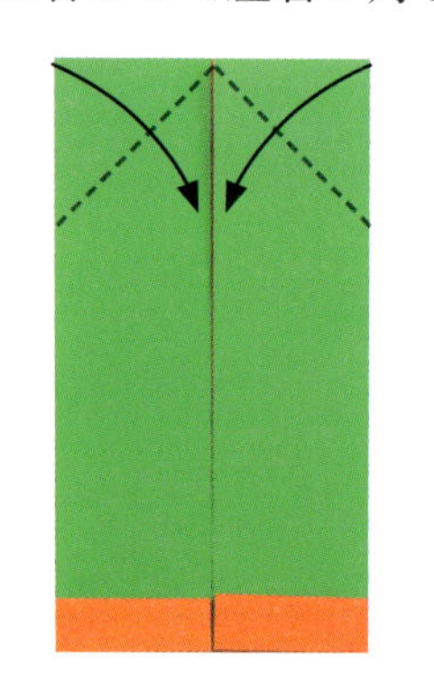

折ったところ。

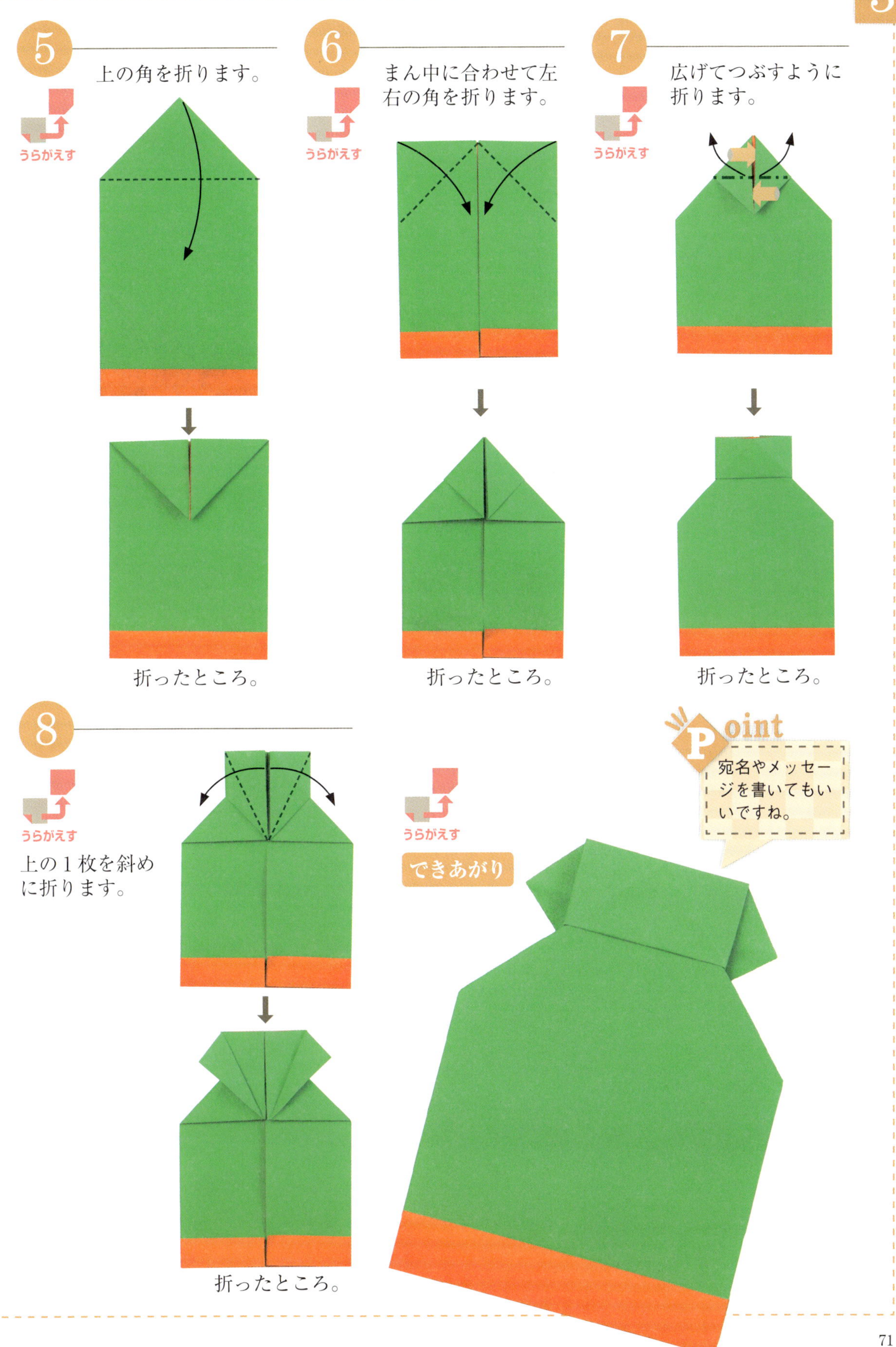
5
上の角を折ります。
うらがえす
折ったところ。
6
まん中に合わせて左右の角を折ります。
うらがえす
折ったところ。
7
広げてつぶすように折ります。
うらがえす
折ったところ。
8
うらがえす
上の１枚を斜めに折ります。
折ったところ。
うらがえす
できあがり
Point
宛名やメッセージを書いてもいいですね。

ネコの折り手紙

難易度 ★★☆

ネコの顔の部分は薄い色がくるように折りましょう。

紙のサイズ
15cm×15cm：1枚
仕上がりのサイズ
約6cm×6cm

手のひらにすっぽり入る、スクエアサイズがかわいい。

1

半分に折りすじをつけます。

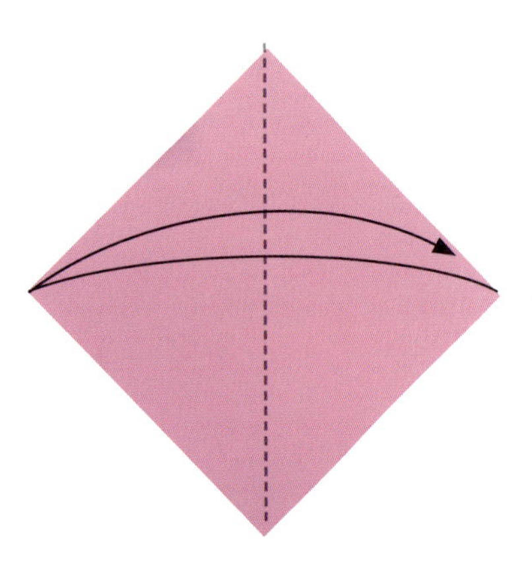

2

下を8cm折ります。

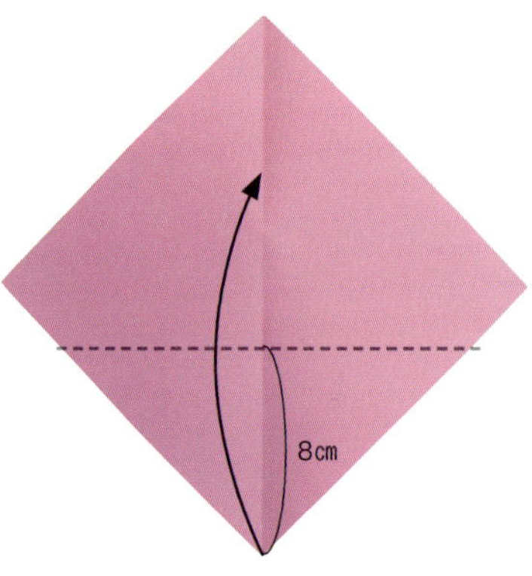

3

右側の辺を三角形に合わせて折ります。

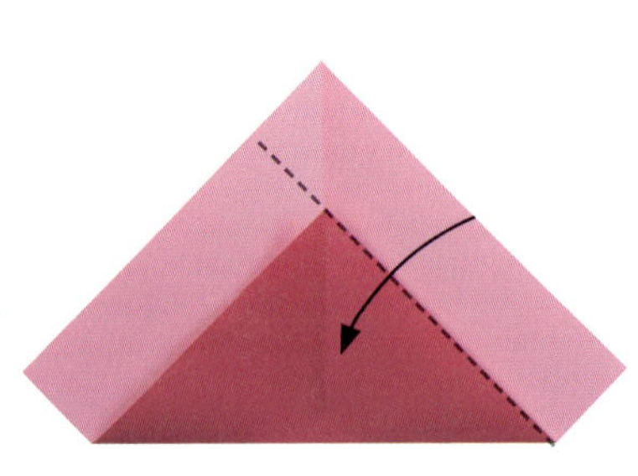

4

左側も三角形に合わせて折ります。

5

角を三角に折って折りすじをつけます。

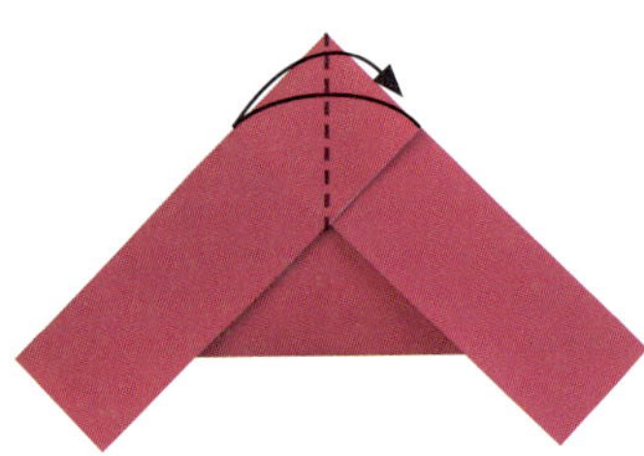

6

広げながらひっぱりだします。

7
広げてつぶすように折ります。
折ったところ。
8
角を合わせて折ります。
うらがえす
9
反対側は折りすじをつけます。
10
中に差し込んで固定します。
折ったところ。
11
うらがえす
1.5cm折ります。
1.5cm
12
むきをかえる
角を５mm程折ります。
13
角をほんの少し折り返します。
できあがり
14
写真のように斜めに内側に折り込みます。
Point
顔を描くとかわいいです。

三角パック

難易度 ★☆☆

十字になるように
端っこを閉じて。
キャンディやチョコの
包みにも合いそう。

紙のサイズ
15cm×7.5cm：1枚
仕上がりのサイズ
約7cm×6.5cm×7cm

端っこをマスキングテープでとめると、ポップなデザインに。

1

半分に切ります。

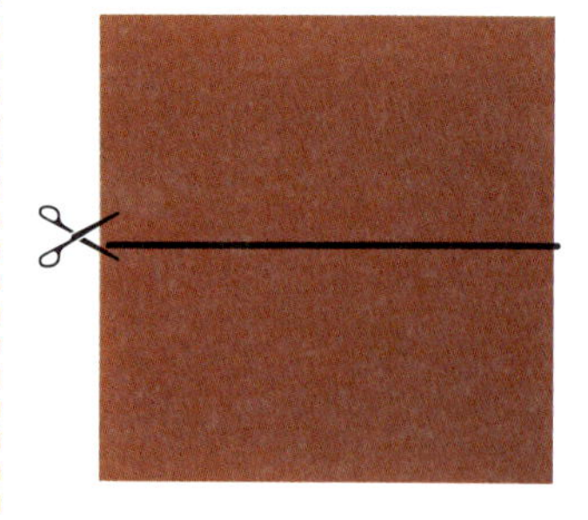

2

囲みの部分にのりをつけておきます。

3

輪っかになるように、のりづけした部分を貼り合わせます。

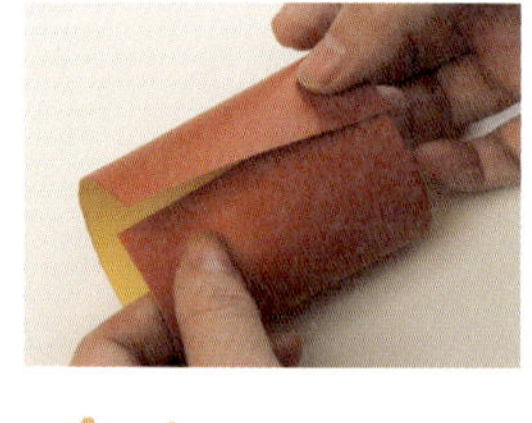

つけたところ。

Point
のりの代わりにマスキングテープでとめてもかわいく仕上がります。

4

あいている口の片方にものりづけし、つぶすように閉じます。

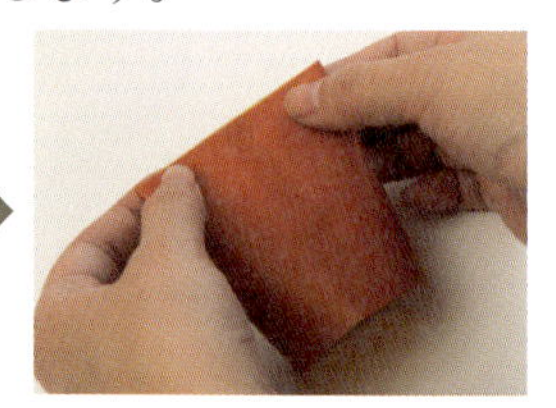

5

包みたいものを入れ、もう片方の口を閉じます。このとき4で閉じた口と十字になるように閉じます。

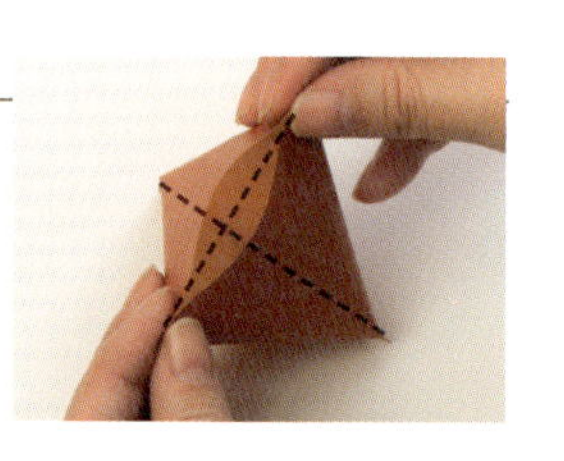

できあがり

薬包み

難易度 ★☆☆

パパッと
簡単に折れる
昔ながらの包み折り。

紙のサイズ
15cm×15cm：1枚
仕上がりのサイズ
約5cm×7cm

ピアスなど小さなアクセサリーを包むのにも役立ちます。

1
三角に折ります。

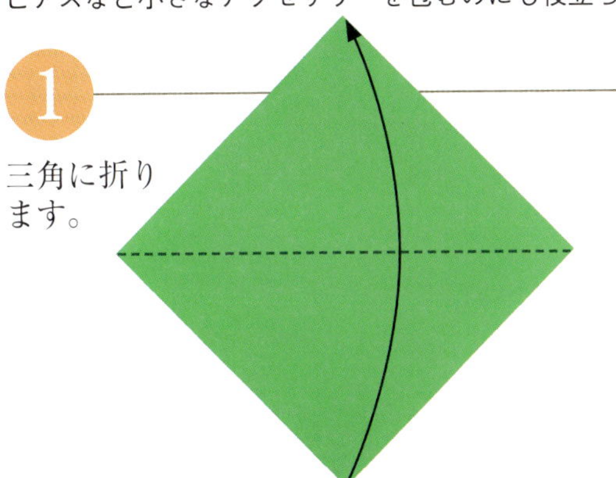

2
左の角を平行になるように折ります。

3
右の角を2等分の位置に合わせて折ります。

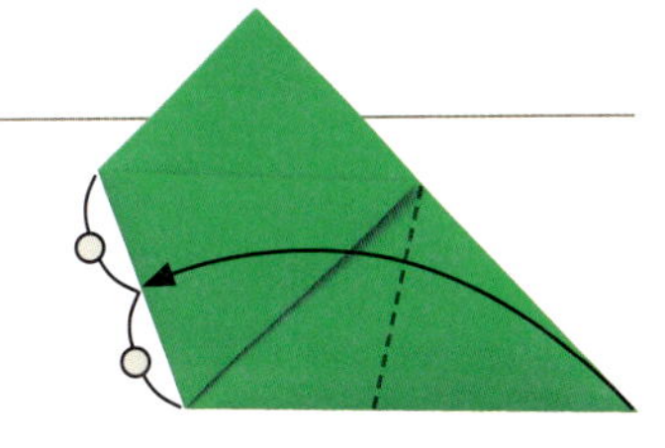

4
2等分になるところで折ります。

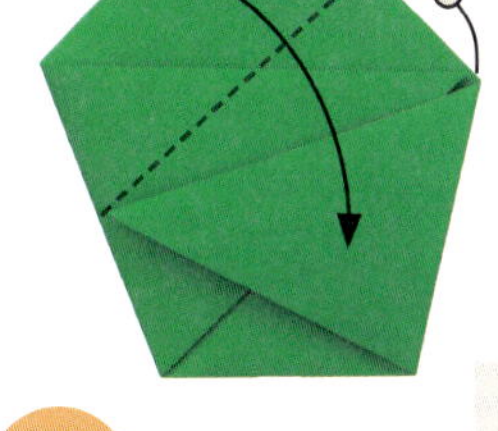

5
❸で折った部分より、はみ出すように斜めに折ります。

Point
薄めの紙でつくるときれいに折れます。

6
はみ出した部分を写真のように内側に入れます。

できあがり

ギフトバッグ

難易度 ★★☆

きれいに仕上げるには
マチの部分を
しっかりと折ることです。

紙のサイズ
21cm×29.5cm:1枚（本体）
約2cm×5cm:2枚（持ち手）
仕上がりのサイズ
約12.5cm×12.5cm×4.5cm

英字新聞やかわいいショップの包装紙などでつくっても素敵。

本体

1

半分に折ります。

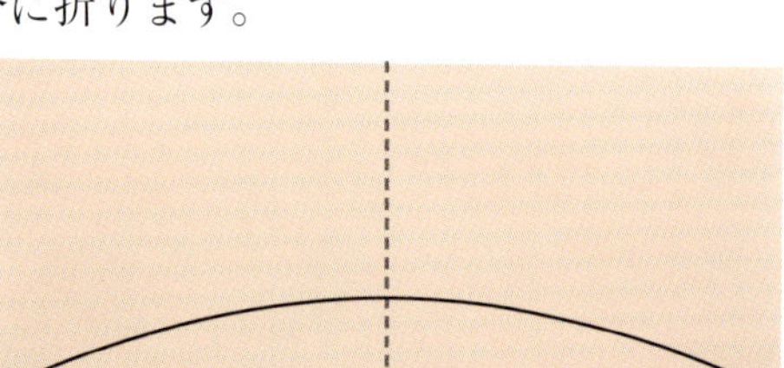

2

右から2cmのところを折ります。

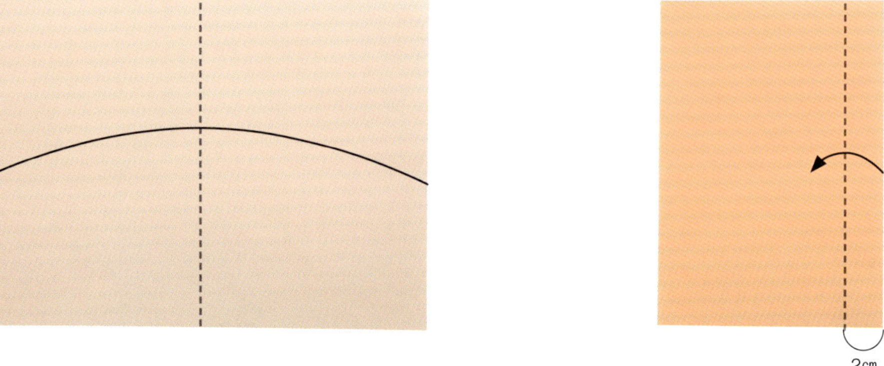

3

左から1cmのところを折ります。

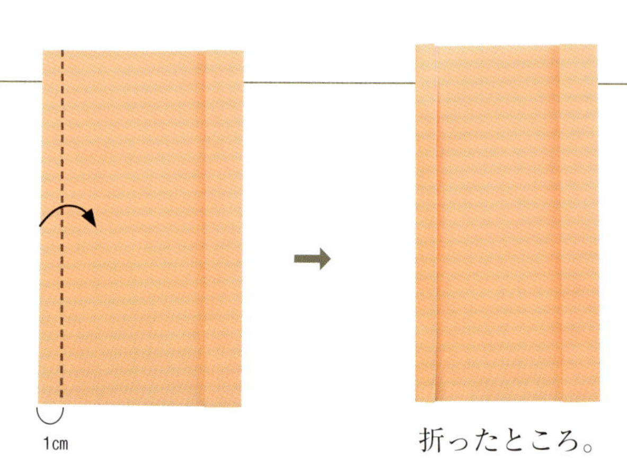

折ったところ。

4

全て開き、同じマークの辺と折りすじを合わせて折りすじをつけます。

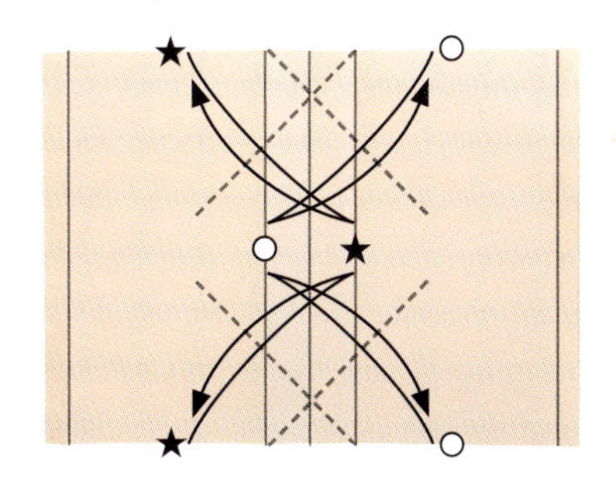

5

❷で折った折りすじと❹の折りすじの交点を結ぶように折りすじをつけます。

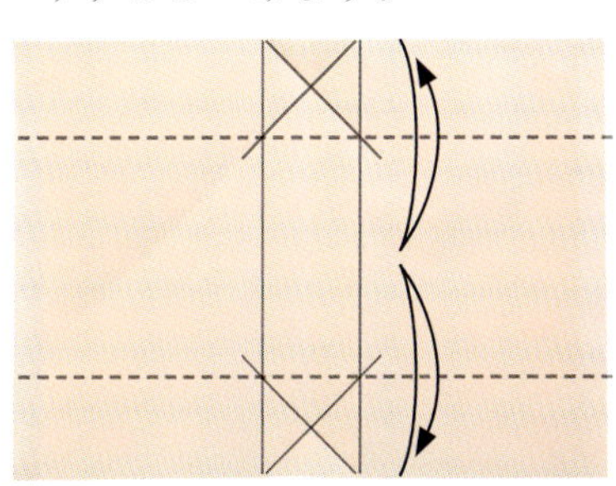

6

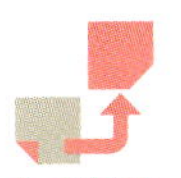

❸で折った折りすじのところで左右の辺を折ります。

7

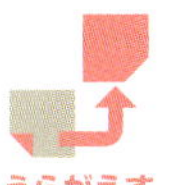

折りすじに合わせて持ち上げながら三角に折ります。

8

反対側も持ち上げて内側に三角ができるように折ります。

9

写真のように、❻で折った上部を差し込みます。反対側も同じように差し込みます。

Point
差し込んだところをのりやセロハンテープで貼ります。

差し込んだところ。

持ち手

1

まん中から少しずらして三角に折ります。

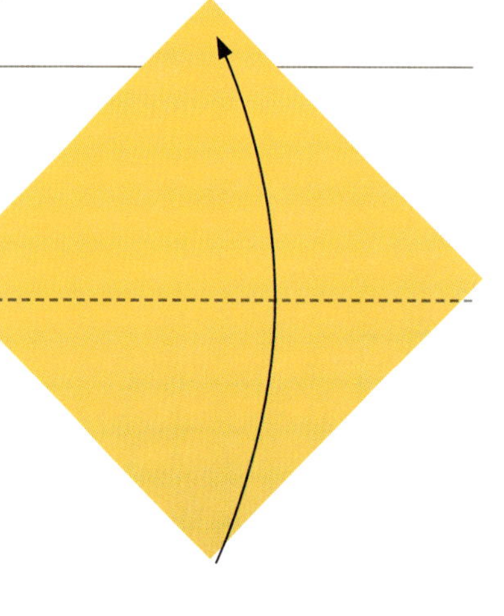

2

下から1cm幅で巻くように折ります。

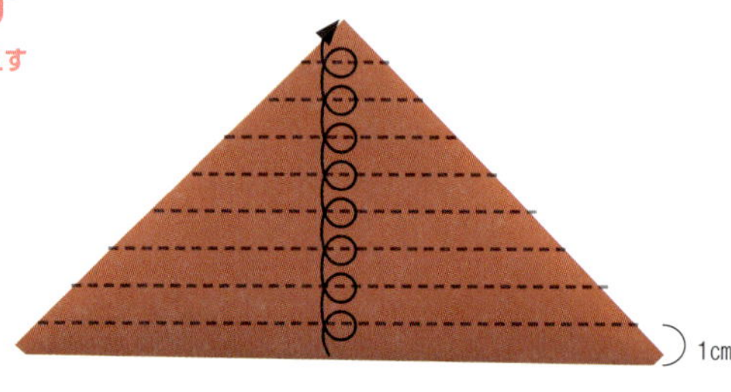

3

巻き終わりはセロハンテープやのりでとめます。

4

まん中を残し、同じ長さになるように折ります。同じものを2本つくります。

折ったところ。

できあがり

Point

本体の内側にセロハンテープやのりで貼りつけます。

フード バッグ

難易度 ★☆☆

折り方は簡単！
しかも丈夫です。
いろいろな物入れに
代用できそう。

紙のサイズ
15cm×15cm:1枚
仕上がりのサイズ
約4cm×7.5cm

ちょっとしたお菓子の小分けにぴったりの入れものです。

1 半分に折ります。

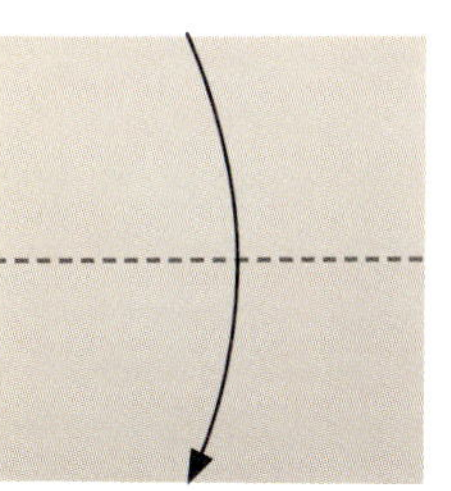

2 半分に折りすじをつけます。

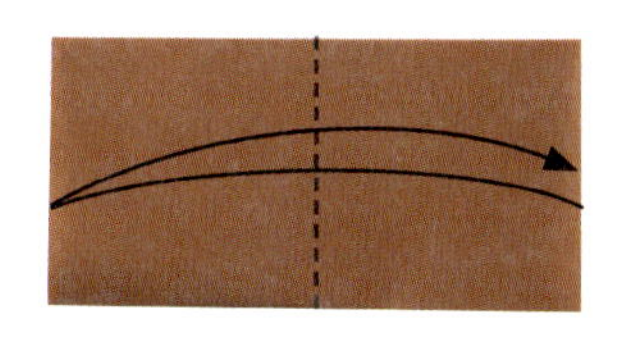

3 まん中に合わせて折ります。

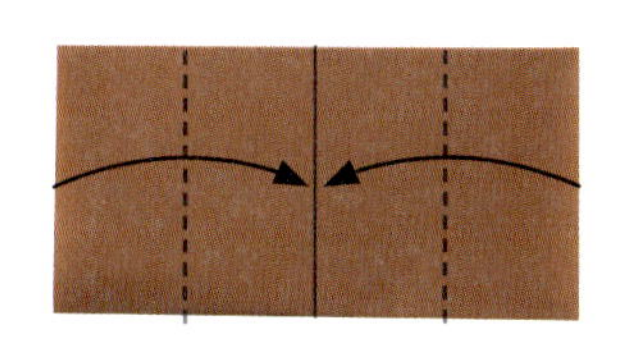

4 左右を広げてつぶすように折ります。

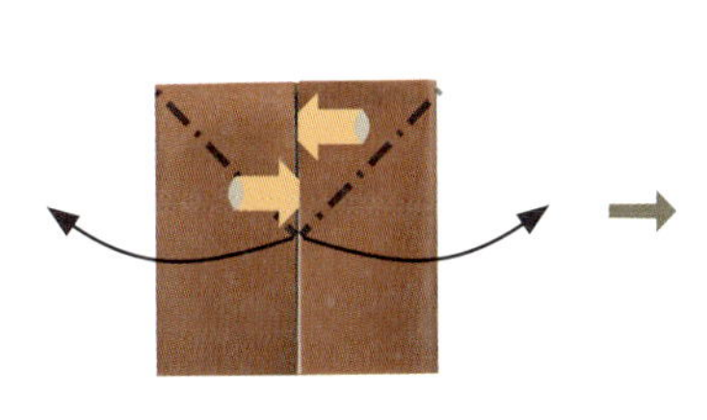

5 まん中に合わせて折ります。

うらがえす

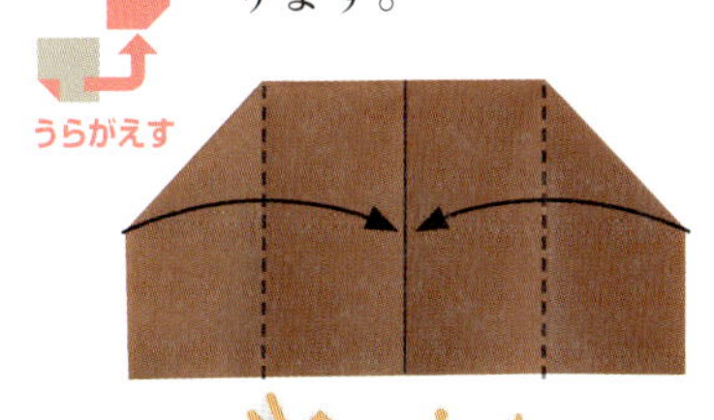

6 上の１枚を、まん中より少し上のところで折ります。

むきをかえる

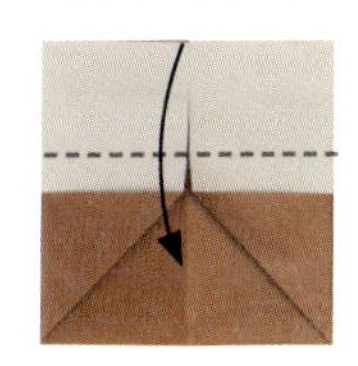

7 もう１枚は山折りします。

できあがり

Point
正方形の紙ならどんな大きさでもつくれます。

富士山のポップアップカード

難易度 ★★☆

折り紙を手で
ちぎることで
より富士山の
雰囲気が出てきます。

年賀状やおめでたいメッセージカードにはおすすめです。

紙のサイズ
折り紙 15cm×15cm：1枚
画用紙 21cm×30cm：1枚
仕上がりのサイズ
約7cm×15cm（富士山のみ）

1

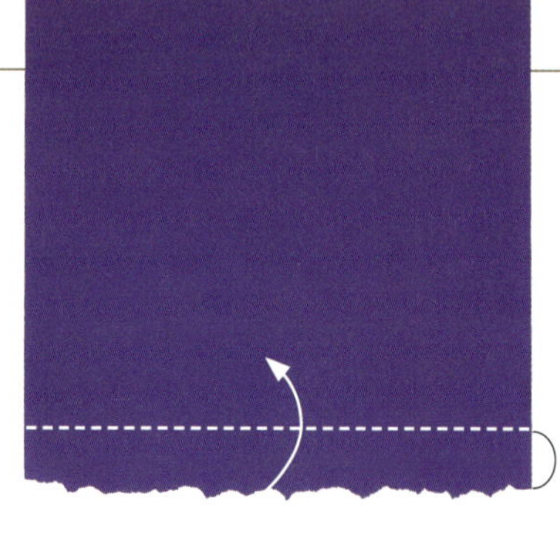

ちぎったところを2cmくらい折ります。

Point
一辺の1cmくらいのところを手でちぎります。ギザギザにちぎった方が山らしくなります。

折ったところ。

2

うらがえす

上を2cmあけて折ります。

2cm

折ったところ。

3

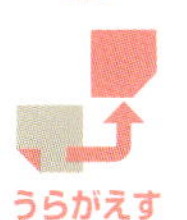

半分に折って、折りすじをつけます。

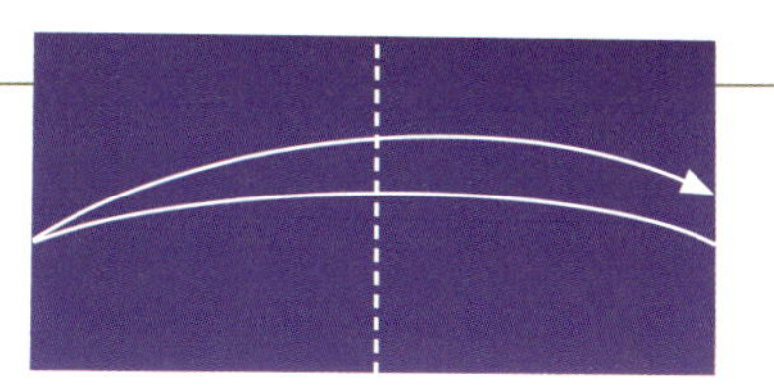

4

まん中の折りすじより 1.5cmずつあけて直角に折ります。

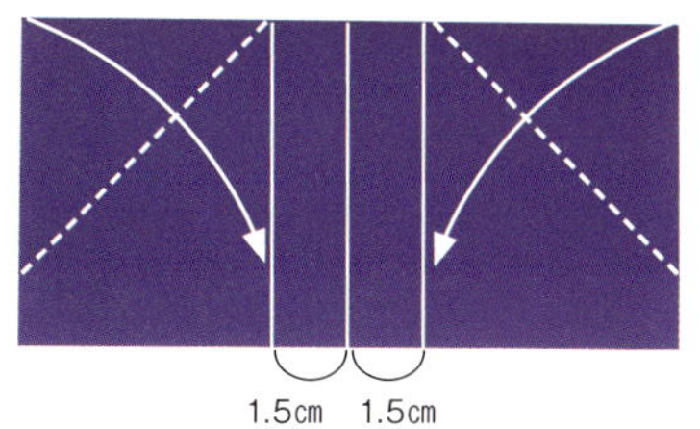

折ったところ。

Point

折った部分をのりで貼ります。

5

下の辺を斜めに折ります。

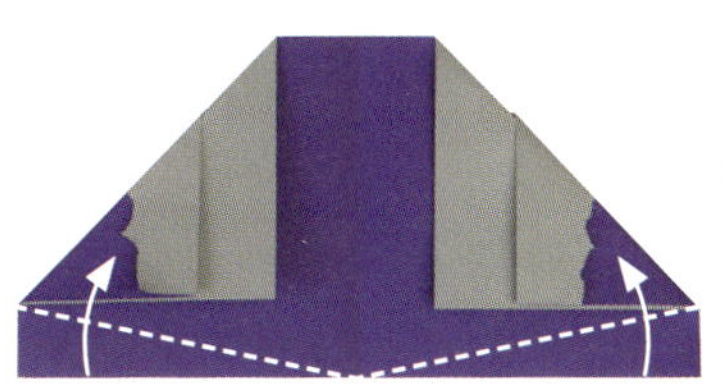

折ったところ。

6

画用紙を半分に折り、折りすじをつけます。

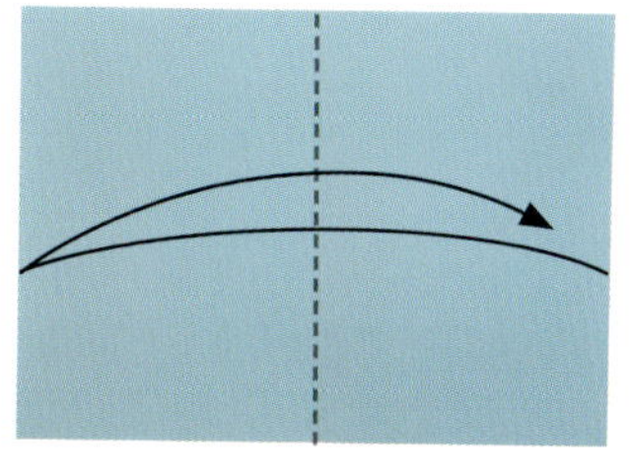

7

富士山のまん中を合わせて、5で折ったところの片方だけをのりで貼ります。

8

富士山をたたみ、のりしろにのりをつけておき、画用紙を半分に折って貼りつけます。

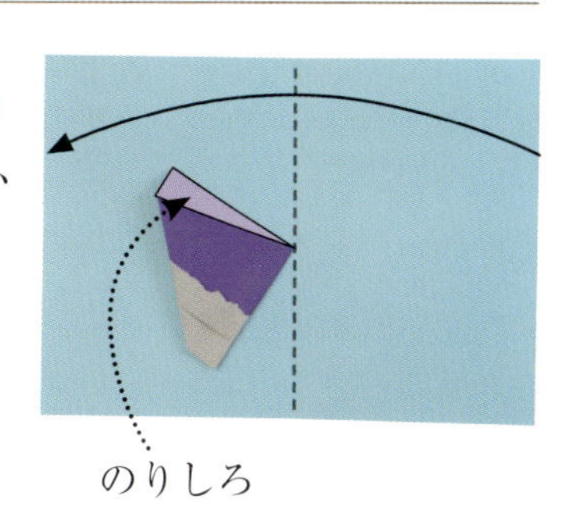

できあがり

Point

画用紙のあいているスペースにメッセージを書きましょう。

クマのポップアップカード

難易度 ★★☆

開いたときにきれいに
立たせるためには
のりづけの位置が
何よりも大切です。

紙のサイズ
折り紙 15cm×15cm：1枚
画用紙 21cm×30cm：1枚
仕上がりのサイズ
約7cm×14cm（クマのみ）

誕生日カードやお祝いカードなど子どもに贈ると喜びそう。

1

半分に折りすじをつけます。

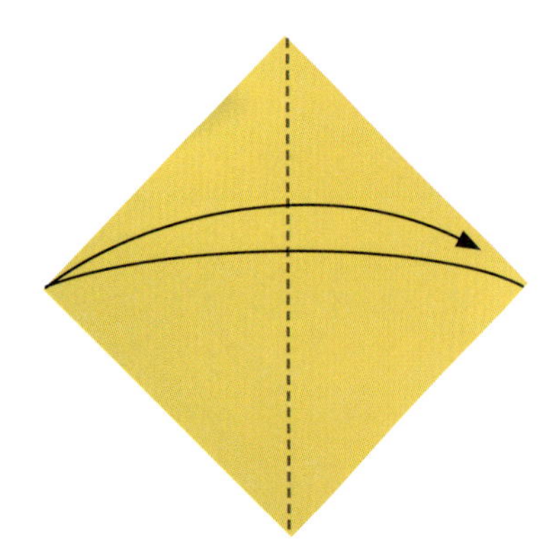

2

角を 8.5cm くらい折ります。

8.5cm

3

うらがえす

❷で折ったところに
あわせて折ります。

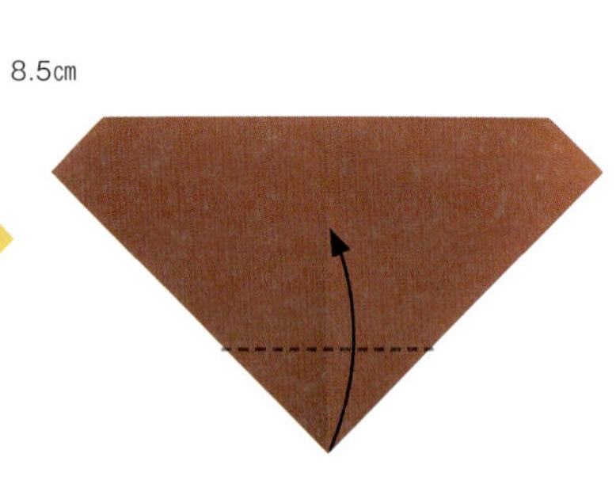

4

角を１cm折ります。

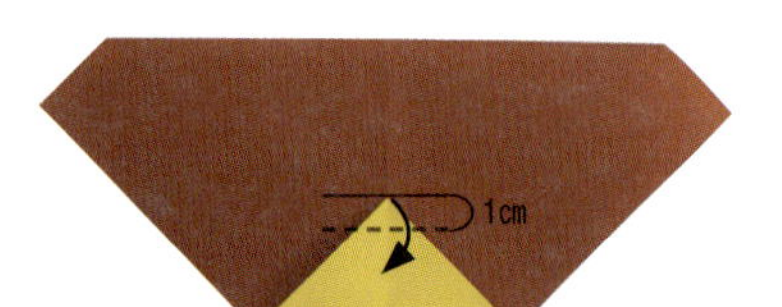

5

うらがえす

まん中に左右の角を
合わせて折ります。

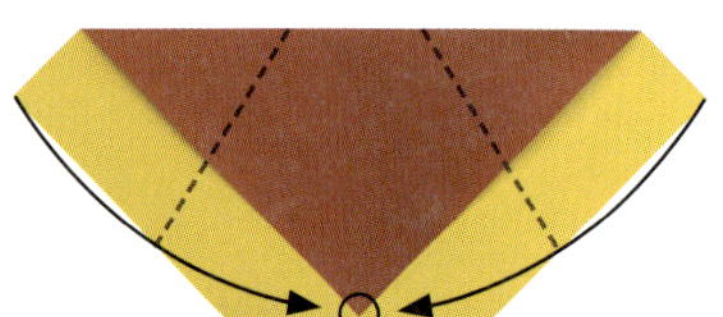

6

それぞれ斜めに折り返します。

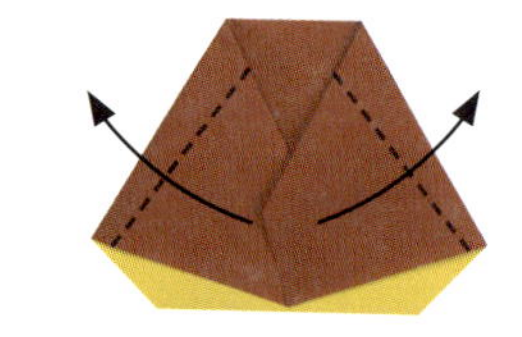

7

上の辺を折ります。

8

左右の角を山折りにします。

折ったところ。

9

三角のふちに合わせて写真ように折ります。

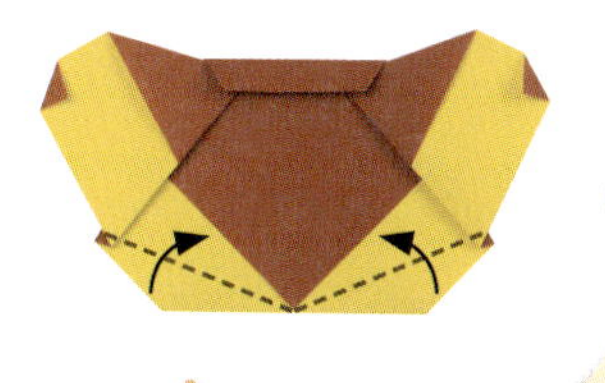

折ったところ。

Point

裏返して余った折り紙などで目をつけましょう。

10

画用紙を半分に折り、折りすじをつけます。

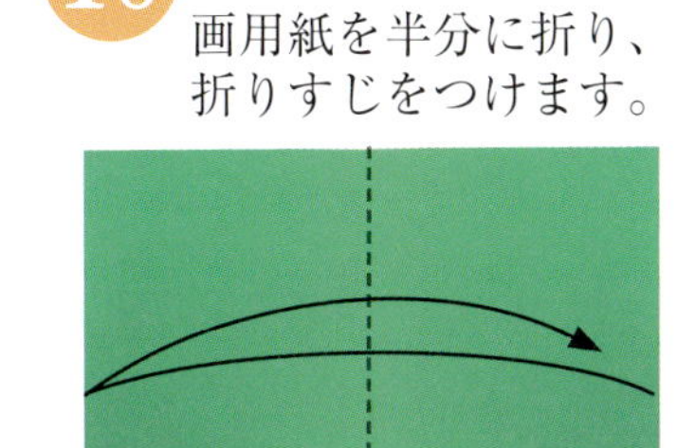

11

画用紙とクマのまん中を合わせて、9で折った片方だけをのりで貼ります。

12

むきをかえる

クマをたたみ、のりしろにのりをつけておき、画用紙を半分に折って貼りつけます。

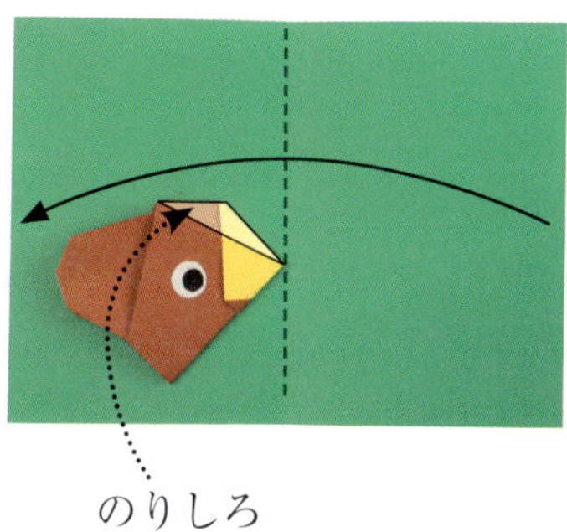

のりしろ

リボン飾り

難易度　★★☆

リボン本体を
ちょっとつまんで
最後に帯を巻くと
立体的になります。

プレゼントを包んだ包装紙や袋に貼って使いましょう。

紙のサイズ
7.5cm×7.5cm：1枚
仕上がりのサイズ
約4cm×7.5cm

1

1.5cmのところを切ります。

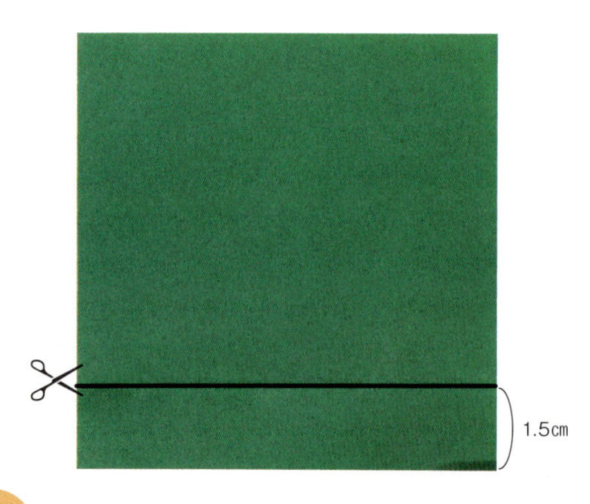

2

大きい方の紙でリボン本体部分をつくります。まず、3等分に折ります。

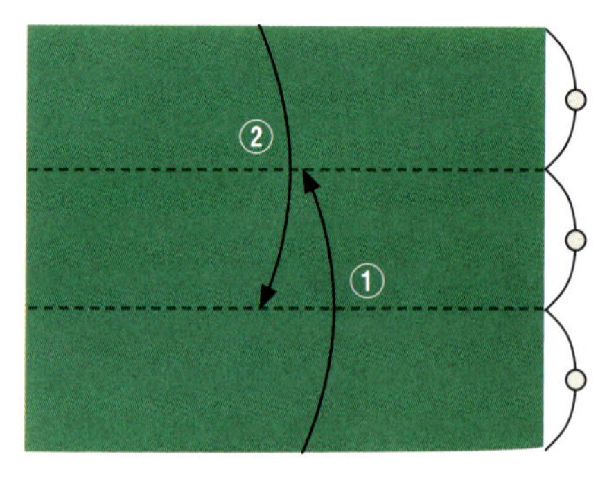

3

半分に折りすじをつけます。

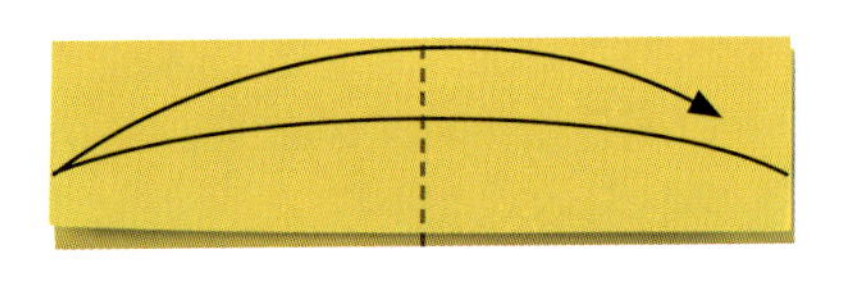

4

上の1枚を開き、まん中と角の対角線で折ります。

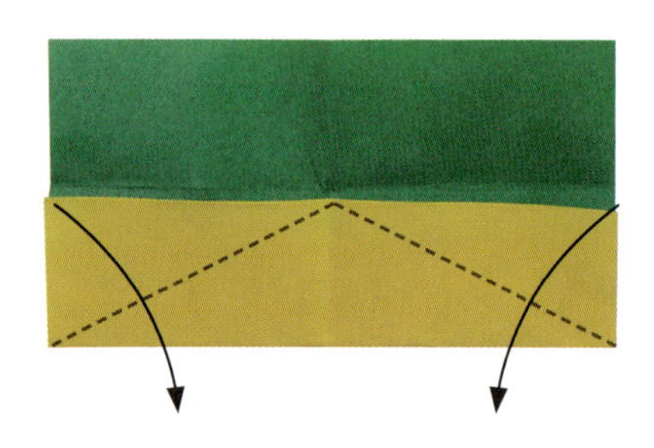

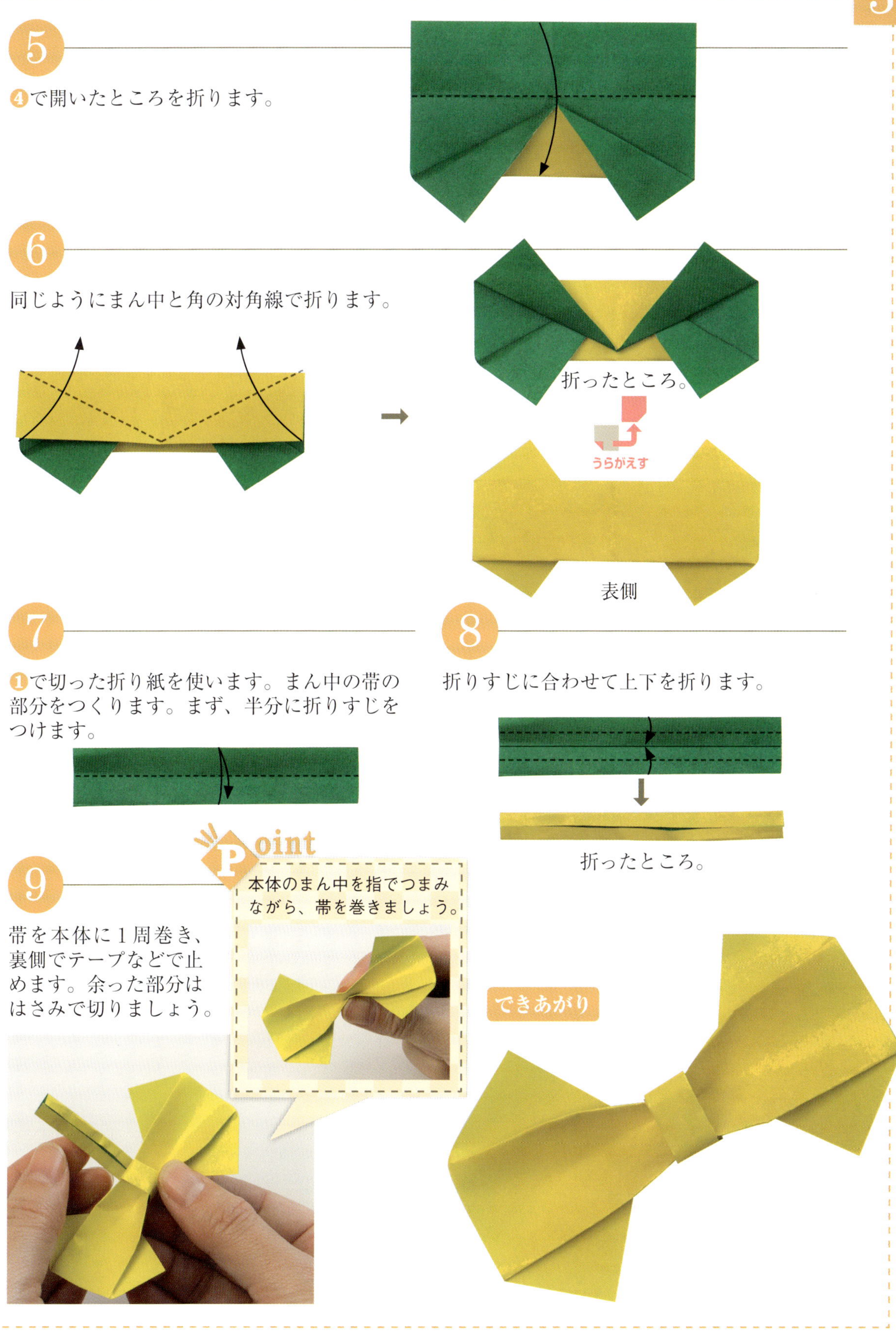
5
④で開いたところを折ります。
6
同じようにまん中と角の対角線で折ります。
折ったところ。
うらがえす
表側
7
①で切った折り紙を使います。まん中の帯の部分をつくります。まず、半分に折りすじをつけます。
8
折りすじに合わせて上下を折ります。
折ったところ。
9
帯を本体に1周巻き、裏側でテープなどで止めます。余った部分ははさみで切りましょう。
Point
本体のまん中を指でつまみながら、帯を巻きましょう。
できあがり

バラの花飾り

難易度 ★★☆

交互に重なりあうように
折ることで、
バラの花びらを演出。

紙のサイズ
15cm×15cm：1枚
仕上がりのサイズ
約8cm×8cm

花のモチーチは華やかで、何に添えても喜ばれそう。

1

縦、横半分に折りすじをつけます。

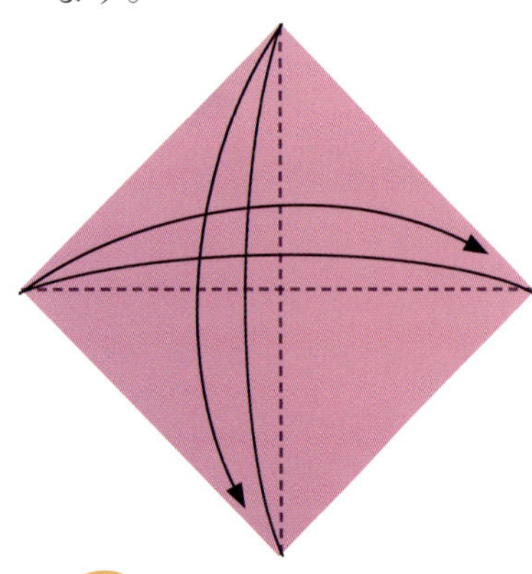

2

まん中に合わせて折ります。

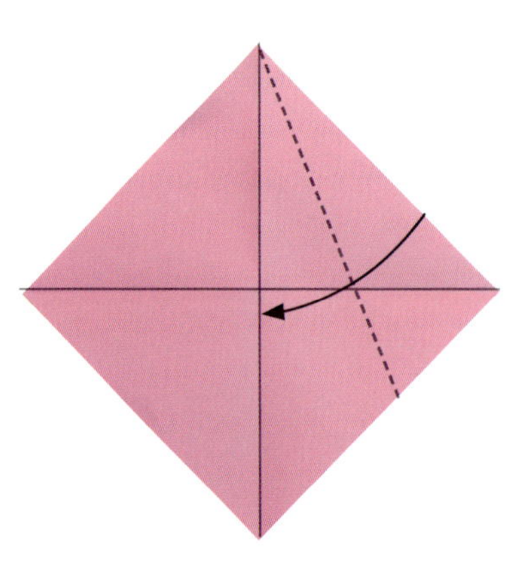

3

まん中の折りすじに合わせて折ります。

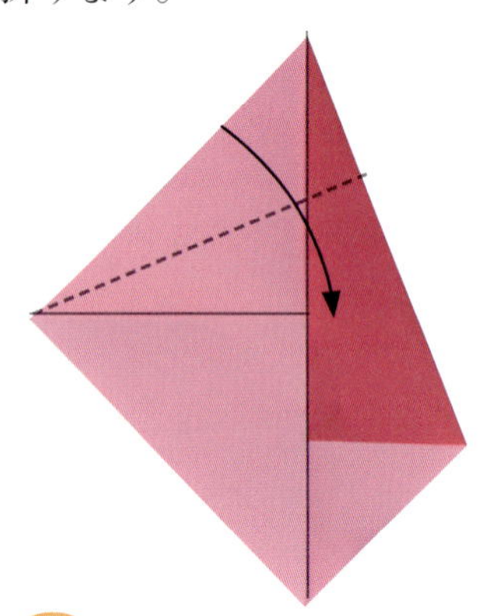

4

広げてつぶすように折ります。

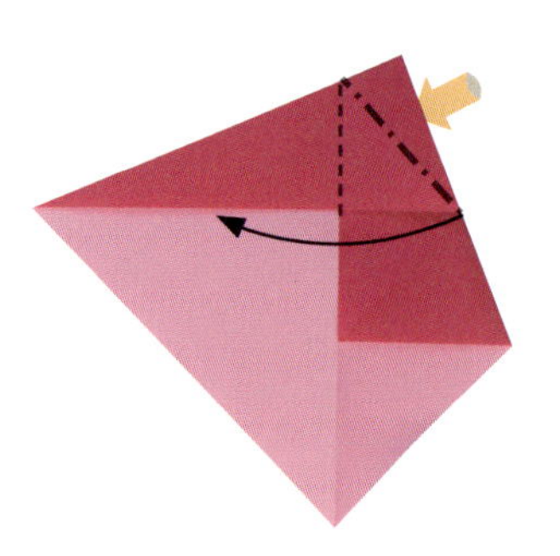

Point

○のところの２つの辺が揃うようにするときれいになります。

5

まん中の折りすじに合わせて折ります。

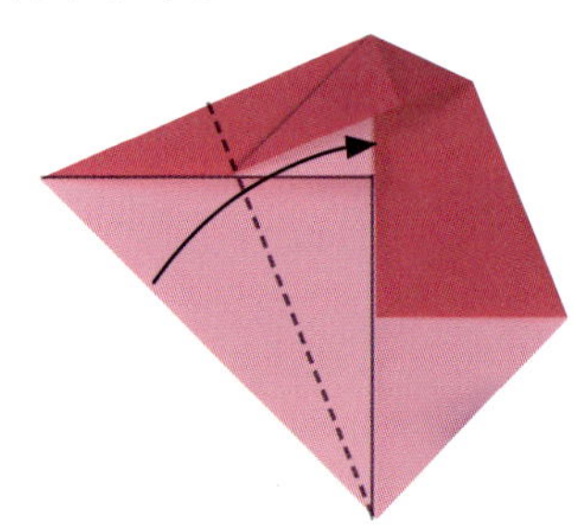

6

広げてつぶすように折ります。

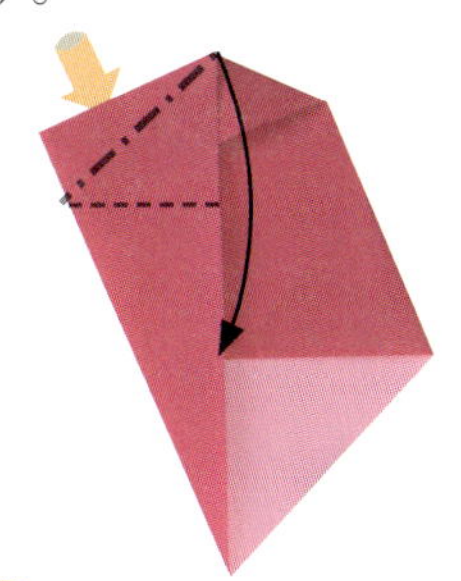

7

まん中の折りすじに合わせて折ります。

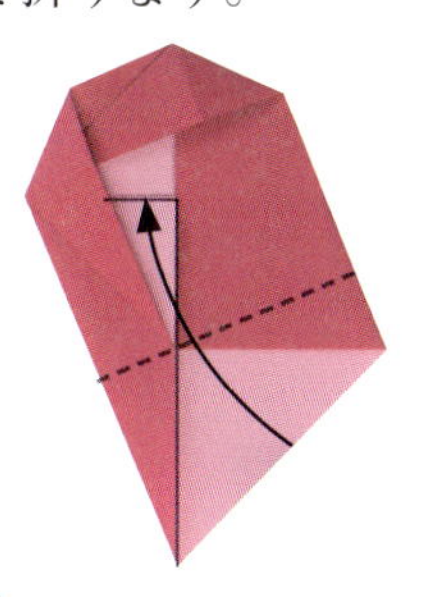

8

むきをかえる

広げてつぶすように折ります。

折ったところ。

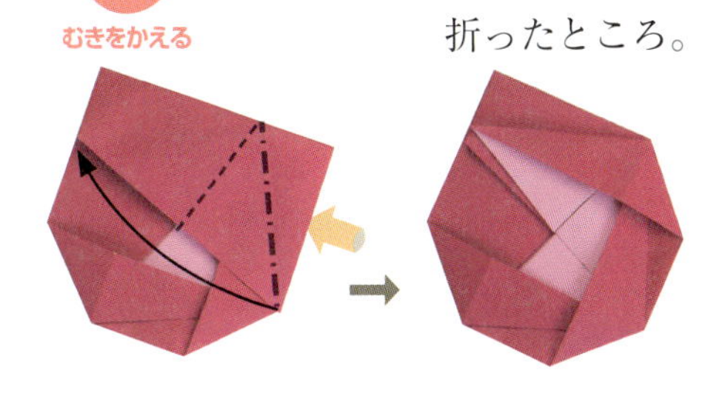

9

8で折ったところを左内側に差し込みます。

10

むきをかえる

広げてつぶすように折ります。

折ったところ。

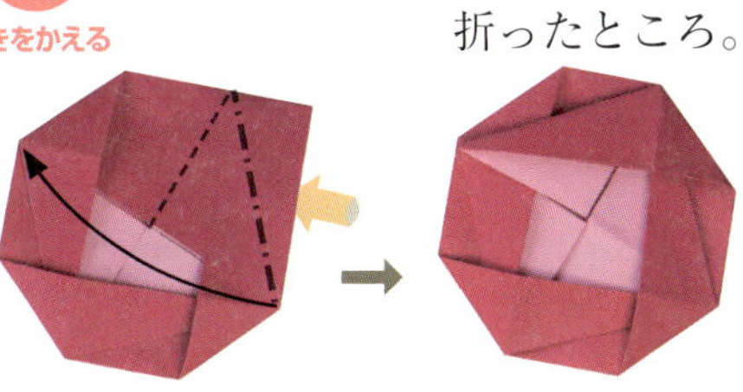

11

さらに左内側に差し込みます。

12

輪になっているところ４カ所を切ります。

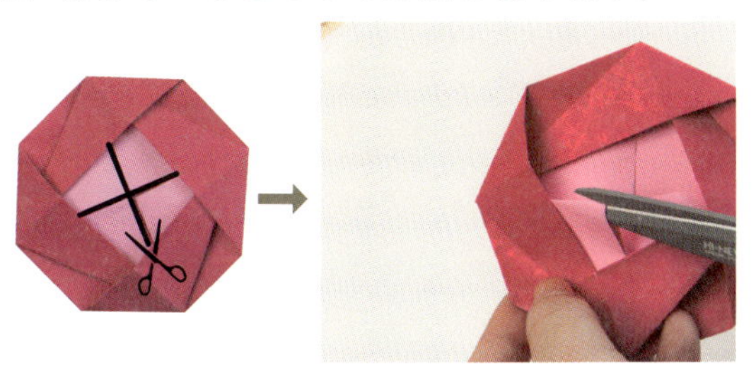

13

めくりながら、写真のように内側まで折ります。

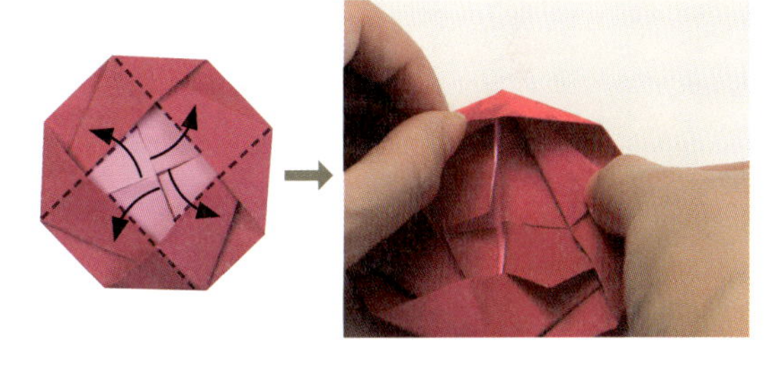

14

下側を折れるところまで折ります。

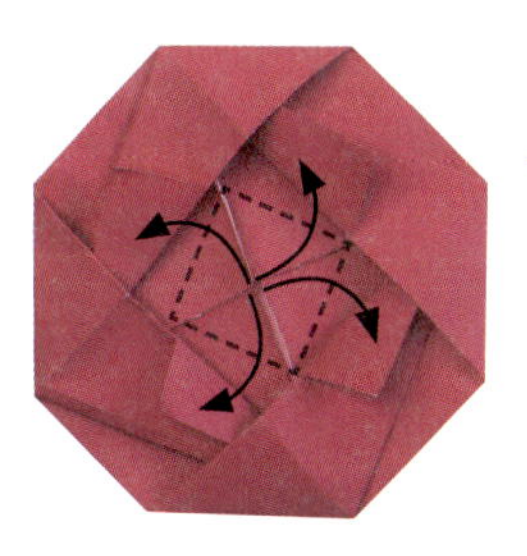

Point

花びら部分を少し浮かせると立体感を出せます。

できあがり

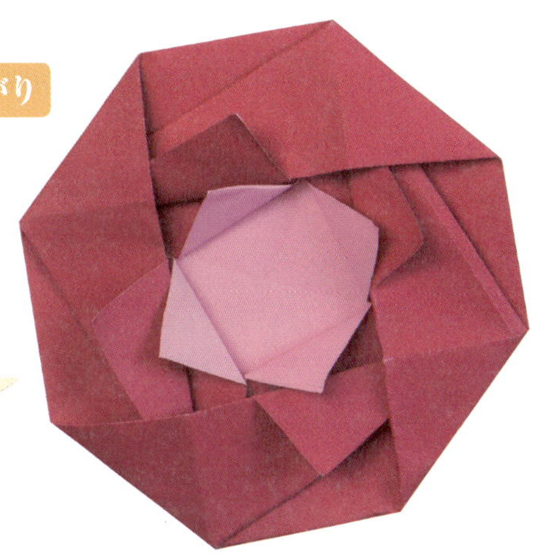

ユリの花飾り

難易度 ★★★

4枚の花びらは根元まで丸めるときれいに仕上がります。

紙のサイズ
15cm×15cm:1枚
仕上がりのサイズ
約7.5cm×10cm

立体的な花飾りバージョンです。優雅な雰囲気も折り紙でつくれます。

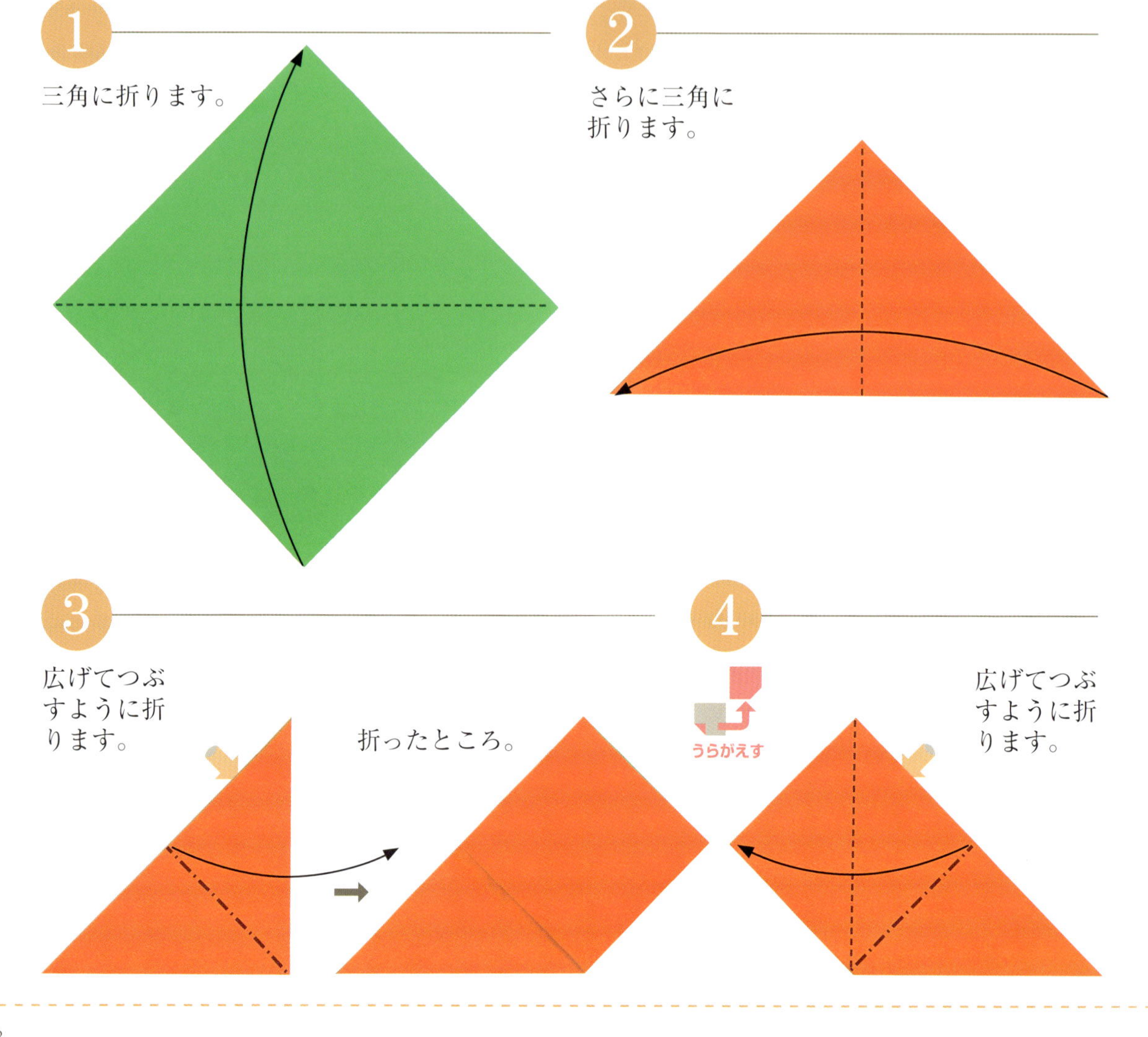

5

まん中に合わせて折りすじをつけます。

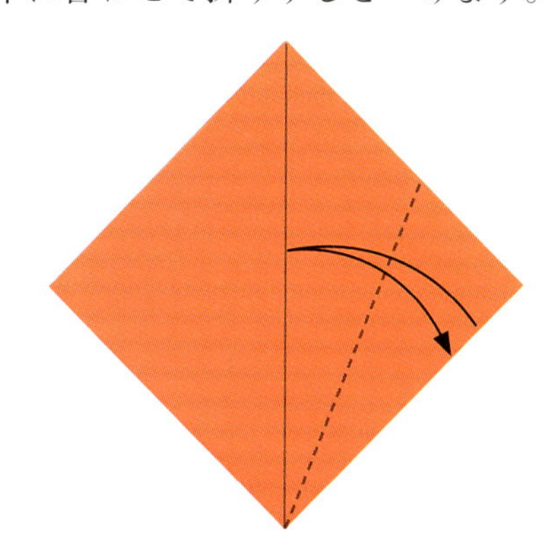

6

広げてつぶすように折ります。

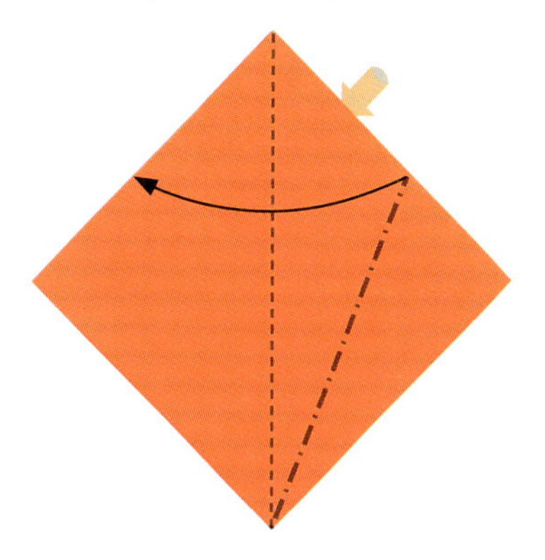

7

上の２枚をめくります。

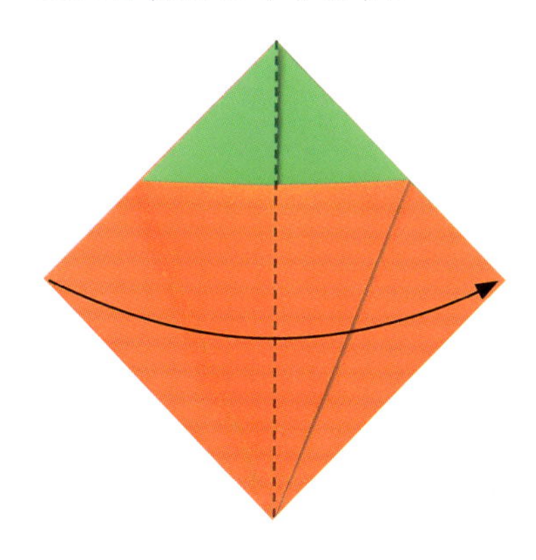

8

他の３カ所も5、6と同じように折ります。

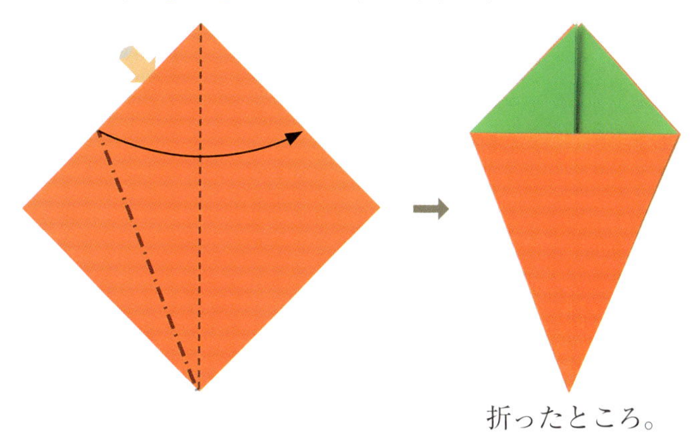

折ったところ。

9

左右が均等の枚数になるようめくり、角を合わせて折りすじをつけます。

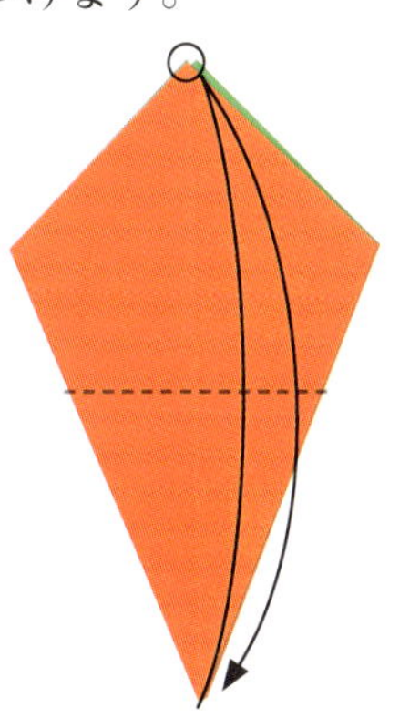

10

上の２枚をまん中に合わせて折りすじをつけます。同じように裏側も折りすじをつけます。

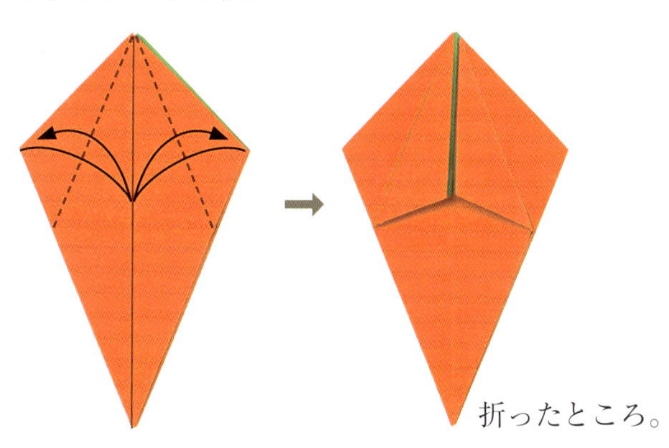

折ったところ。

11

上の１枚を下にめくるように折ります。次に、折りすじに沿って内側をつぶすように折ります。

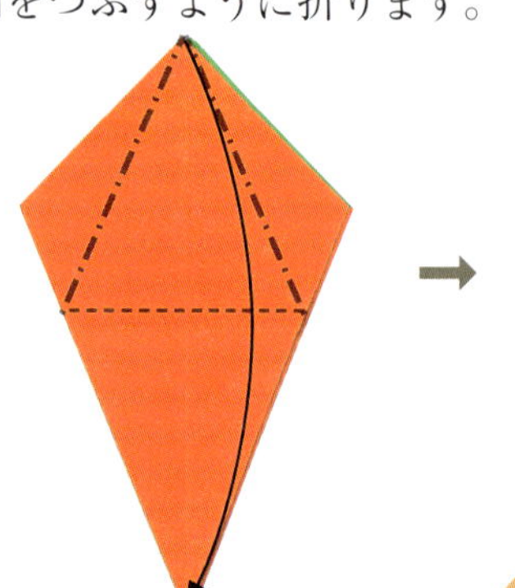

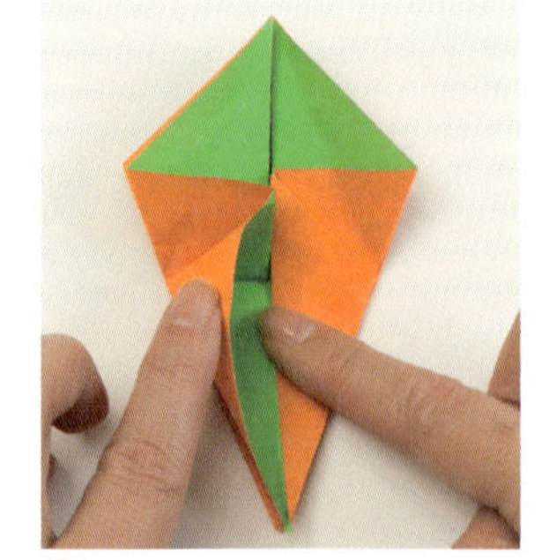

12

他の３カ所も⑪と同じように折ります。

折ったところ。

13

上１枚をめくるように折ります。裏側も同様に。

14

左右の角をまん中の折りすじに合わせて折ります。裏側も同様に。

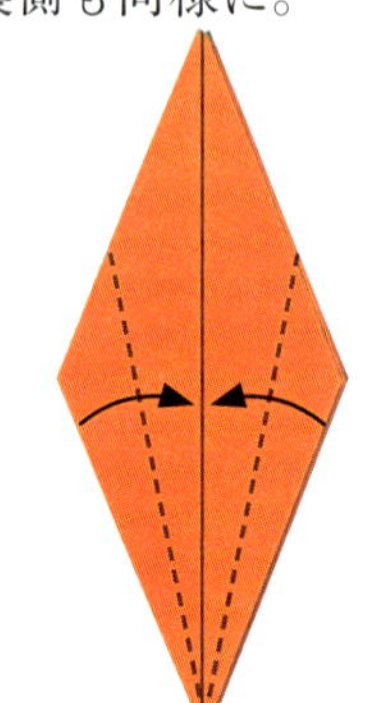

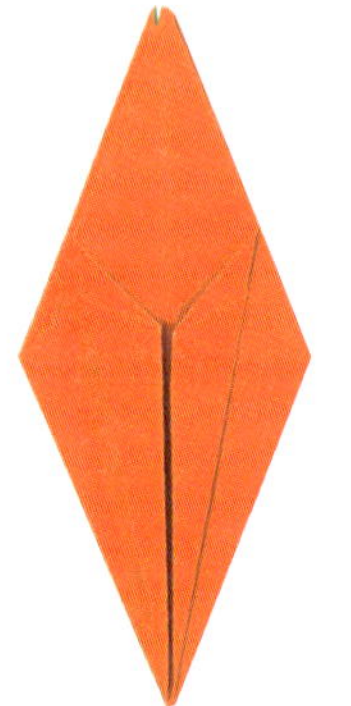

折ったところ。

15

他の２カ所も⑬、⑭の順で折ります。

折ったところ。

16

上の１枚を折ります。他の３カ所も同じように折り、花びらを開きます。

できあがり

Point

鉛筆を使って、花びらを内側に巻いていくと、ユリらしさが出ます。

Chapter 

4

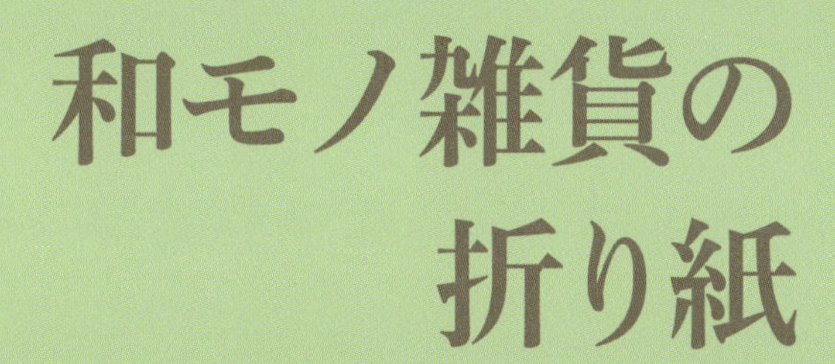

和モノ雑貨の折り紙

折り紙は日本古来の伝統遊び。
日本らしい絵柄の紙を使って折ると、
ひと味雰囲気も違います。
飾っても映えるし
贈ってもよろこばれる“和のこころ”。
せっかくなので和紙で試してみましょう。

鶴の小物入れ

難易度 ★★☆

折り鶴は
いろいろなアイテムで
応用がきく
万能な折り方です。

紙のサイズ
15cm×15cm：1枚
仕上がりのサイズ
約7cm×7cm×7cm

箱ひとつにしても形があるだけで、素敵な小物になります。

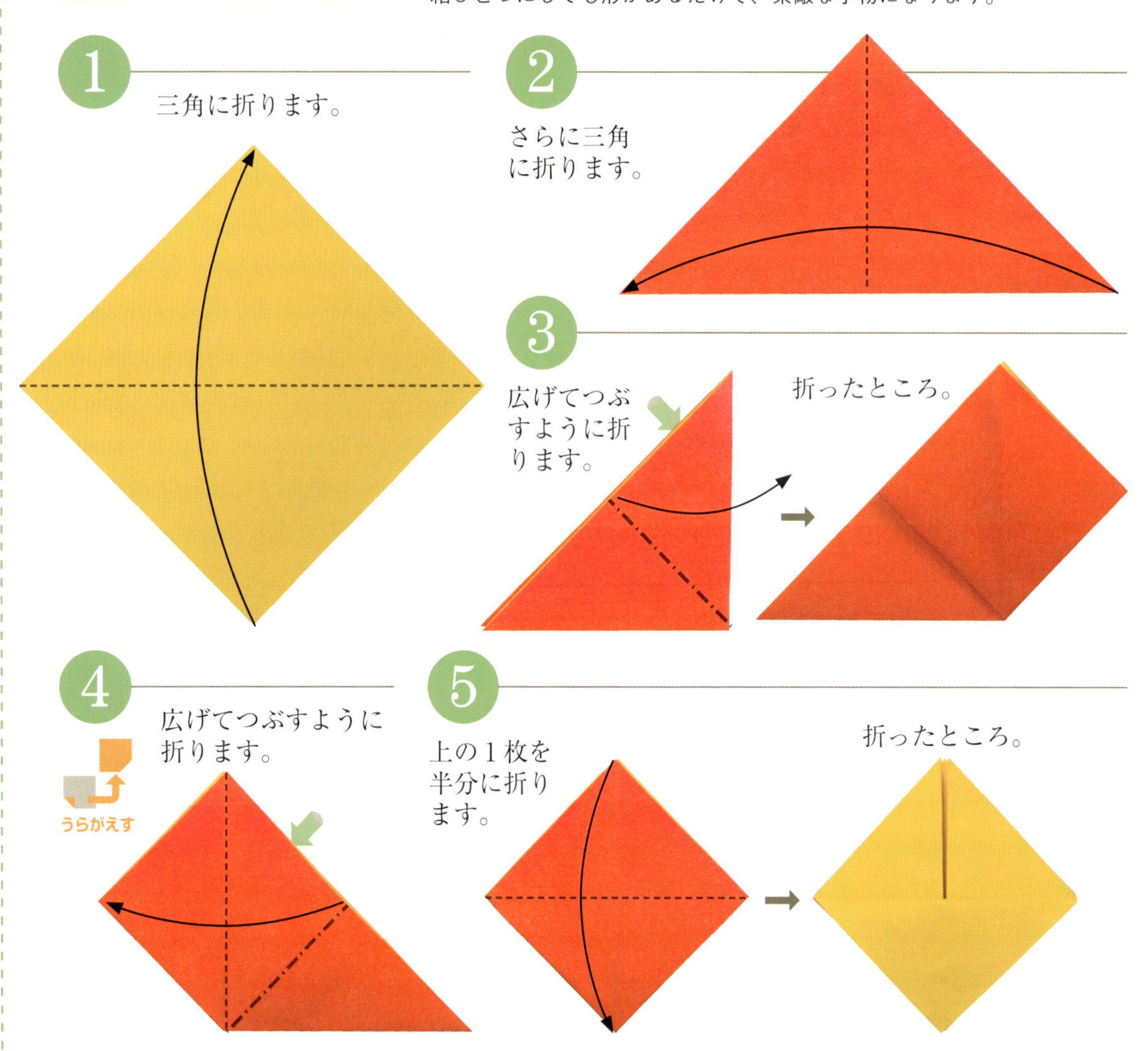

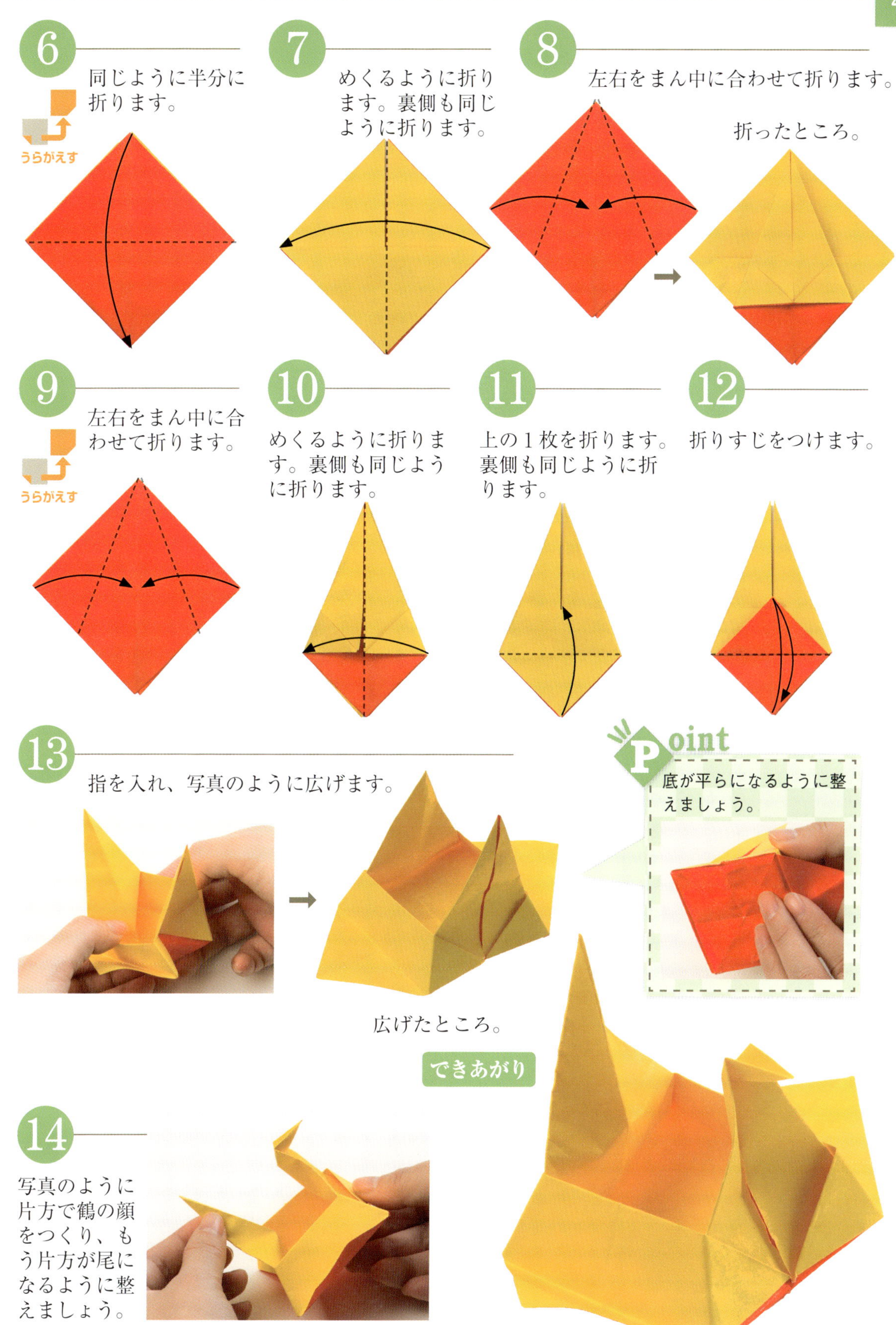

6
同じように半分に折ります。

うらがえす

7
めくるように折ります。裏側も同じように折ります。

8
左右をまん中に合わせて折ります。

折ったところ。

9
左右をまん中に合わせて折ります。

うらがえす

10
めくるように折ります。裏側も同じように折ります。

11
上の1枚を折ります。裏側も同じように折ります。

12
折りすじをつけます。

13
指を入れ、写真のように広げます。

広げたところ。

Point
底が平らになるように整えましょう。

14
写真のように片方で鶴の顔をつくり、もう片方が尾になるように整えましょう。

できあがり

菓子鉢

難易度 ★★☆

伝承折り紙のひとつ
“つのこうばこ”。
アレンジするなら
ツノを丸めましょう。

紙のサイズ
15cm×15cm:1枚
仕上がりのサイズ
約3cm×12cm×12cm

定番の折り紙の入れ物。誰でも一度は折ったことがあるはず。

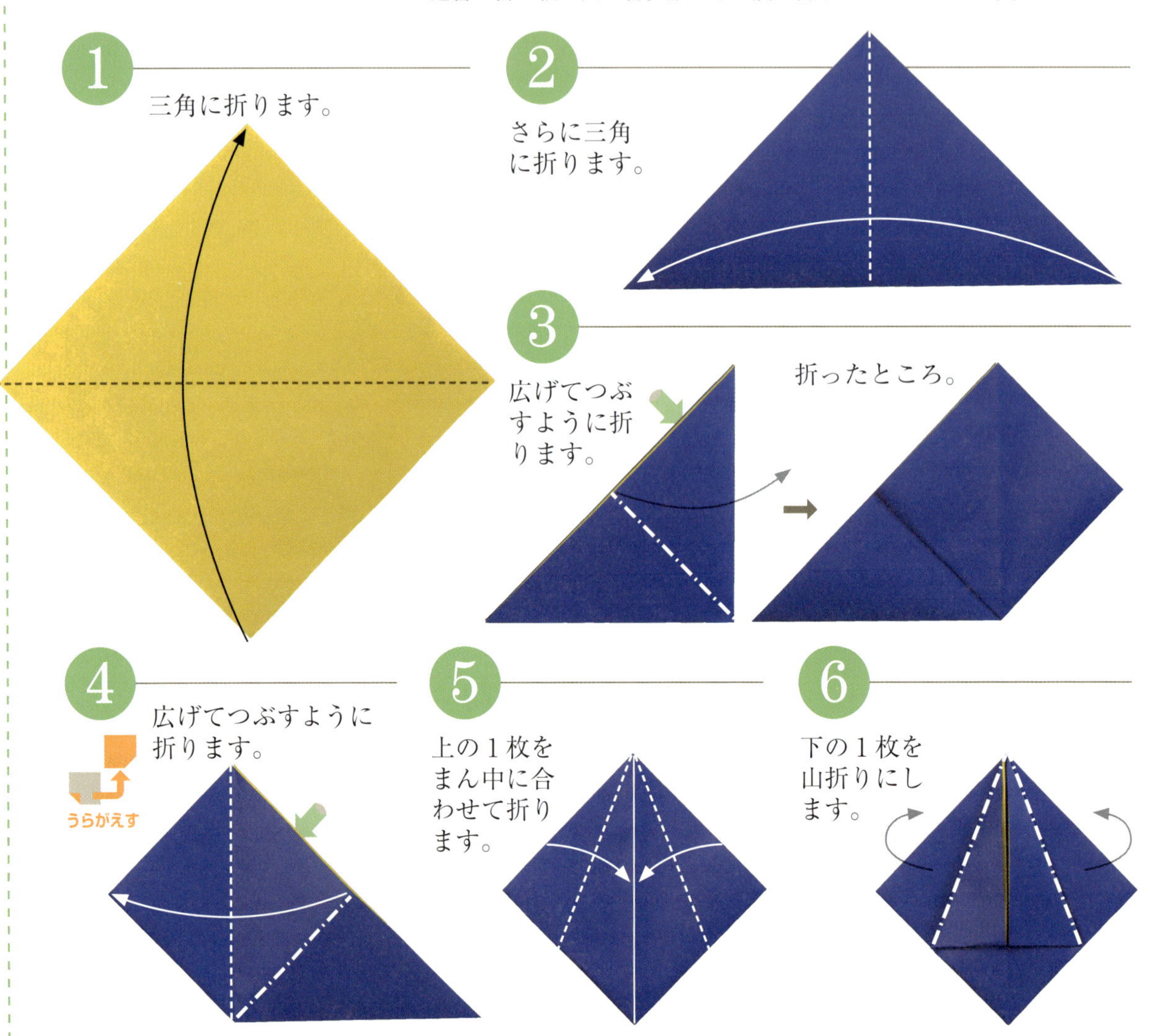

7

広げてつぶすように折ります。

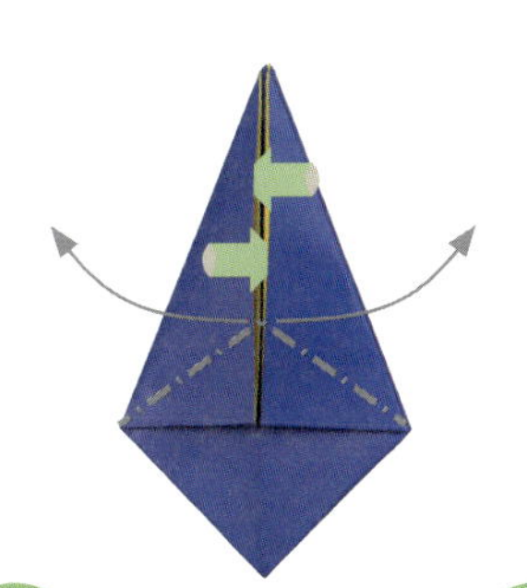

8

裏側も7と同じように折ります。折ったら、1枚めくり、裏側も1枚めくります。

めくったところ。

9

まん中に合わせて折ります。裏側も同じように折ります。

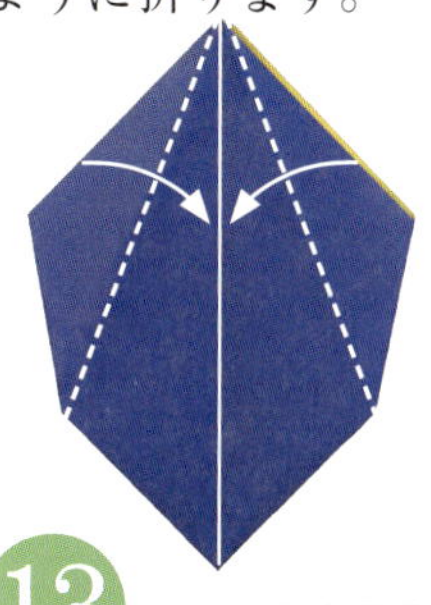

10

折りすじをつけます。

11

上の1枚を折ります。裏側も同じように折ります。

12

1枚めくります。裏面も同じように折ります。

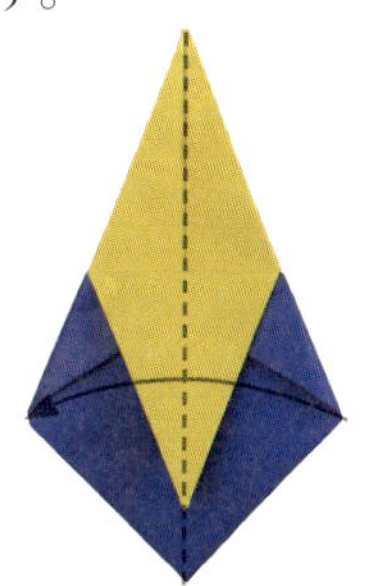

13

上の1枚を折ります。裏側も同じように折ります。

折ったところ。

14

指を入れ、写真のように広げて底を平らにします。

できあがり

Point

ツノの部分を鉛筆などで丸めるとかわいく仕上がります。

金魚の箸置き

難易度 ★★☆

金魚らしくなるように
きちんと膨らませて
形を整えて。

紙のサイズ
7.5cm×7.5cm:1枚
仕上がりのサイズ
約3.5cm×5cm×2cm

折り紙らしいデザインの箸置きです。

1

半分に折ります。

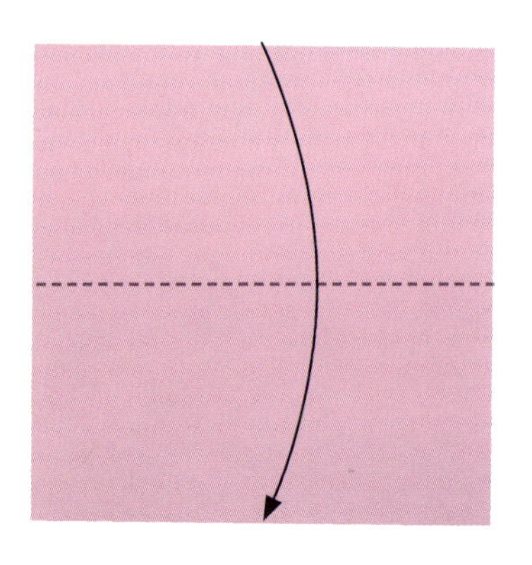

2

さらに半分に折ります。

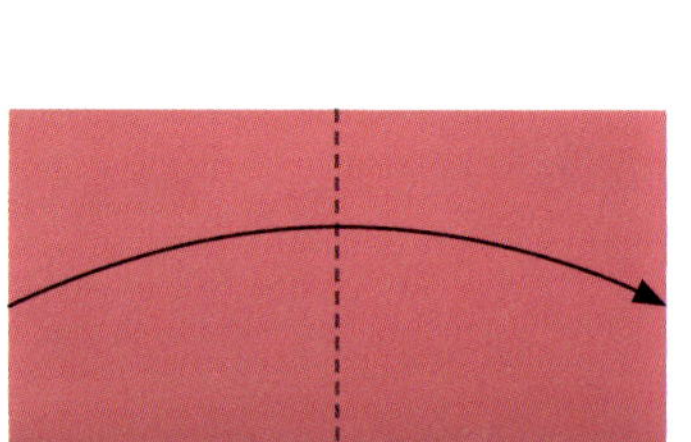
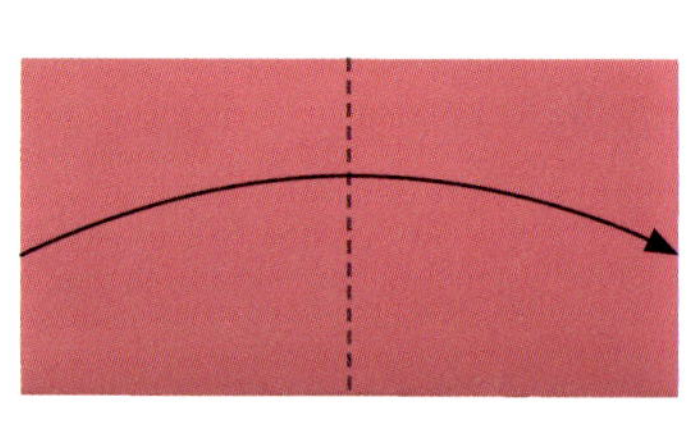

3

広げてつぶように折ります。

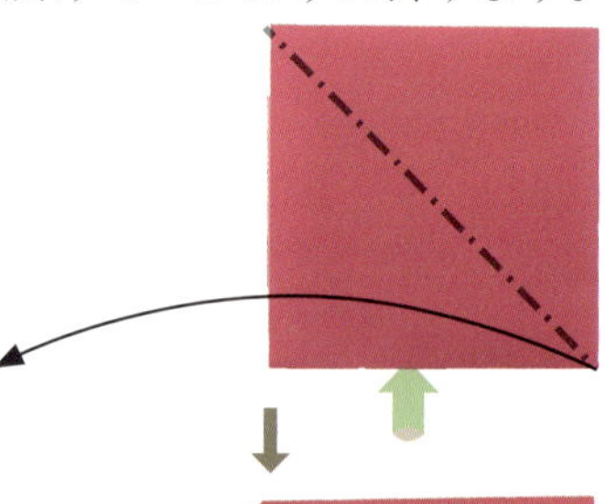
折ったところ。

4

うらがえす

広げてつぶように折ります。

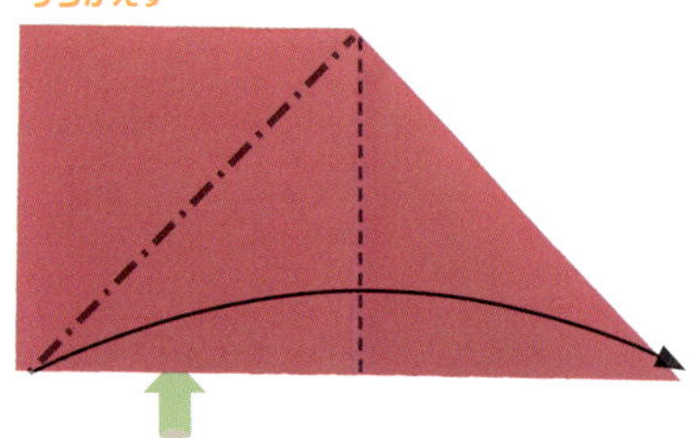

5

左右の角を上の角に合わせて折ります。

6

左右の角をまん中に合わせて折ります。

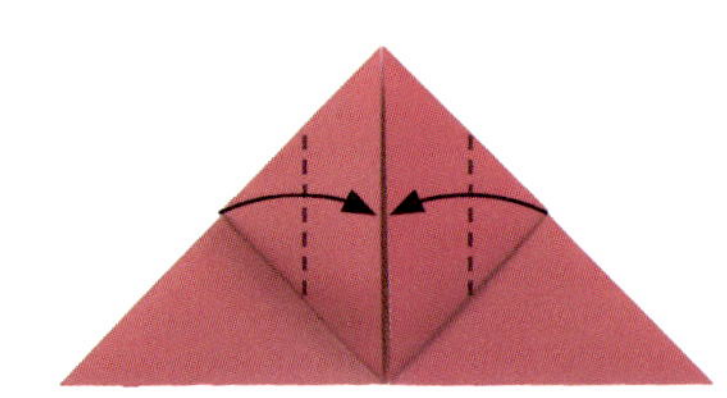

7

上の１枚を❻で折ったところに合わせて折ります。

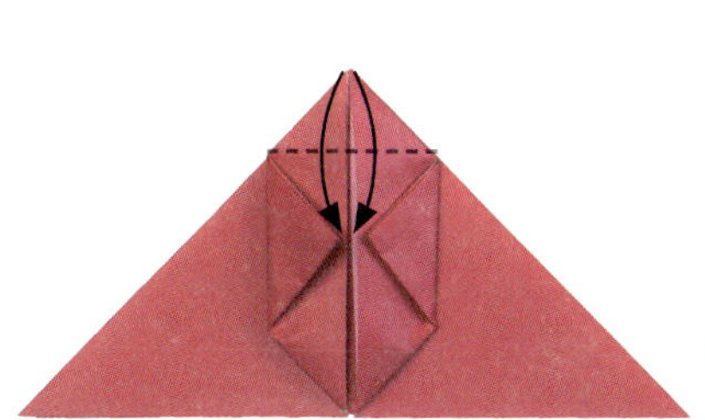

8

❼で折ったところを袋にに差し込みます。

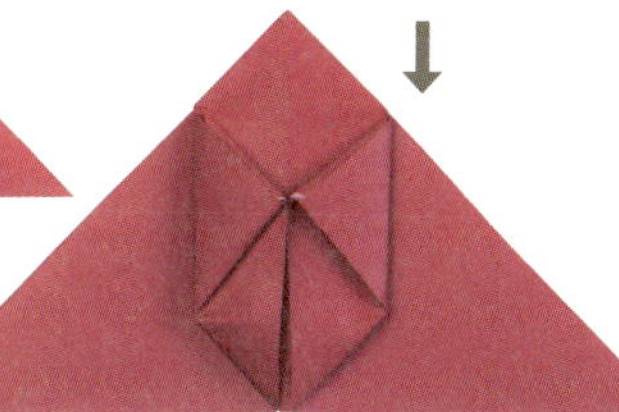

差し込んだところ。

9

左右をまん中に合わせて折ります。

10

写真のように 90° になるように折ります。

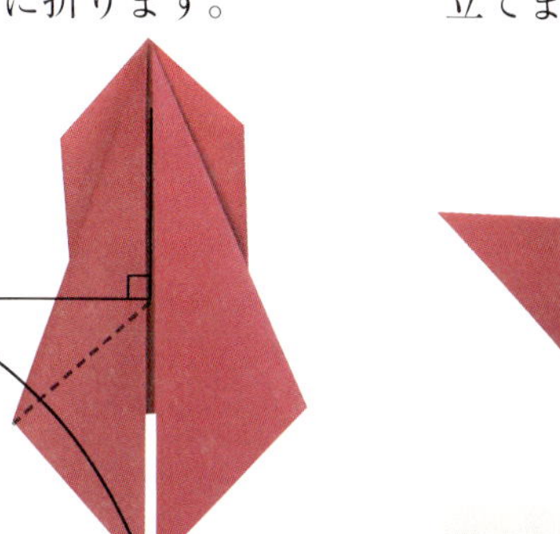

11

☆と★を合わせるように立てます。

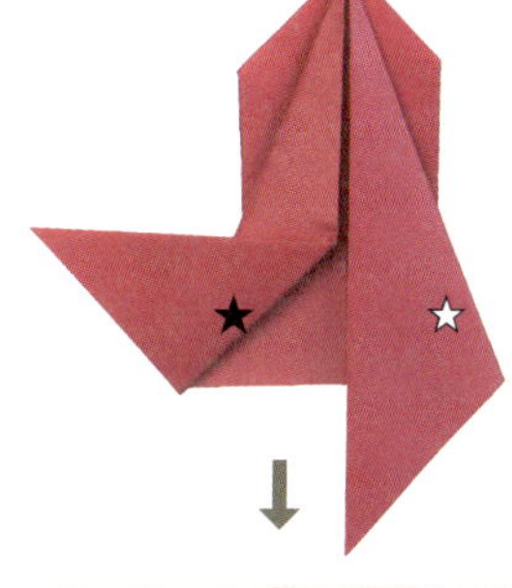

12

うしろ側のあいた穴から空気を吹き込んで膨らませます。

膨らましにくい場合は、つまようじなどを差し込んで優しく押すようにして膨らませます。

犬の箸置き

難易度 ★★☆

顔の大きさや
折り曲げる角度が
かわいさのポイント。

紙のサイズ
7.5cm×7.5cm：1枚
仕上がりのサイズ
約3cm×6.5cm×2.5cm

ちょっとしたおもてなしの食卓に、こんな箸置きはいかが？

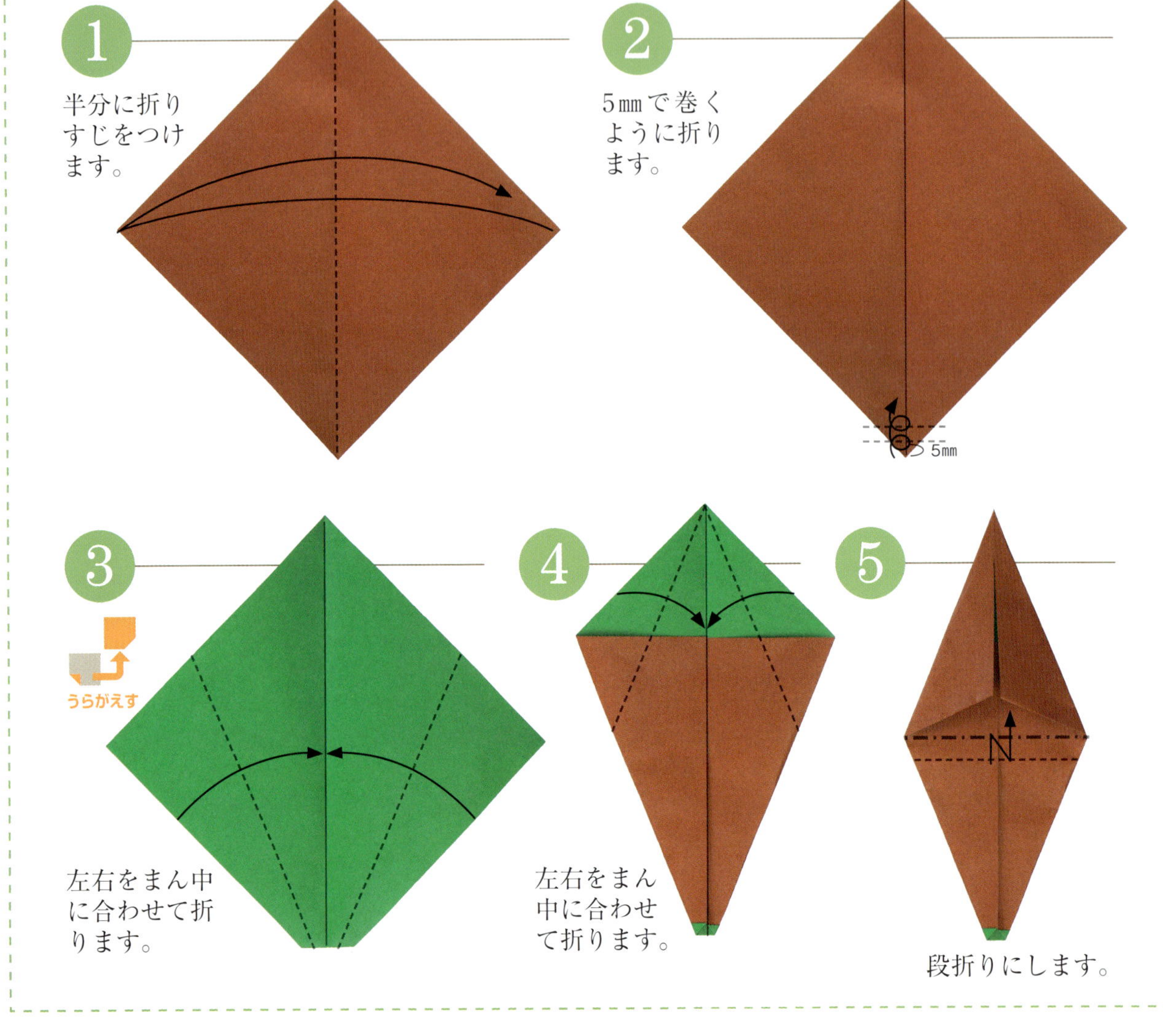

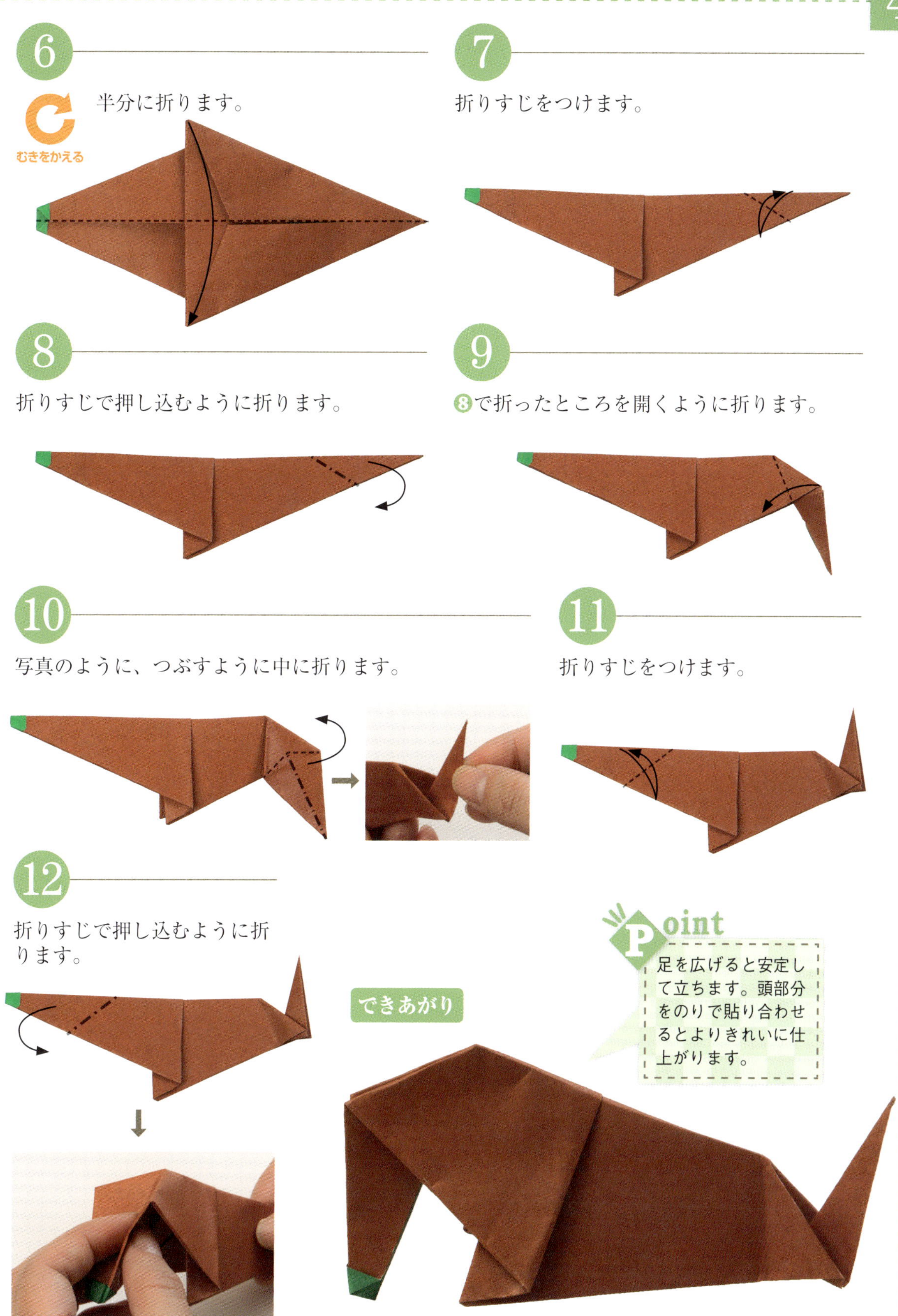
6
半分に折ります。
むきをかえる
7
折りすじをつけます。
8
折りすじで押し込むように折ります。
9
8で折ったところを開くように折ります。
10
写真のように、つぶすように中に折ります。
11
折りすじをつけます。
12
折りすじで押し込むように折ります。
できあがり
Point
足を広げると安定して立ちます。頭部分をのりで貼り合わせるとよりきれいに仕上がります。

箸袋

難易度 ★☆☆

表と裏の違いを
上手にいかした
折り方でつくる
箸袋です。

お料理やテーブルの色に合わせて、箸袋の紙を選ぶと◎。

紙のサイズ
15cm×15cm：1枚
仕上がりのサイズ
約14.5cm×3cm（箸袋1）
約10cm×3.3cm（箸袋2）

箸袋1

1

半分に折りすじをつけます。

2

角が折りすじにくるように折ります。

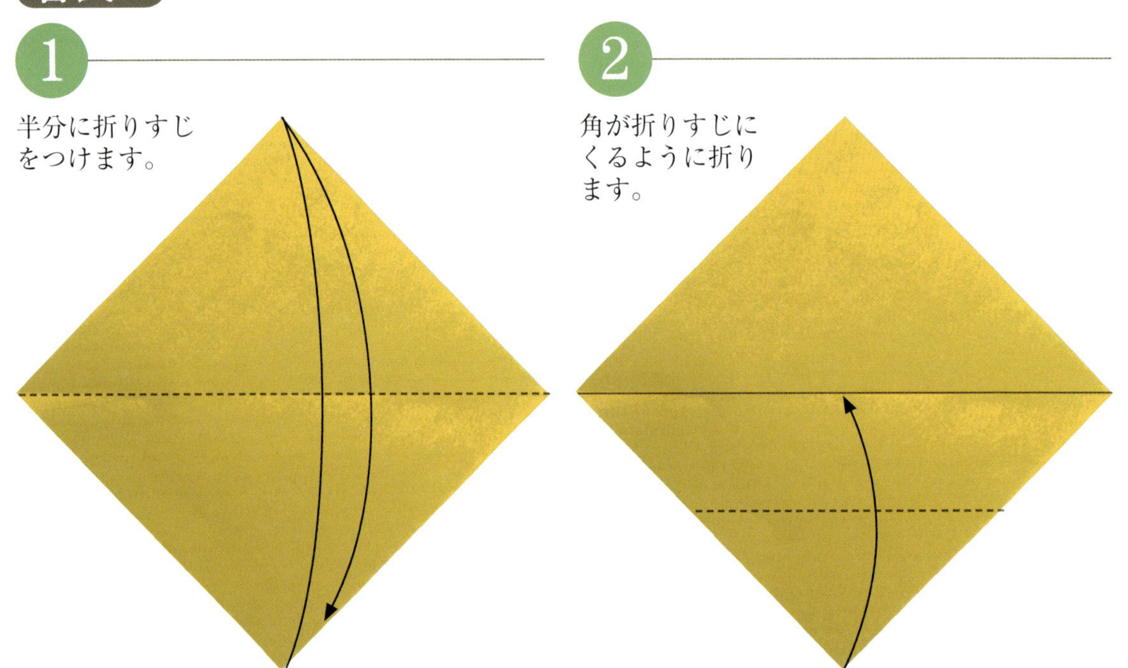

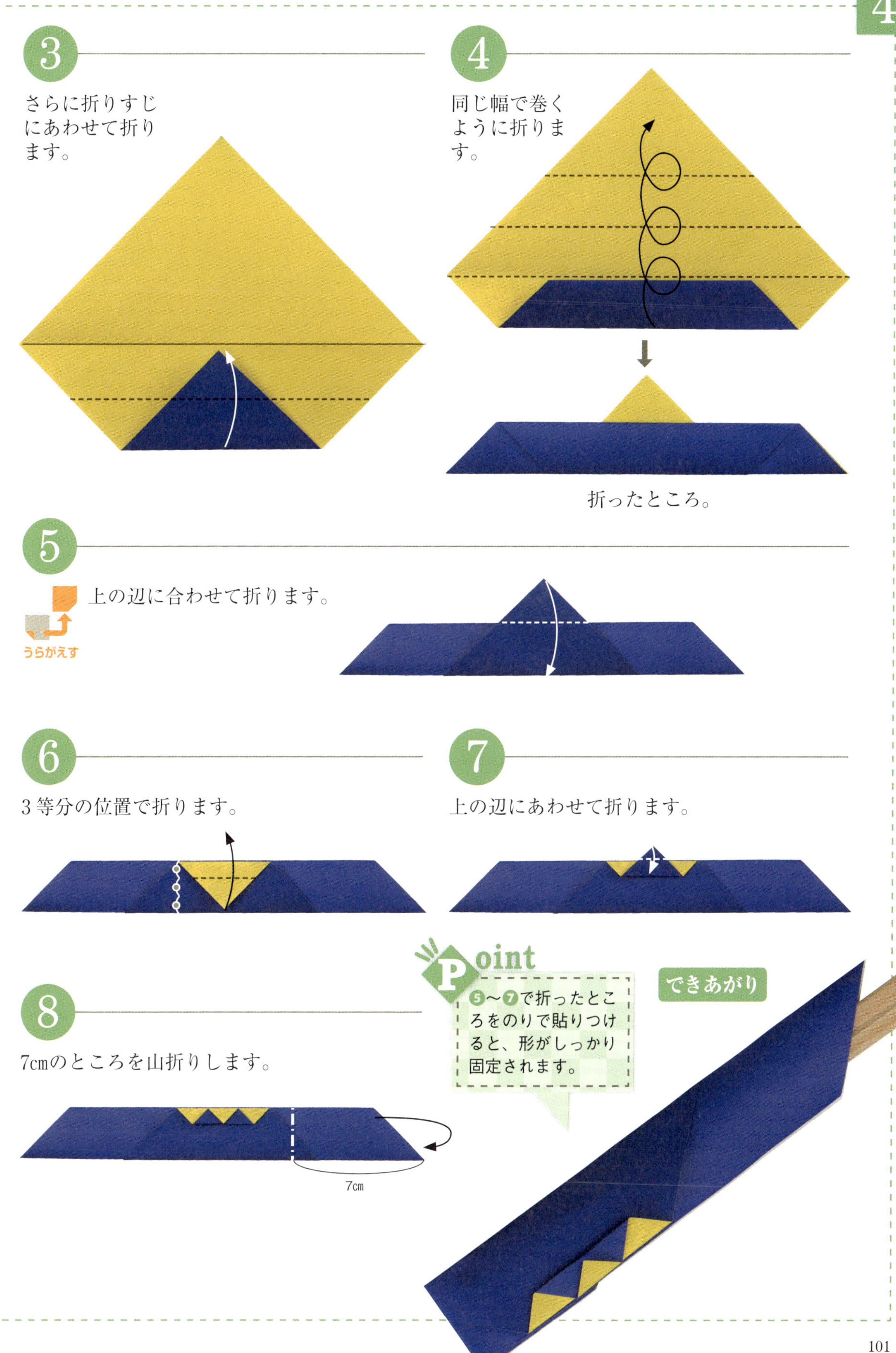
3
さらに折りすじにあわせて折ります。
4
同じ幅で巻くように折ります。
折ったところ。
5
上の辺に合わせて折ります。
うらがえす
6
3等分の位置で折ります。
7
上の辺にあわせて折ります。
8
7cmのところを山折りします。
7cm
Point
5〜7で折ったところをのりで貼りつけると、形がしっかり固定されます。
できあがり

箸袋 2

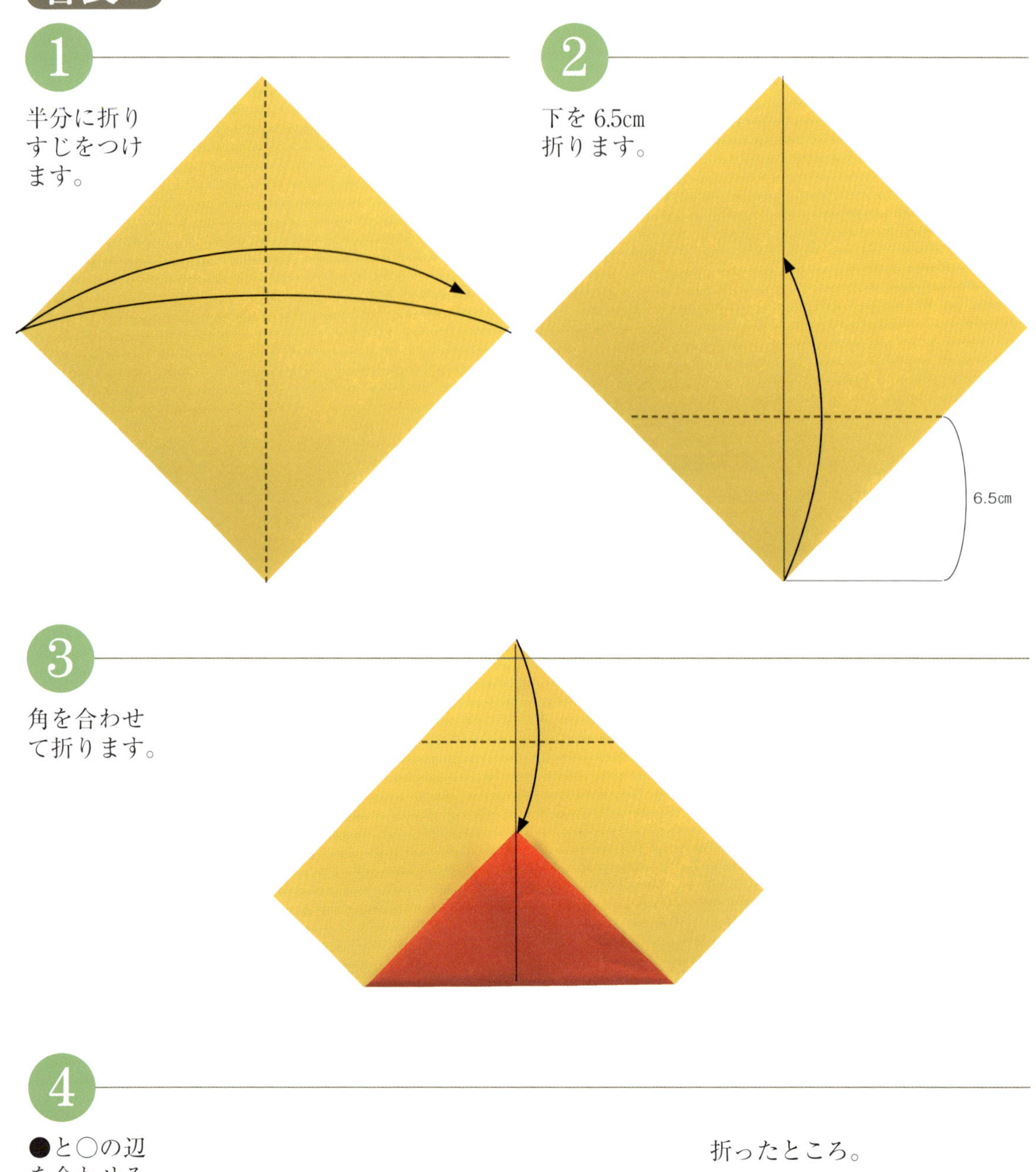

1

半分に折り
すじをつけ
ます。

2

下を 6.5㎝
折ります。

3

角を合わせ
て折ります。

4

●と○の辺
を合わせる
ように左右
を折ります。

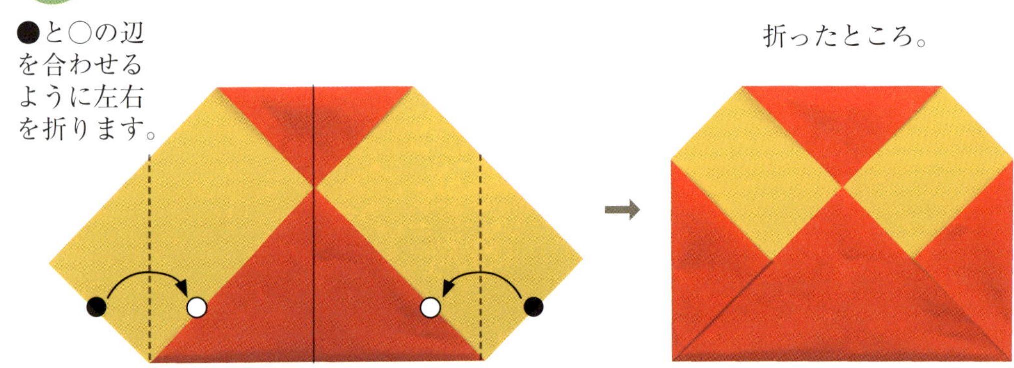

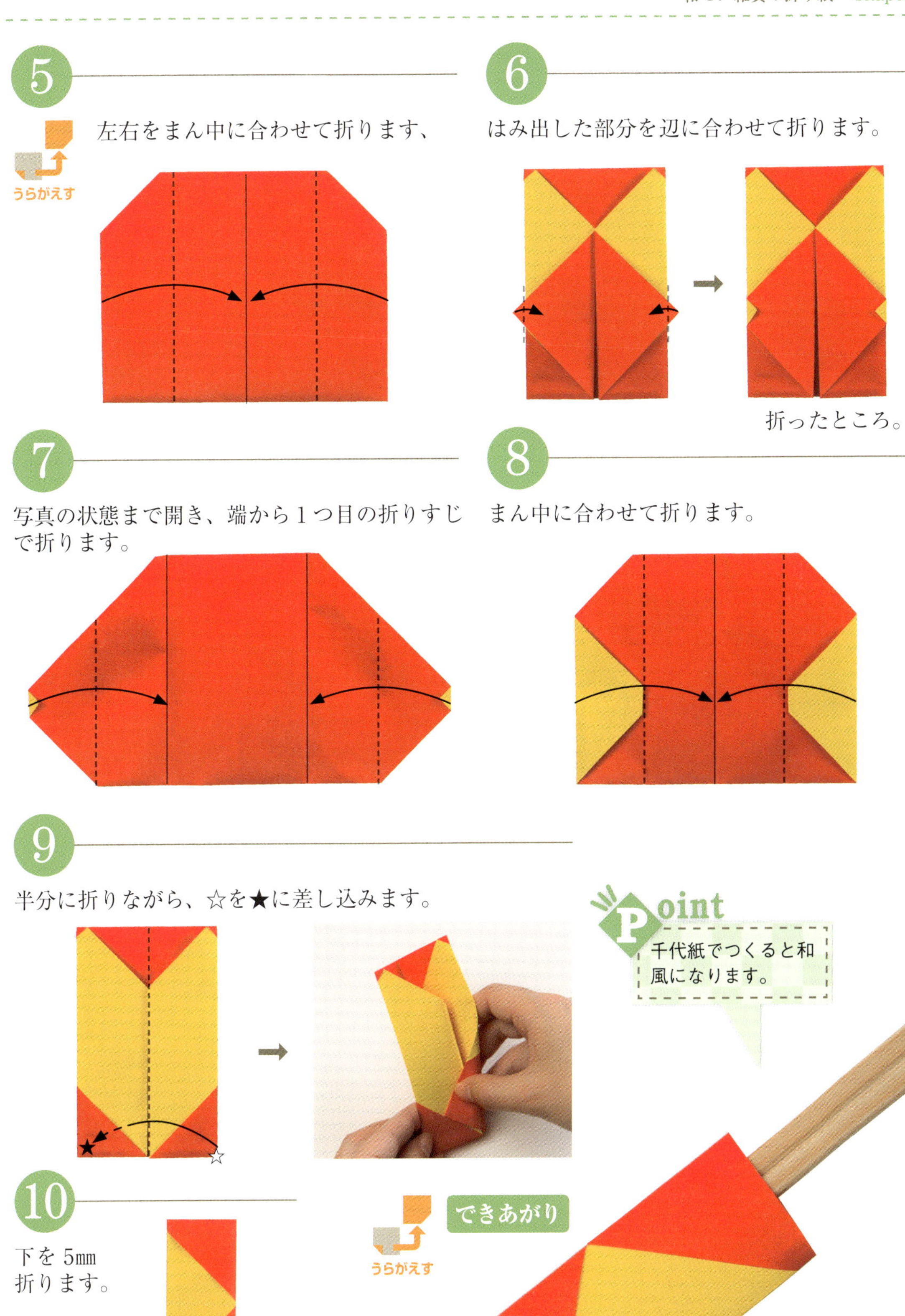

5

うらがえす

左右をまん中に合わせて折ります、

6

はみ出した部分を辺に合わせて折ります。

折ったところ。

7

写真の状態まで開き、端から1つ目の折りすじで折ります。

8

まん中に合わせて折ります。

9

半分に折りながら、☆を★に差し込みます。

Point

千代紙でつくると和風になります。

10

下を5mm折ります。

5mm

うらがえす

できあがり

ぽち袋1

難易度 ★★☆

口が開かないように
折り込むように
閉じましょう。

紙のサイズ
15cm×15cm:1枚
仕上がりのサイズ
約8cm×8cm

ちょっとした心付けや小銭の返却時に、気持ちを込めて。

1

縦、横半分に折りすじをつけます。

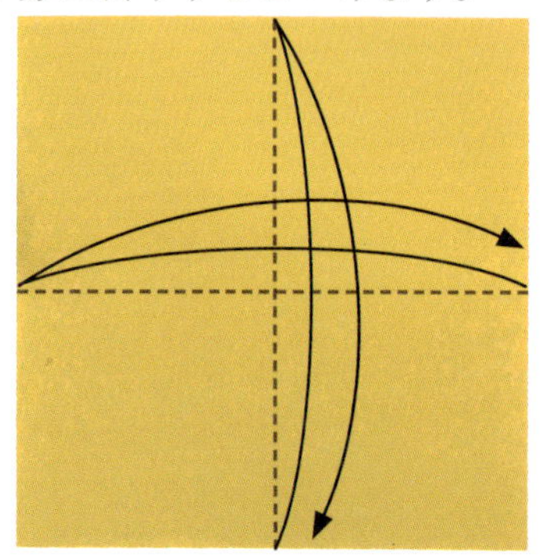

2

角をまん中に合わせて折りすじをつけます。

3

角を折りすじに合わせて折ります。

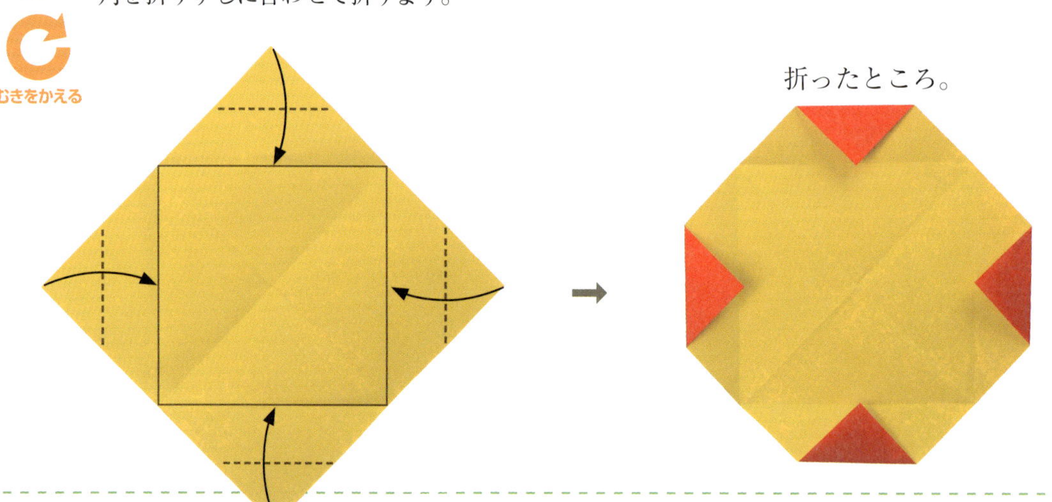

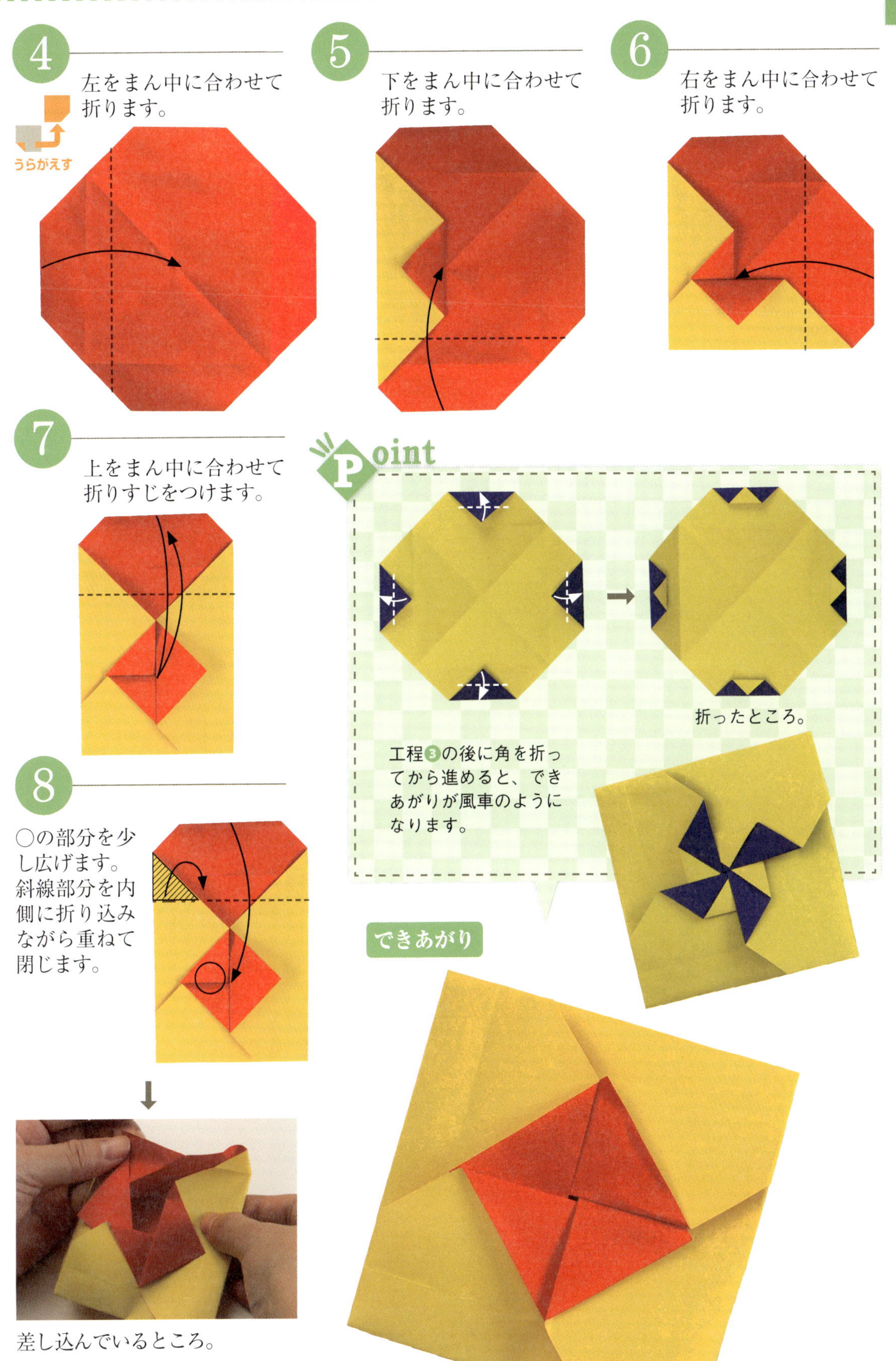

4 左をまん中に合わせて折ります。

5 下をまん中に合わせて折ります。

6 右をまん中に合わせて折ります。

7 上をまん中に合わせて折りすじをつけます。

8 ○の部分を少し広げます。斜線部分を内側に折り込みながら重ねて閉じます。

差し込んでいるところ。

Point

折ったところ。

工程❸の後に角を折ってから進めると、できあがりが風車のようになります。

できあがり

ぽち袋 2

難易度　★★☆

仕上げに4つの辺を
斜めに折ると、
花のような
デザインに。

紙のサイズ
15cm×15cm:1枚
仕上がりのサイズ
約8cm×8cm

華やかな印象を与えるスクエア型のぽち袋。

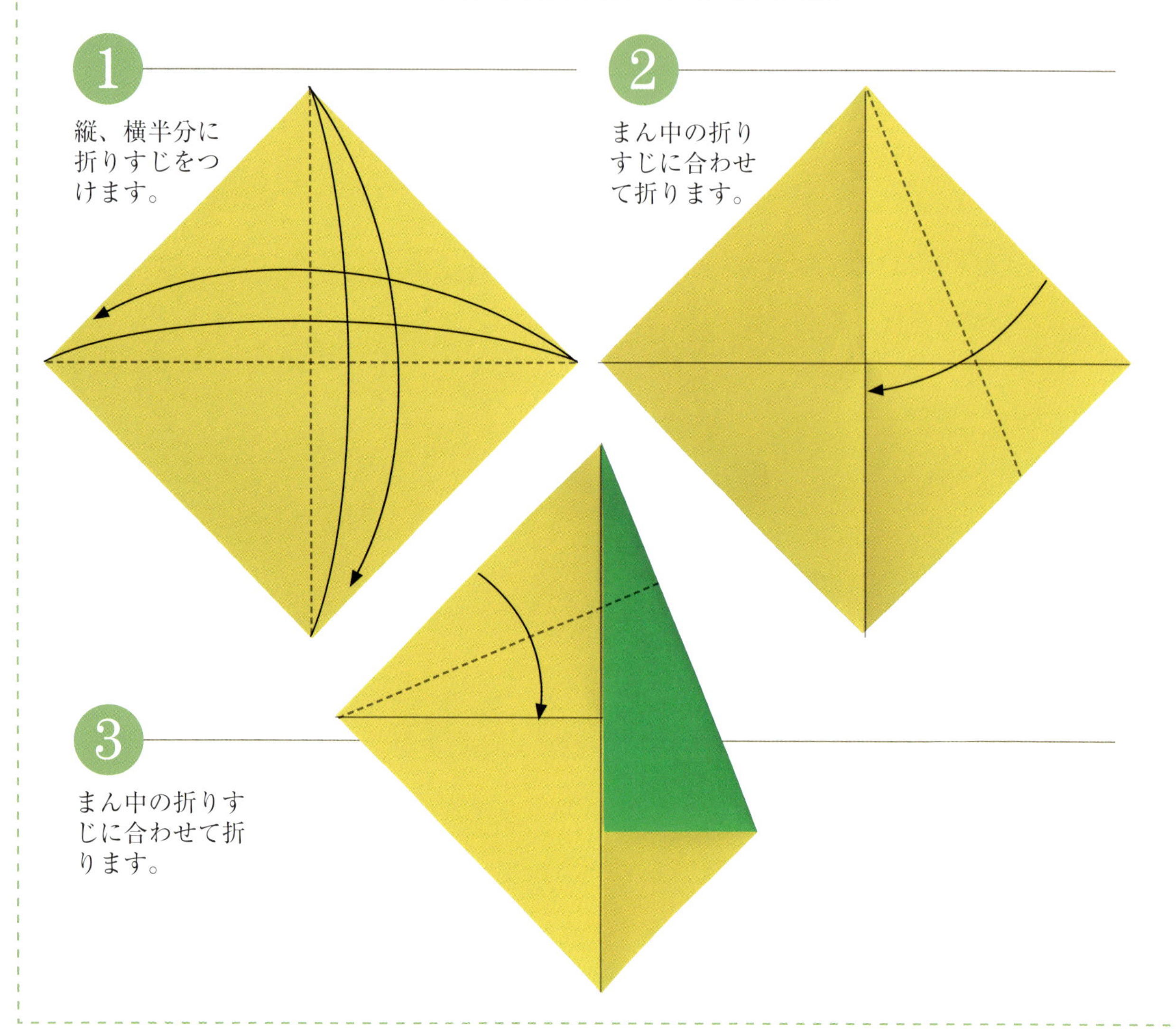

1
縦、横半分に折りすじをつけます。

2
まん中の折りすじに合わせて折ります。

3
まん中の折りすじに合わせて折ります。

4
まん中の折りすじに合わせて折ります。
5
●と○の辺を合わせるように折ります。
折ったところ。
6
○の部分を少し広げ、内側に折り込みながら重ねて閉じます。
むきをかえる
Point
ひっぱりやすいように、むきを変えてやってみましょう。
7
それぞれ、4つの辺に合わせて斜めに折ります。
できあがり

ぽち袋3

難易度 ★☆☆

3つ折りでできる
簡単ぽち袋。
裏は重なるように
折りましょう。

紙のサイズ
15cm×15cm:1枚
仕上がりのサイズ
約7cm×5cm

折り返し部分も重要なカラーポイントです。

1

左が上になるように3等分に折ります。

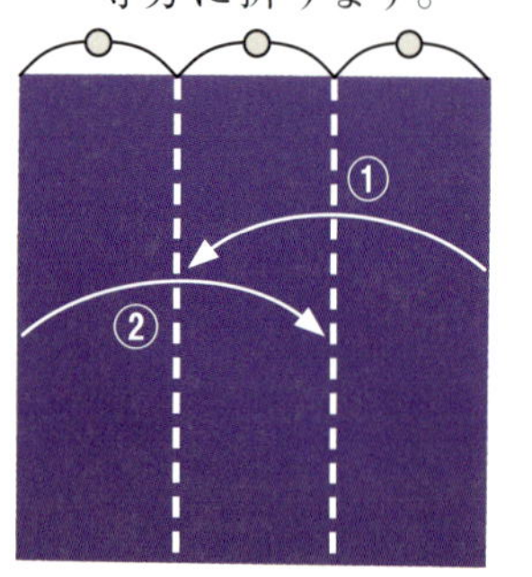

2

右下の角が左の辺にくるように、上の1枚を折ります。

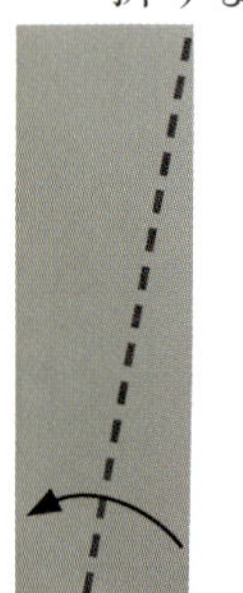
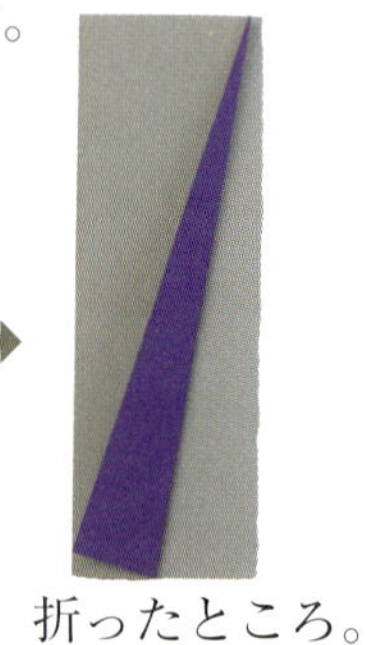
折ったところ。

3

うらがえす

下を3cm折ります。

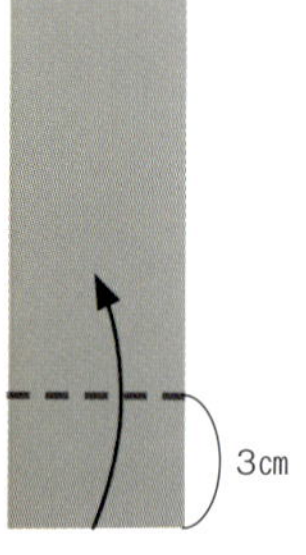

4

下に1cm重なるように折ります。

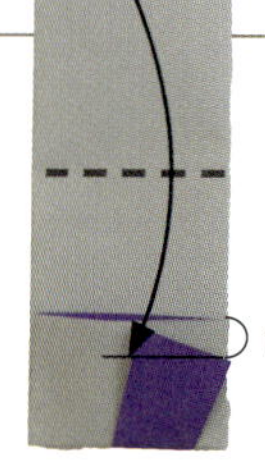

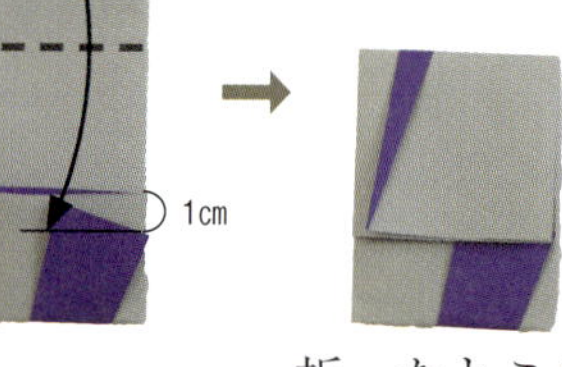
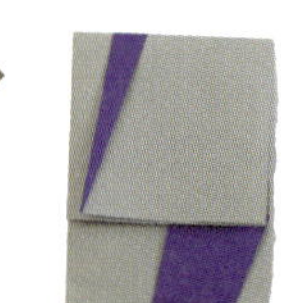
折ったところ。

うらがえす

できあがり

5

❸で折ったところに差し込みます。

Point
❷で折る幅を変えると、差し色の幅や位置に変化がつけられます。

かいしき

難易度 ★☆☆

和食や和菓子の敷物にするなら、千代紙や和紙を選びましょう。

紙のサイズ
15cm×15cm:1枚
仕上がりのサイズ
約10.5cm×19cm

つまようじも挟める、センスのよさが光るかいしきです。

1 三角に折ります。

2 上の1枚を下の辺まで折ります。

3 3等分で折ります。

4 折りすじをつけます。

5 折りすじをつけたところを押し込むように、内側に折ります。

6 折りすじをつけます。

7 ❺と同じように押し込むように、内側に折ります。

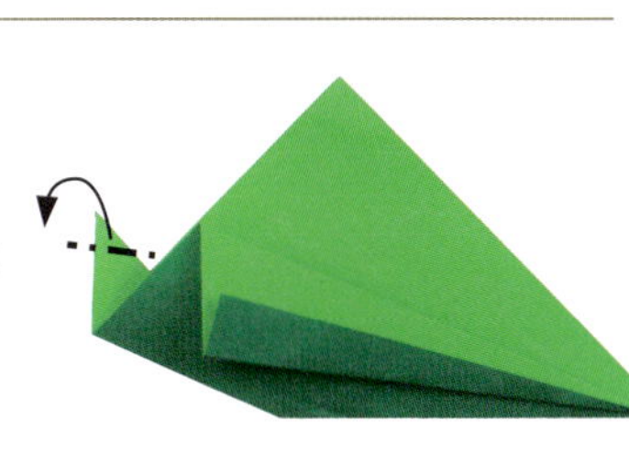

できあがり

Point 尾の部分に、つまようじをさせます。

ようじ入れ

難易度 ★☆☆

2種類とも
折り返し部分の
見え方がポイントです。

食卓にちょこんと置いて。ちょっとした心づかいが伝わります。

紙のサイズ
7.5cm×7.5cm：1枚
仕上がりのサイズ
約6.5cm×2cm（鳥）
約2.5cm×6cm（金魚）

鳥

1
半分に折りすじをつけます。

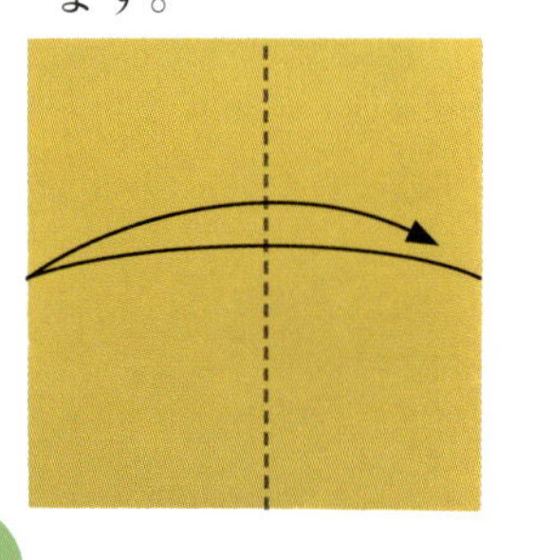

2
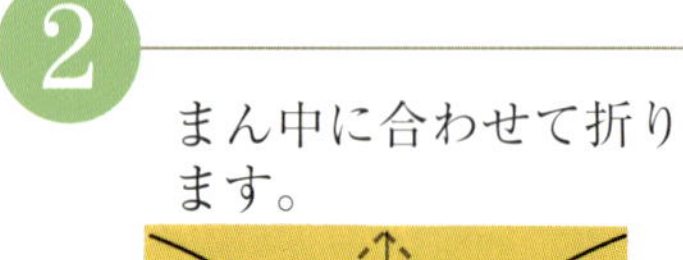
まん中に合わせて折ります。

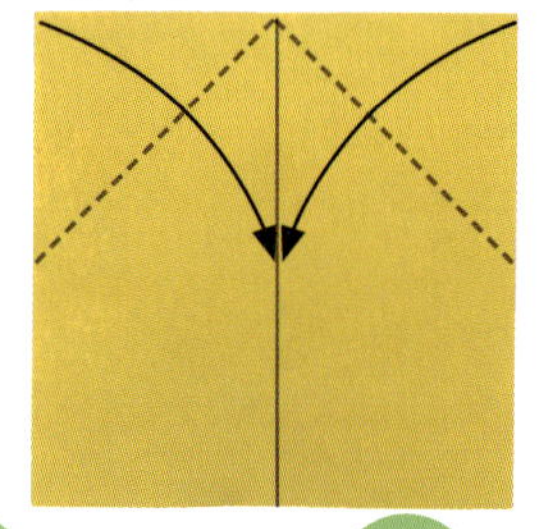

3
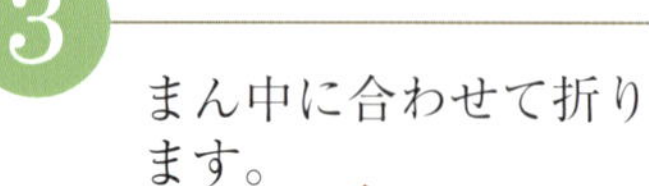
まん中に合わせて折ります。

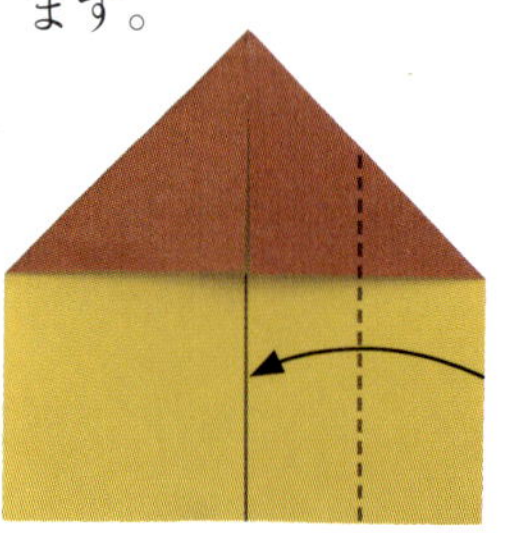

4
同じ幅で巻くように折ります。

5
うらがえす
上の1枚を折ります。

6
折りすじをつけます。

できあがり

7
折りすじで、内側に押し込むように折ります。

Point
❹で折った部分をのりで固定すると、きれいに仕上がります。

金魚

1

半分に折りすじをつけます。

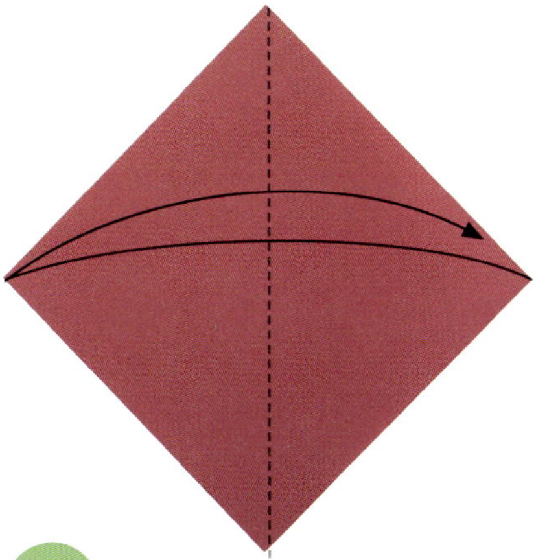

2

下の角を 3.5cm折ります。

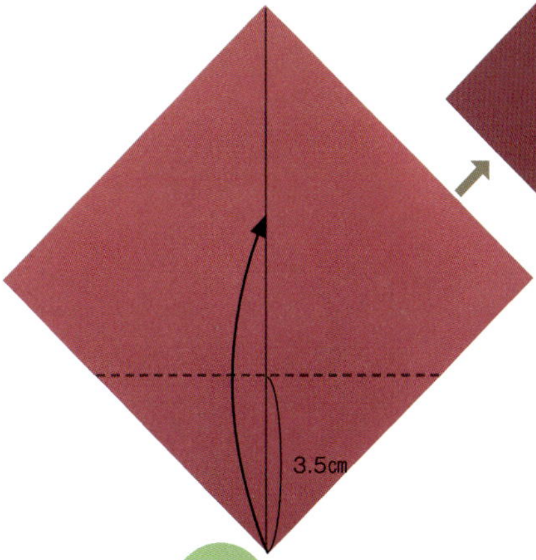

3.5cm

折ったところ。

3

うらがえす

角を折りすじに合わせて折ります。

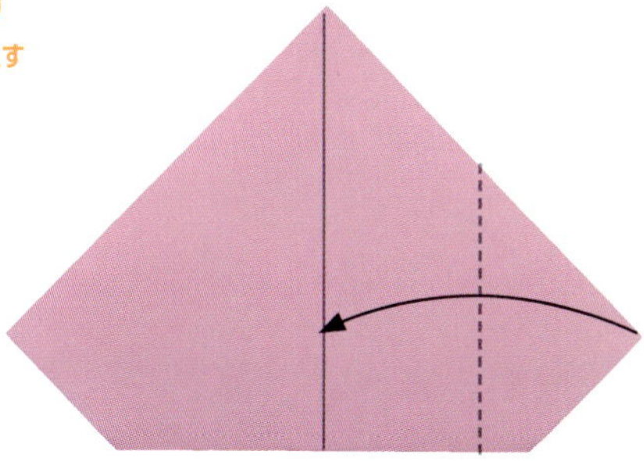

4

❸で折った半分の幅で巻くように折ります。

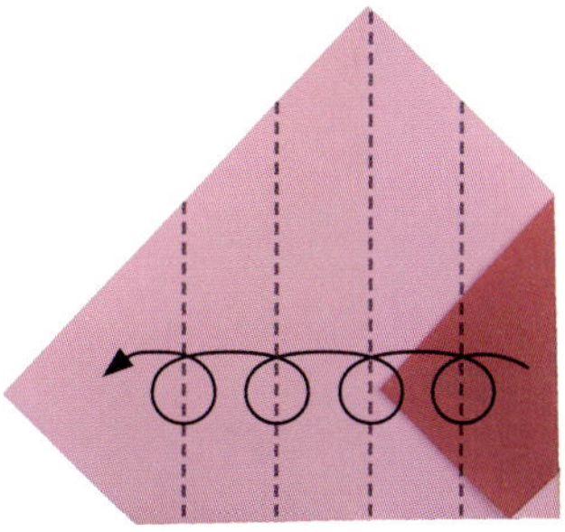

折ったところ。

5

うらがえす むきをかえる

2 等分の位置で折ります。

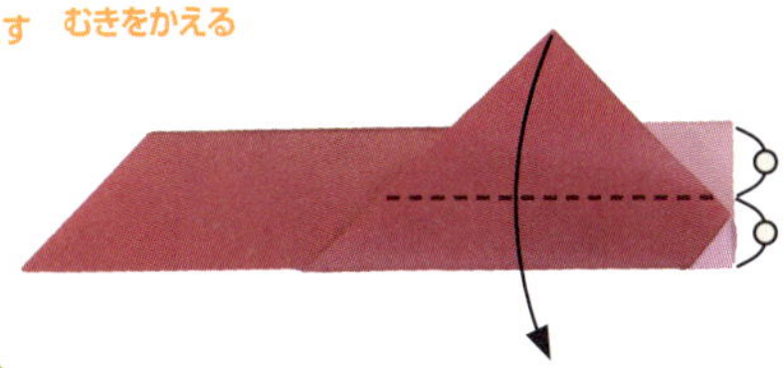

6

斜めに折ります。

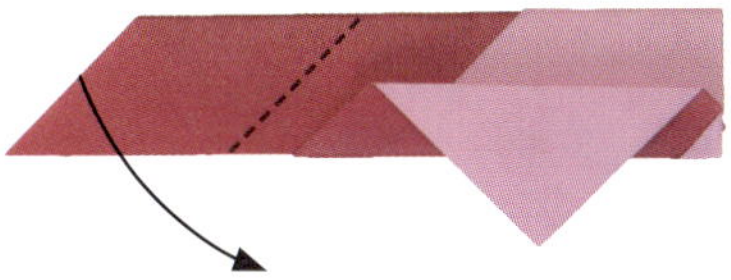

うらがえす

できあがり

Point

❺や❻の折り方でヒレの形を変えることができます。

かぶとの封筒

難易度 ★★☆

伝承のかぶとの折りを
封筒のデザインに
アレンジ！

紙のサイズ
21cm×29.5cm：1枚
仕上がりのサイズ
約7cm×10.5cm

メッセージカードやお手紙を入れてもカード入れにしても OK ！

1

角を辺に合わせて折りすじをつけます。

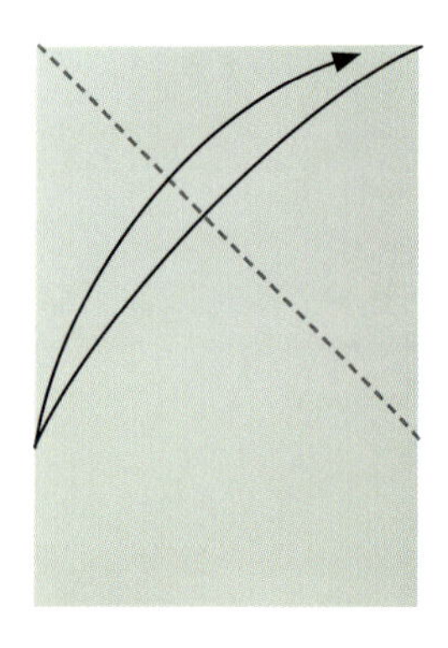

2

角を折りすじに合わせて折ります。

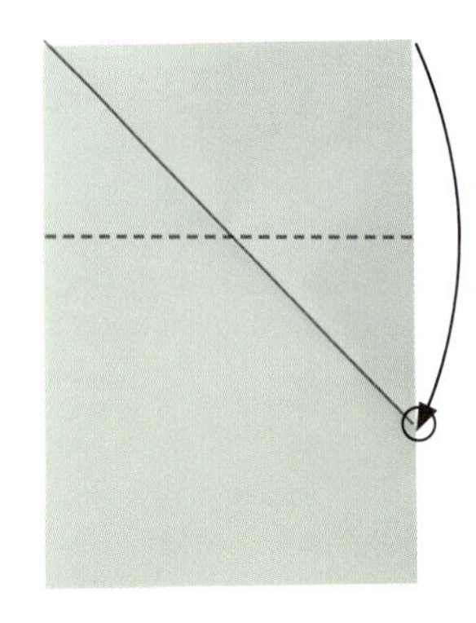

3

左右の角をまん中に合わせて折ります。

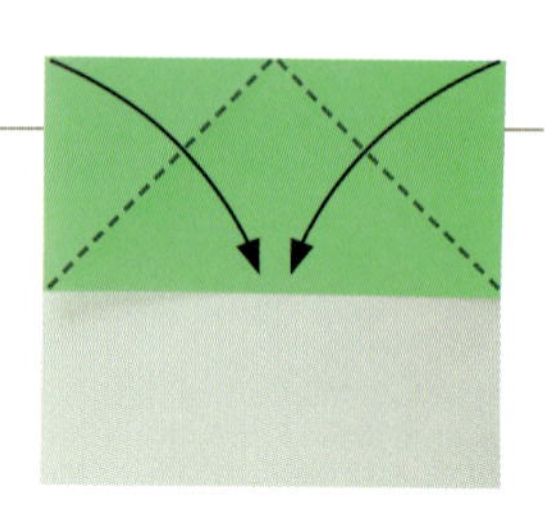

4

広げてつぶすように折ります。

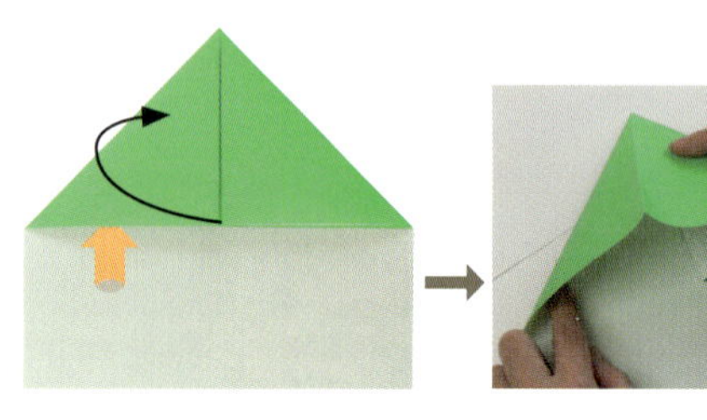

5

左の辺をまん中まで折ります。

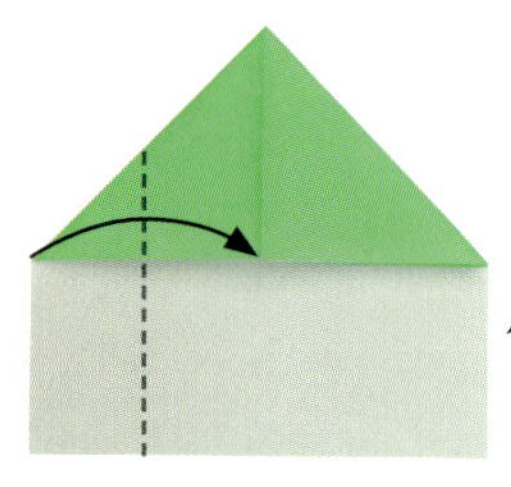

6

❺で折ったところを広げて、写真のように内側に入れるように折ります。

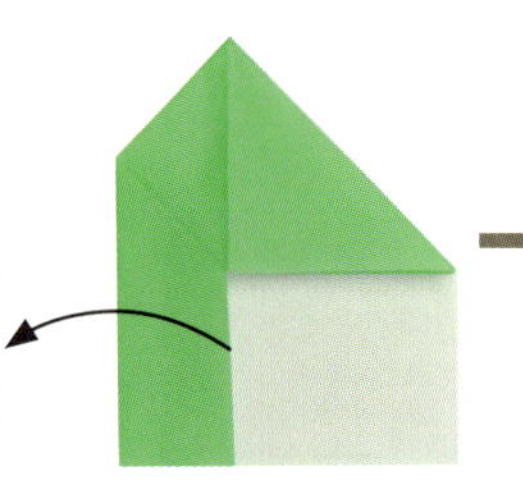

7

1枚めくります。

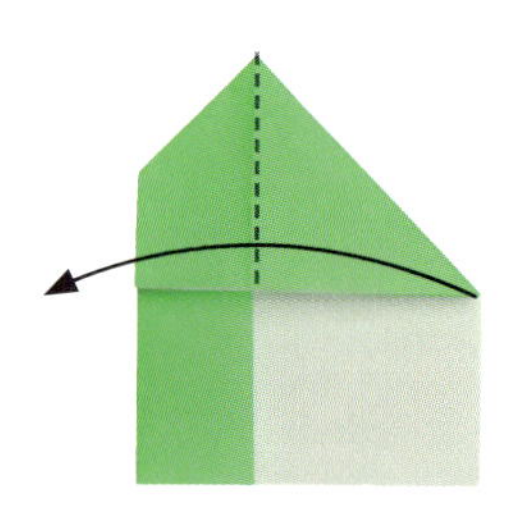

8

反対側も4～7を繰り返します。

折ったところ。

9

むきをかえる

左右の角をまん中に合わせて折ります。

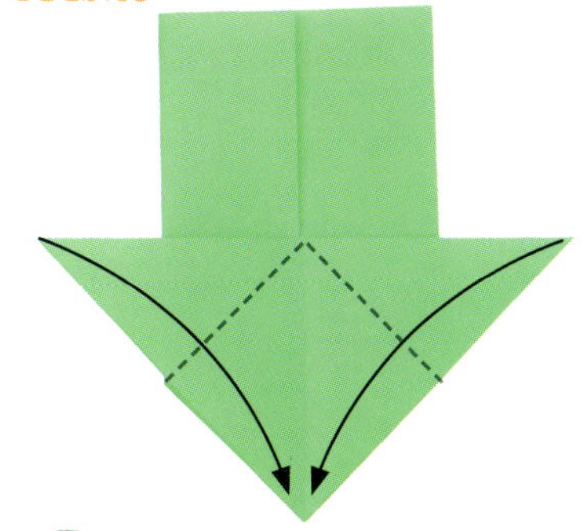

10

上の1枚を半分折り返します。

11

左右の角を少しだけ斜めに折ります。

12

少しずらして三角に折り上げます。

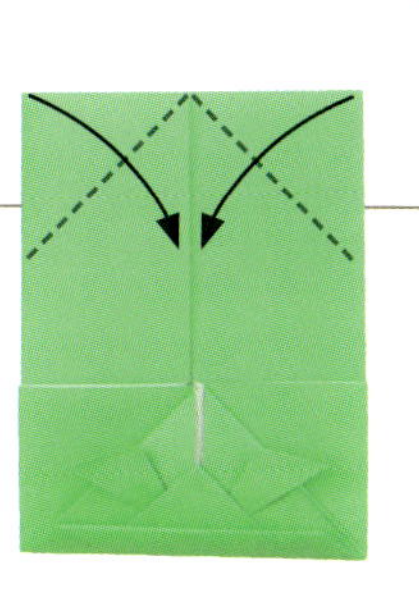

13

もう1度折り上げます。

14

左右の角を三角に折ります。

15

上の角を下の辺に合わせて折りすじをつけます。

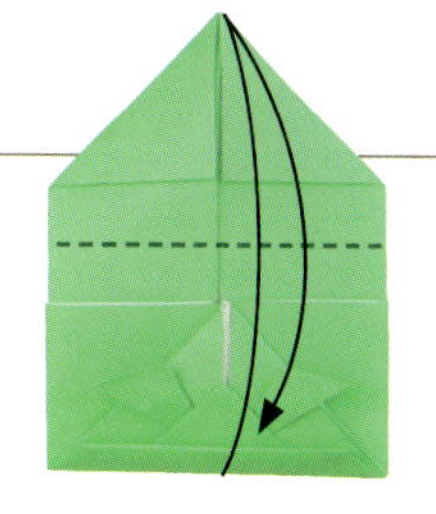

16

角を差し込みます。

Point

紙のサイズを変えて、お好みの封筒をつくりましょう。

Column 2

日本の伝統柄で和風テイストの演出を

昔から伝えられて来た日本ならではの柄。
着物によく見られる優美な柄、風情のある粋な柄など、
ちょっとひと味ちがうデザインがあります。和風テイストの折り紙で折ってみると、
できあがりが大人の雰囲気に。ぜひ、和風折り紙をおためしください。

千代紙

日本の伝統的な草花や紋、行事、道具などの模様が入っている和紙製の折り紙のことをいいます。
◎**京千代紙**：京都で生まれた千代紙。主に、京都ならではの行事や風土の模様が描かれています。
◎**江戸千代紙**：江戸で生まれた千代紙。伝統的な有職文様が多く、京千代紙よりも簡素な印象です。

和風柄の折り紙でテーブルコーディネイト

和風のコーディネイトは、お祝いやおもてなしにオススメ。千代紙などの和風柄の折り紙で折った作品なら、テーブルもしっとり優雅な感じに演出できます。

作品：P42「コースター」 P44「バスケット」
P49「ナフキンリング」 P52「カトラリーカバー」
P54「ランチョンマット飾り」

Chapter 5

飾って楽しむ
季節の折り紙

わたしたちは、子どものころから
季節の行事ごとに折り紙を折り、
願いをこめてきました。
はじめて折る方にはぜひ。
忘れてしまった方にはもう一度、
季節を感じる折り紙をつくってみませんか。

羽子板

難易度 ★★☆

羽子板の形に
折ったら、
伝承の折り紙の
やっこを添えて。

紙のサイズ
15cm×15cm：1枚（羽子板）
7.5cm×7.5cm：1枚（やっこ）
仕上がりのサイズ
約11.5cm×7cm（羽子板）
約4cm×4cm（やっこ）

お正月のお部屋や玄関飾りに。

本体

1

半分に折りすじをつけます。

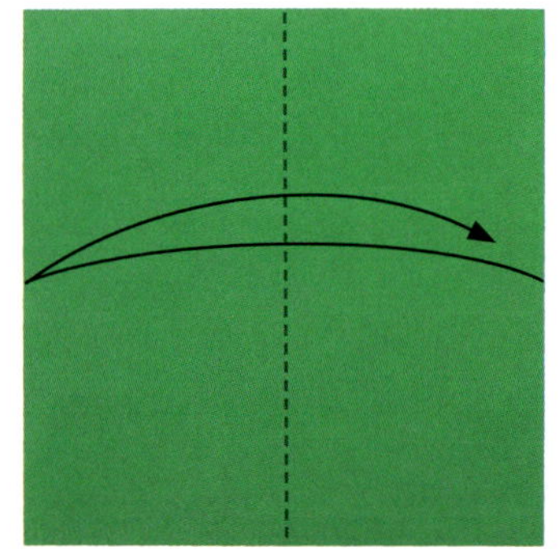

2

まん中に合わせて折ります。

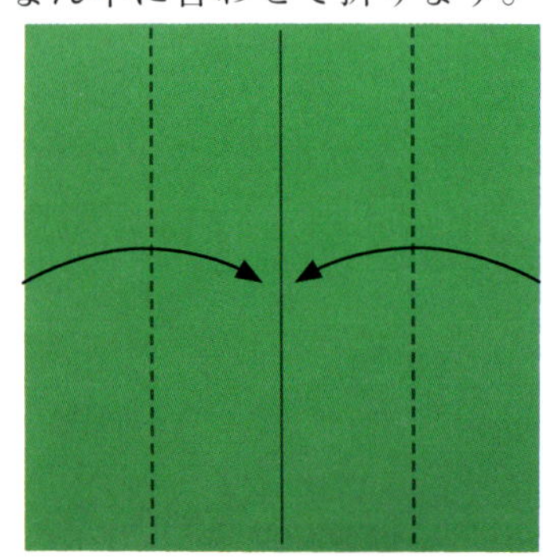

3

3等分の位置で折り重ねます。

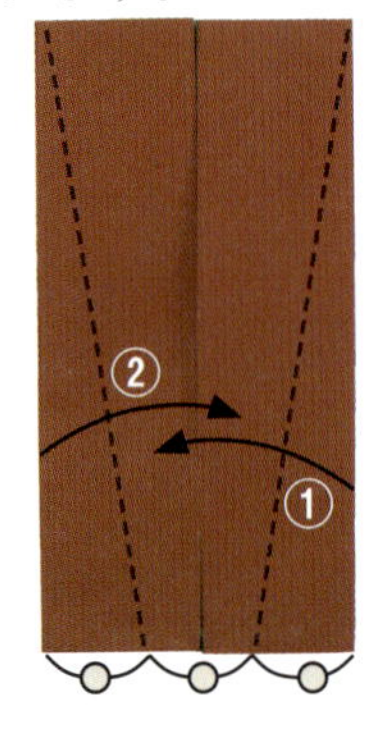

4

段折りにします。

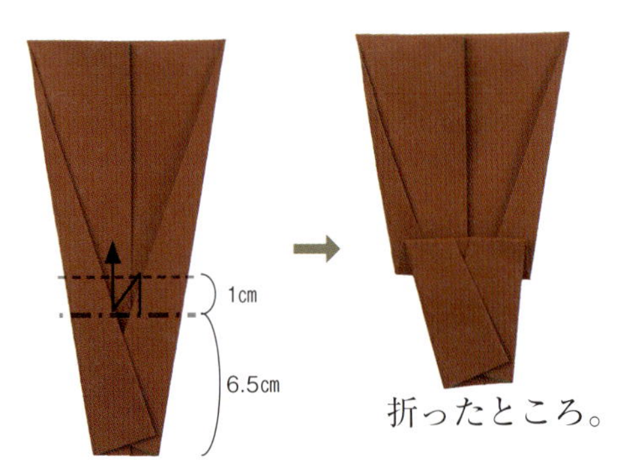

折ったところ。

5

角を山折りにします。

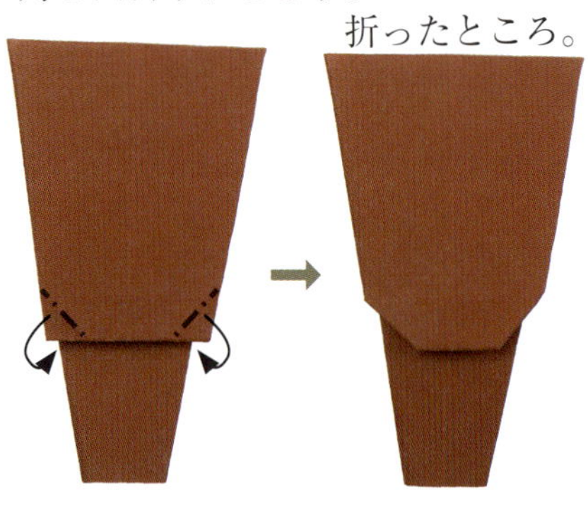

折ったところ。

6

写真のように、角を広げてつぶしながら折ります。

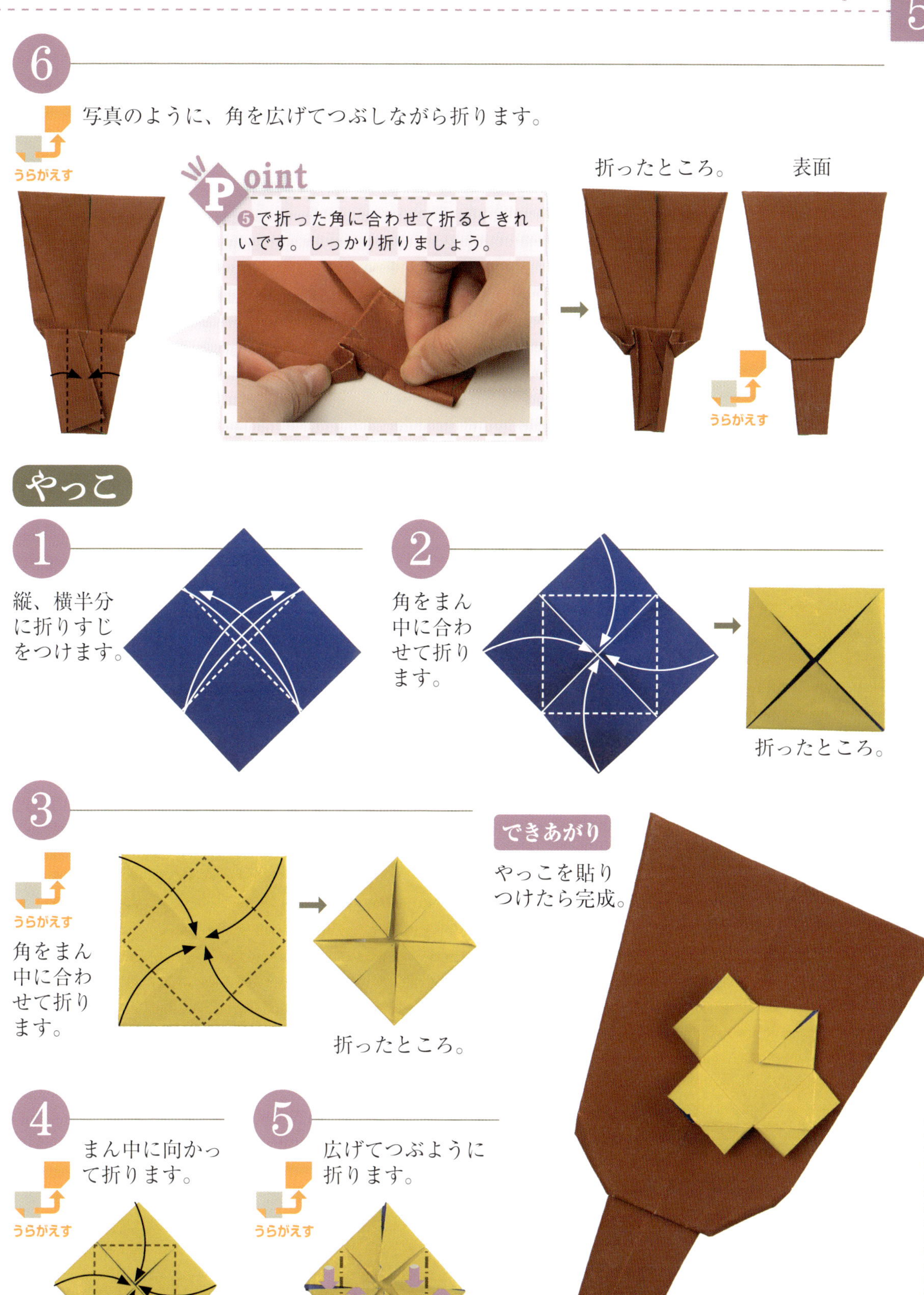

鏡餅

難易度 ★★☆

重ねたお餅を
表現するのは段折り。
段のつけかたで
バランスが変わります。

紙のサイズ
15cm×15cm：1枚
仕上がりのサイズ
約10cm×12.5cm

鏡餅を乗せる、三方などをつくって飾るとぐっと雰囲気が出ます。

1

角を1cm折ります。

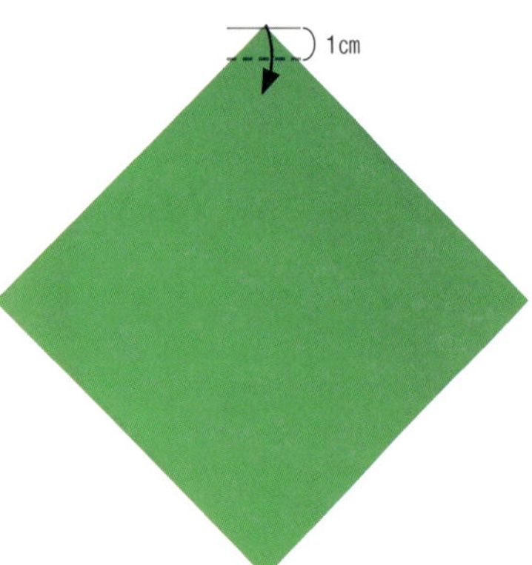

2

2cm折ります。

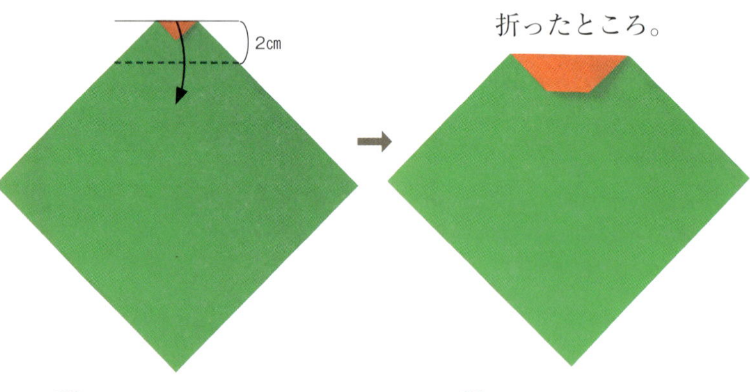

3

まん中で折りすじをつけます。

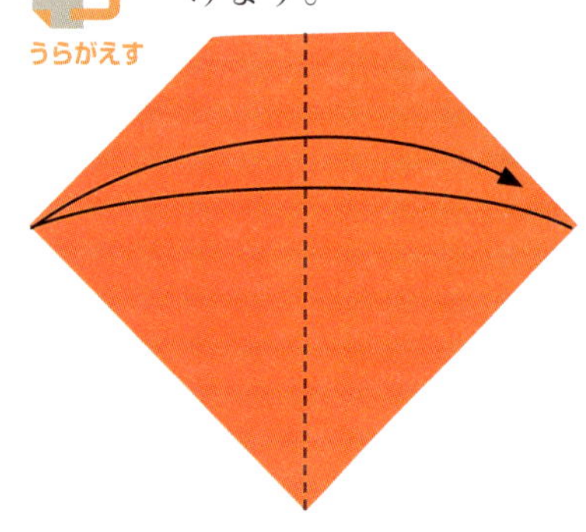

4

左右をまん中に合わせて折ります。

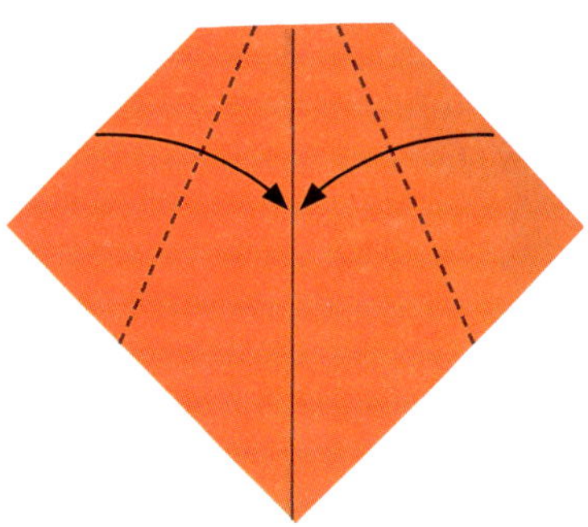

5

半分に折ります。

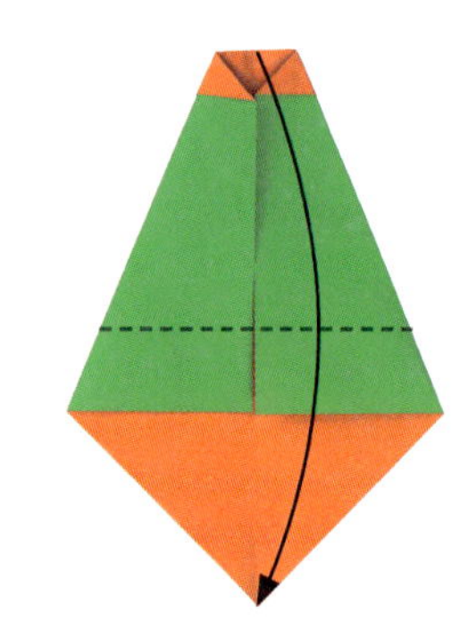

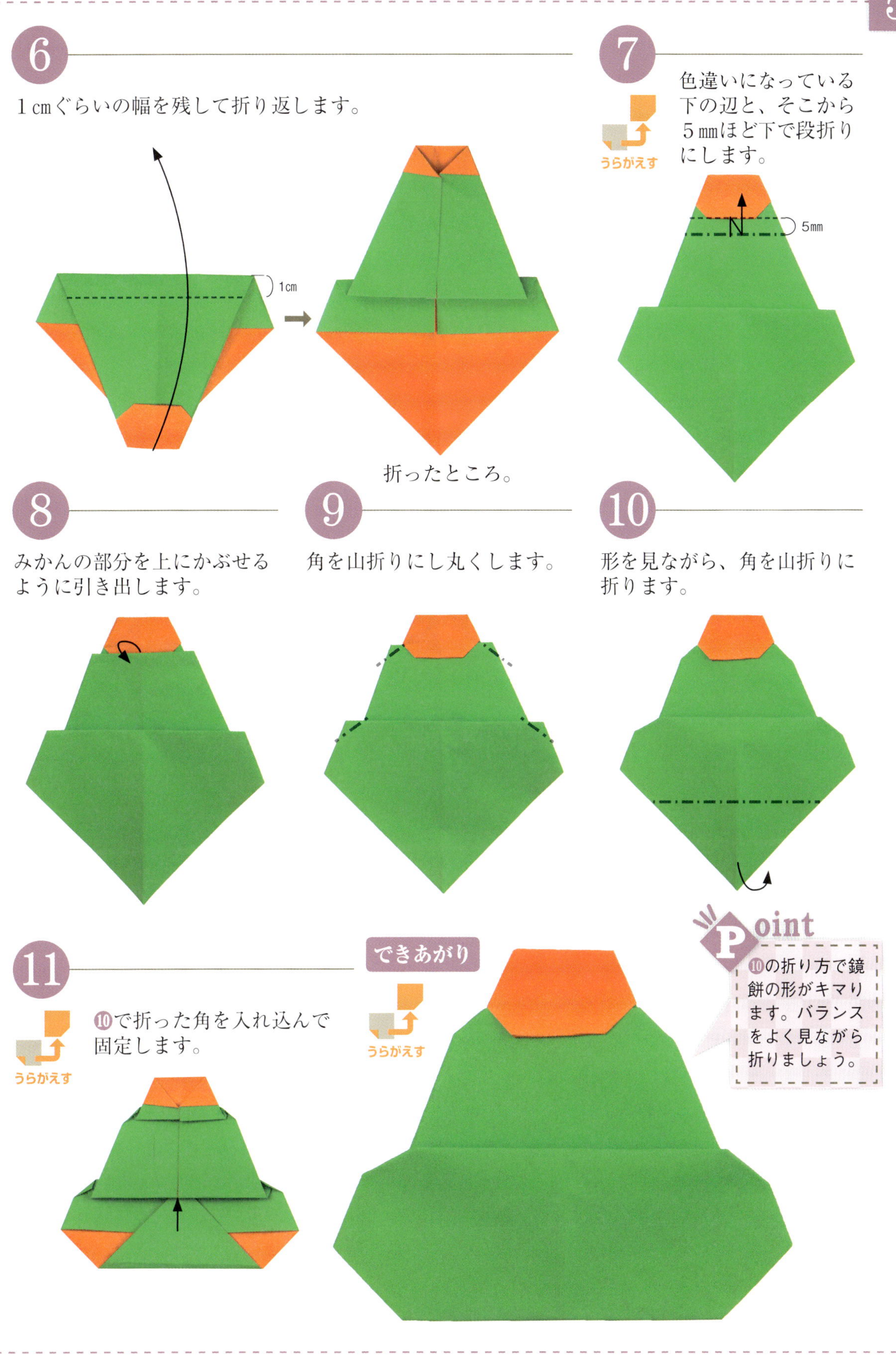
6
1㎝ぐらいの幅を残して折り返します。
1㎝
折ったところ。
7
うらがえす
色違いになっている下の辺と、そこから5㎜ほど下で段折りにします。
5㎜
8
みかんの部分を上にかぶせるように引き出します。
9
角を山折りにし丸くします。
10
形を見ながら、角を山折りに折ります。
Point
⑩の折り方で鏡餅の形がキマります。バランスをよく見ながら折りましょう。
11
うらがえす
⑩で折った角を入れ込んで固定します。
できあがり
うらがえす

折羽鶴

難易度 ★★★

扇子のように
折った羽が
とても美しい折り鶴。

紙のサイズ
15cm×15cm：1枚
仕上がりのサイズ
約6.5cm×13cm×7.5cm

羽をアレンジするだけで、お正月にぴったりの華やかな鶴に。

1

三角に折ります。

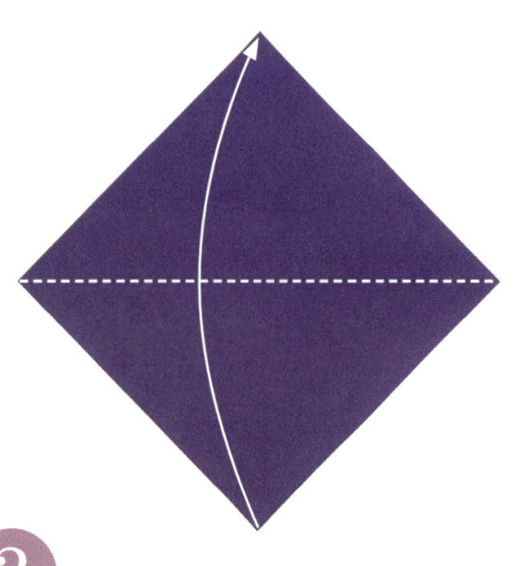

2

さらに三角に折ります。

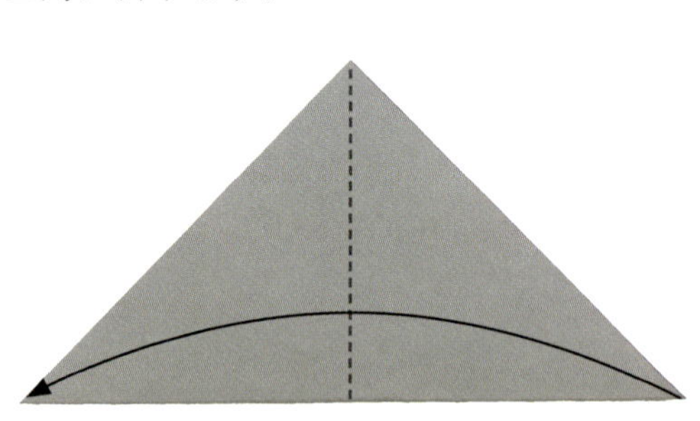

3

広げてつぶすように折ります。

折ったところ。

4

広げてつぶすように折ります。

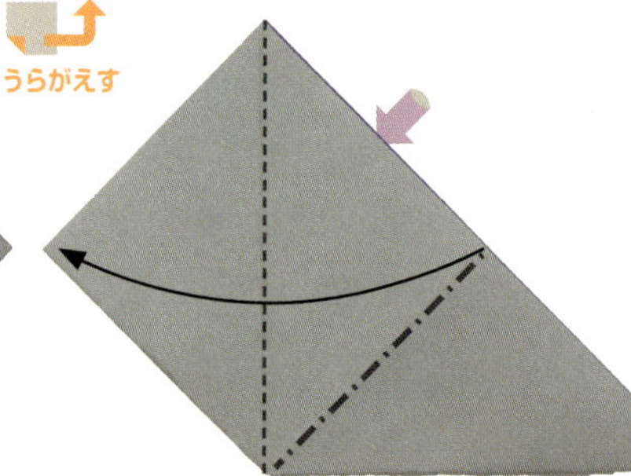

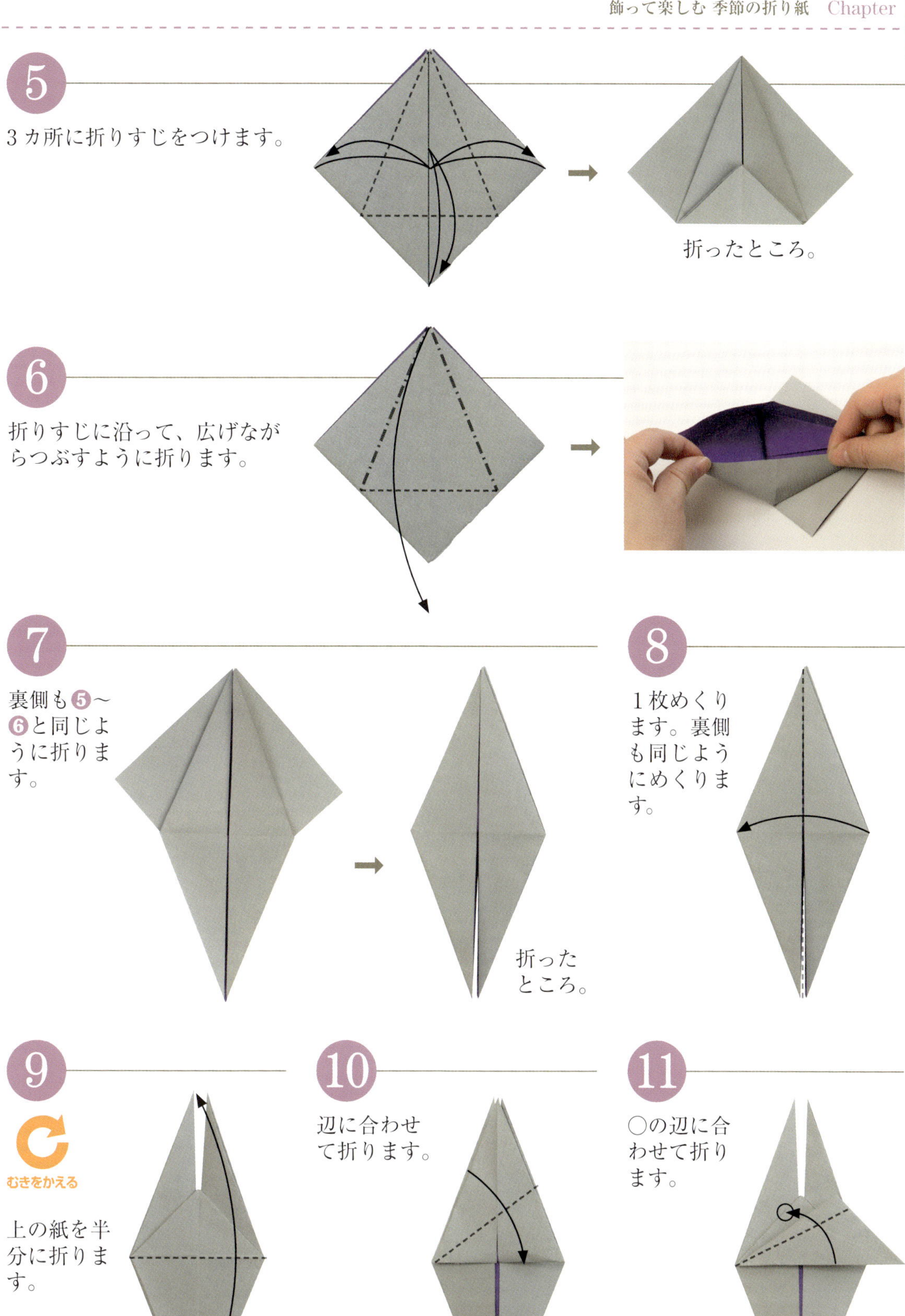
5
3カ所に折りすじをつけます。
折ったところ。
6
折りすじに沿って、広げながらつぶすように折ります。
7
裏側も5〜6と同じように折ります。
折ったところ。
8
1枚めくります。裏側も同じようにめくります。
9
むきをかえる
上の紙を半分に折ります。
10
辺に合わせて折ります。
11
○の辺に合わせて折ります。

12

さらに、辺に合わせて折ります。

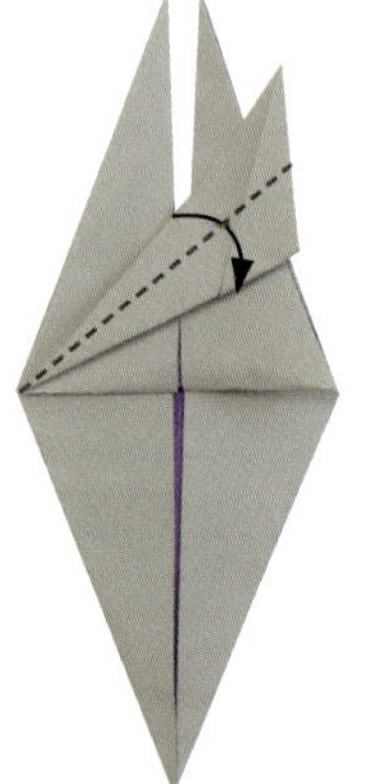

13

下にめくります。

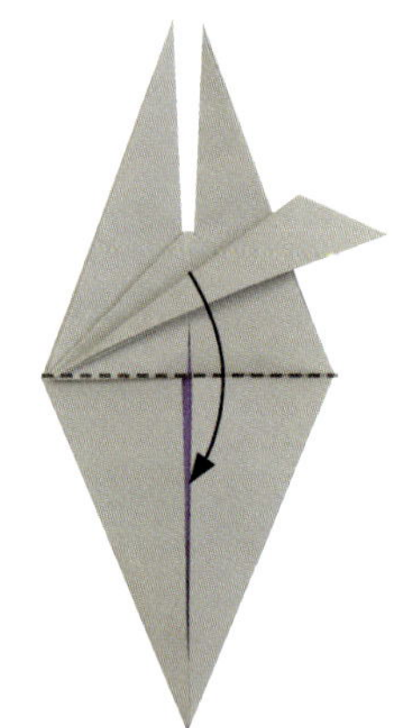

14

折りすじに合わせて折ります。

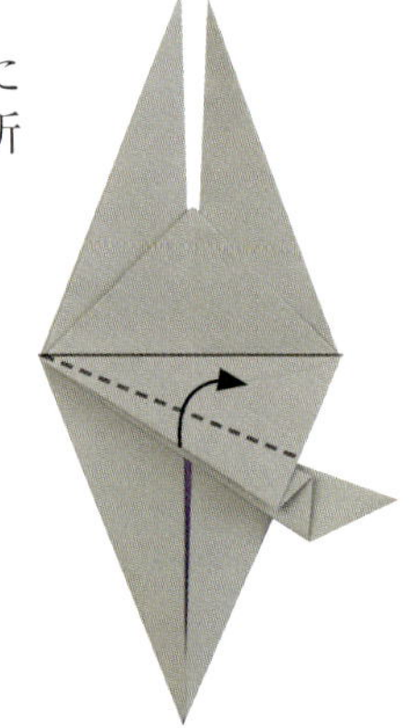

15

上にめくります。

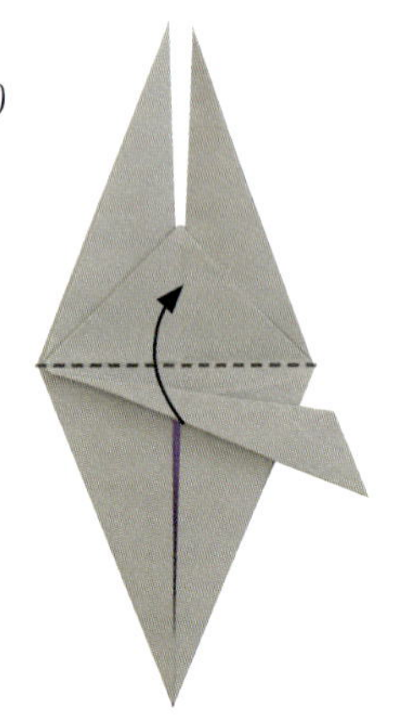

16

下の辺に合わせて折ります。

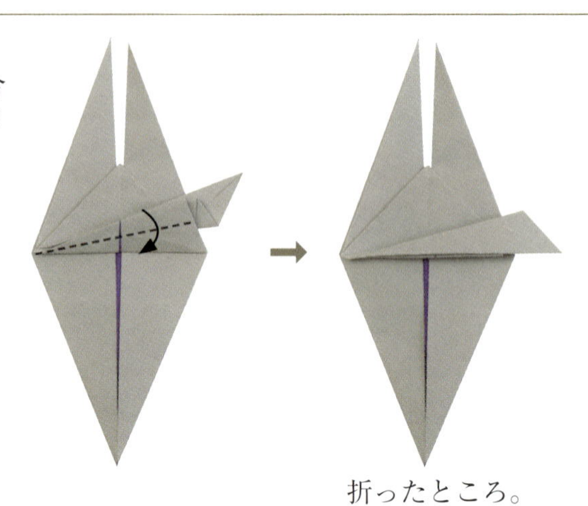

折ったところ。

17

裏側も⑨〜⑯の順で、対称になるように折ります。

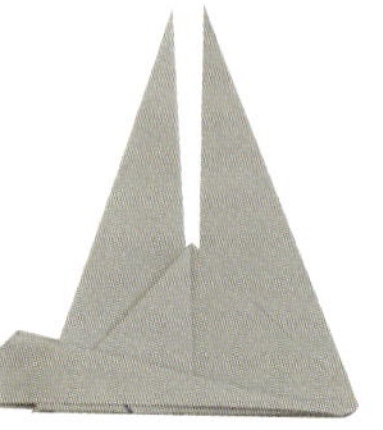

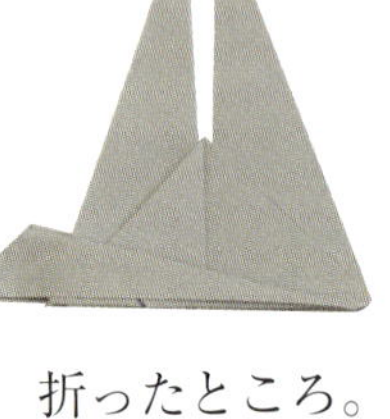

折ったところ。

18

頭をつくります。折り目をつけて、内側に押し込むようにつぶして折ります。

折ったところ。

明るい色の千代紙を選ぶと、春らしい雰囲気を出せます。

5

お雛様・お内裏様

難易度 ★★☆

女雛と男雛の
着物の折り方に
変化をつけましょう。

紙のサイズ
7.5cm×7.5cm：2枚（顔）
15cm×15cm：2枚（体）
仕上がりのサイズ
約8cm×10.5cm

お雛様：顔

1

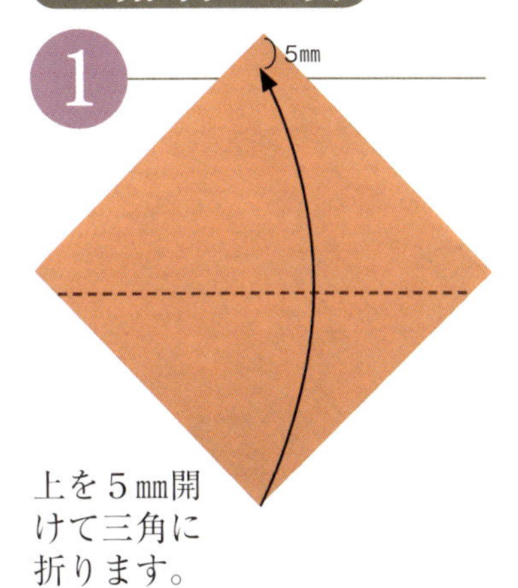

上を５㎜開けて三角に折ります。

2

上の１枚を下の辺に合わせて折ります。

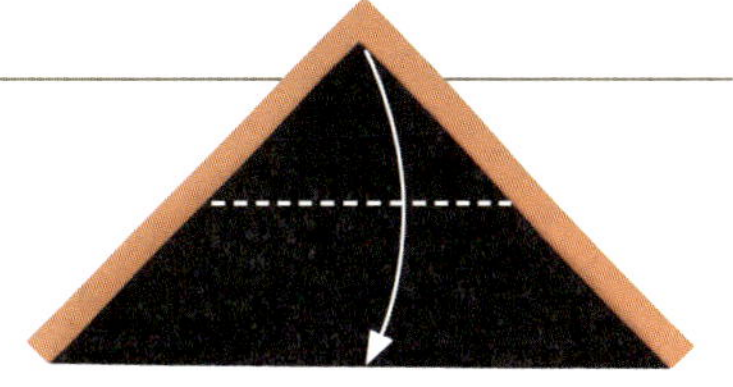

3

上の角を○の辺に合わせて折ります。

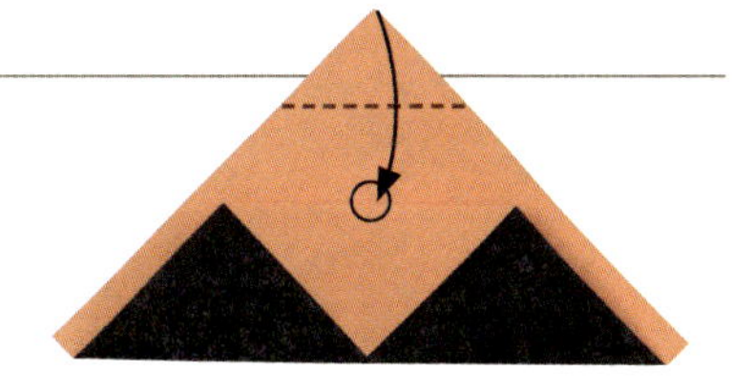

4

１cm折ります。

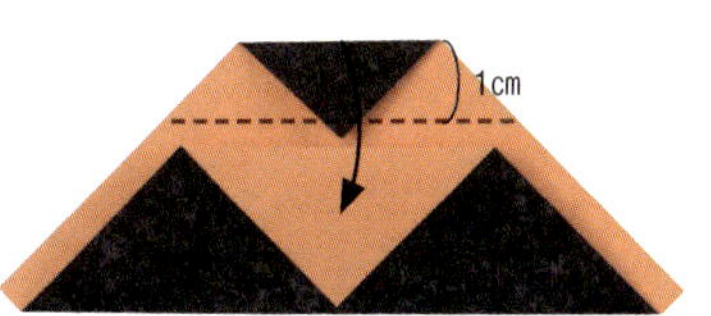

5

下の角を山折りにします。

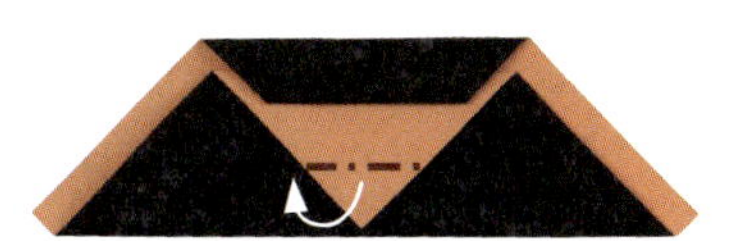

6

○の角を目安に、その少し内側に合わせて左右をななめに折ります。

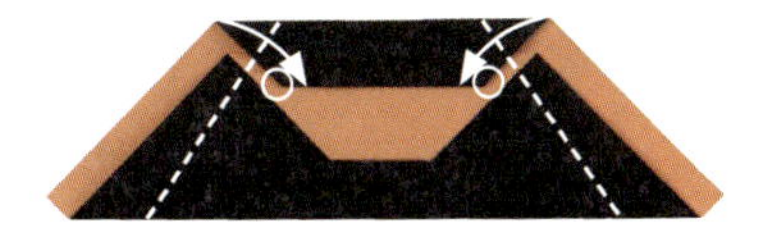

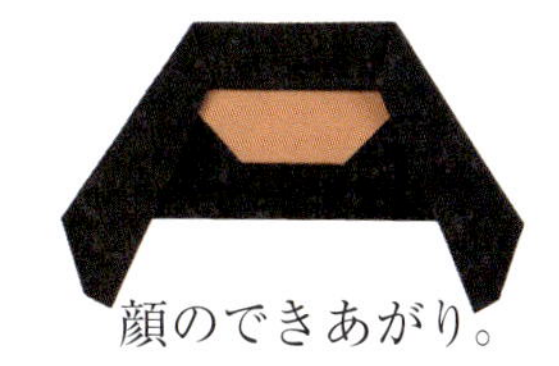

顔のできあがり。

お雛様：体〜組み立て

1

三角に折ります。

2

まん中に印をつけるように軽く折りすじをつけます。

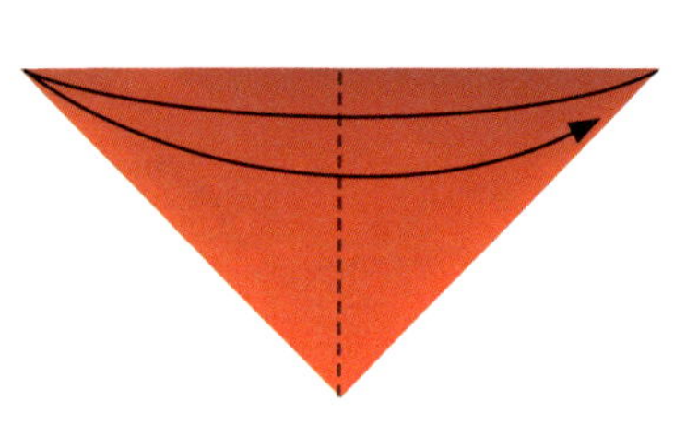

3

まん中から1cmずつずらして斜めに折ります。

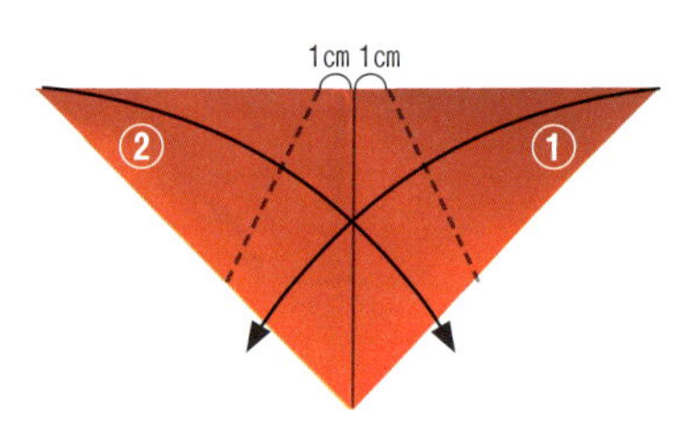

4

片方の辺に合わせて折りすじをつけます。

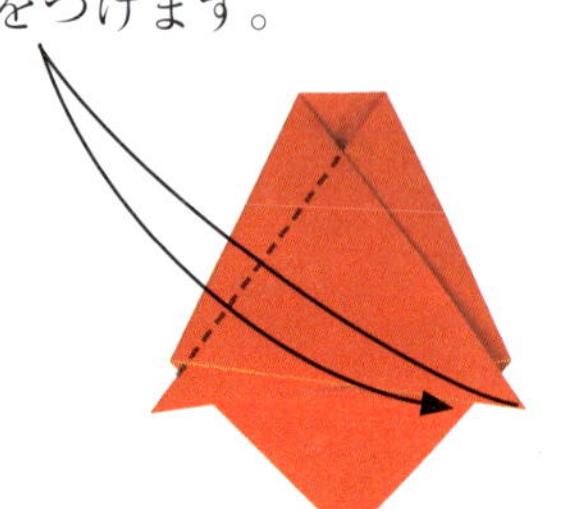

5

左側を下から引き出して、右側の辺に合わせて折ります。

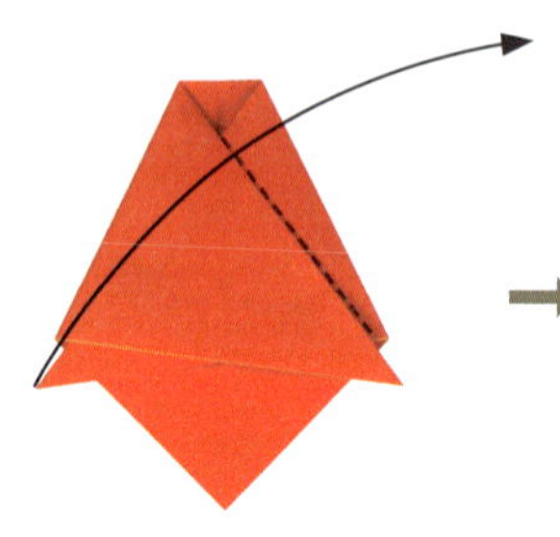

折ったところ。

6

右側のまん中に折りすじをつけます。

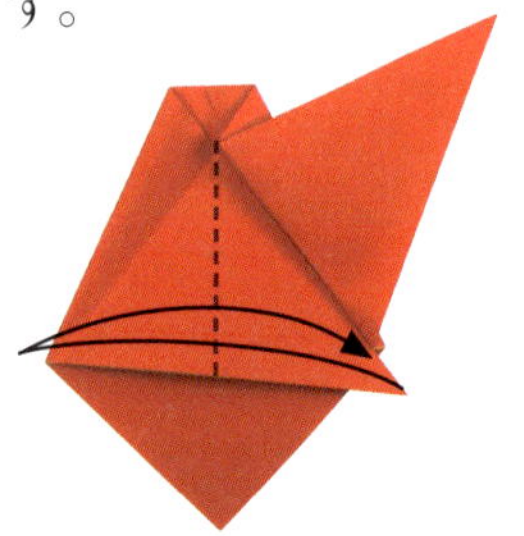

7

広げてつぶすように折ります。

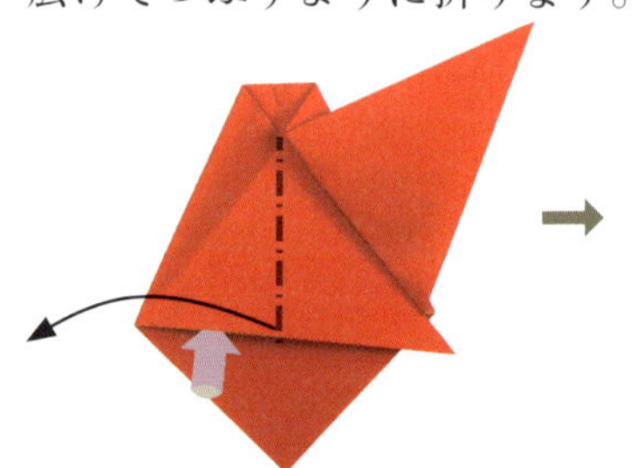

8

左側も同じように折ります。

9

写真のように1cmずつずらして折ります。

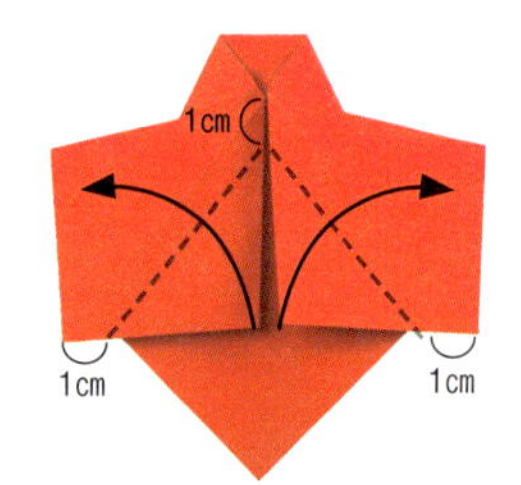

下の角を山折りします。

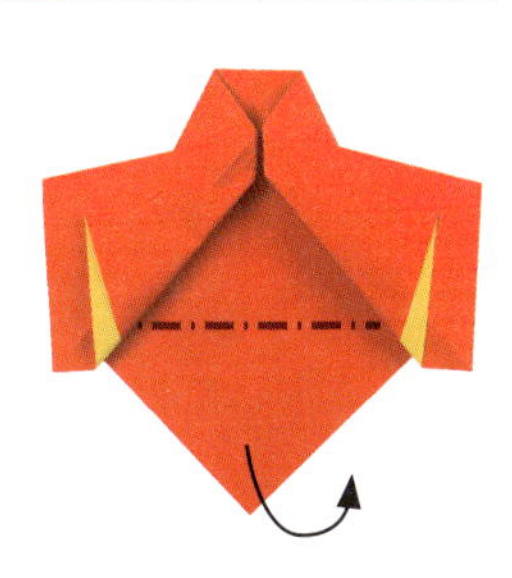

体に顔を差し込みます。

できあがり

Point

折り紙を切ってつくったかんむりをつけると、ぐんとお雛様らしくなります。

お内裏様：顔

1

5㎜ずらして折ります。

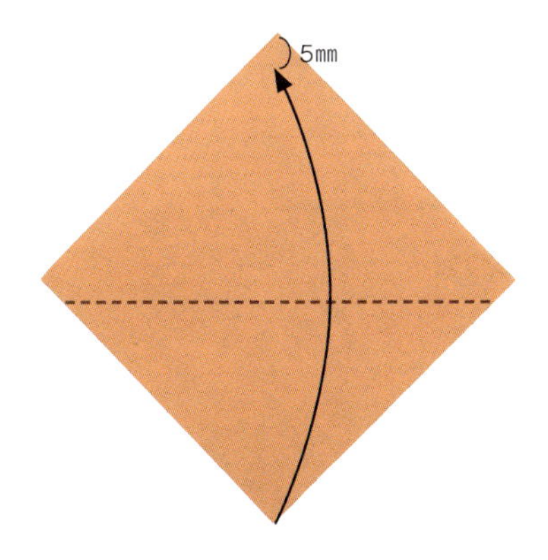

2

上の1枚を下の辺に合わせて折ります。

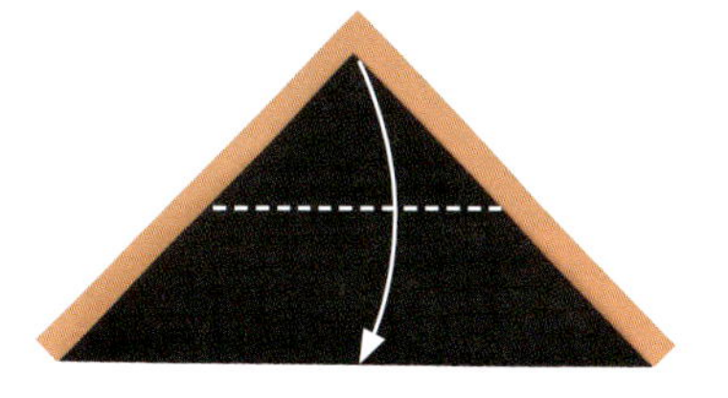

3

上の角を○の辺に合わせて折ります。

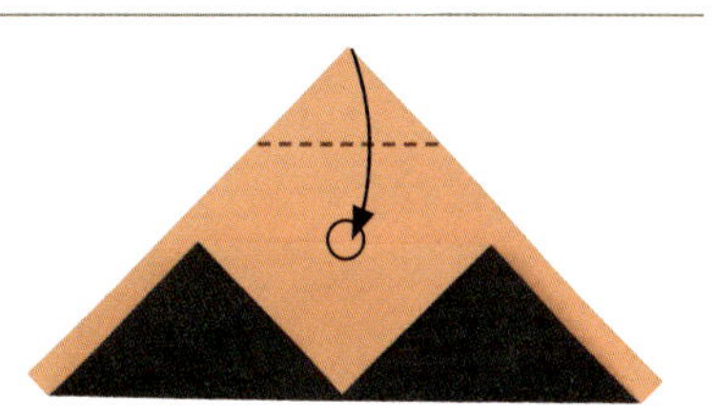

4

1㎝折ります。

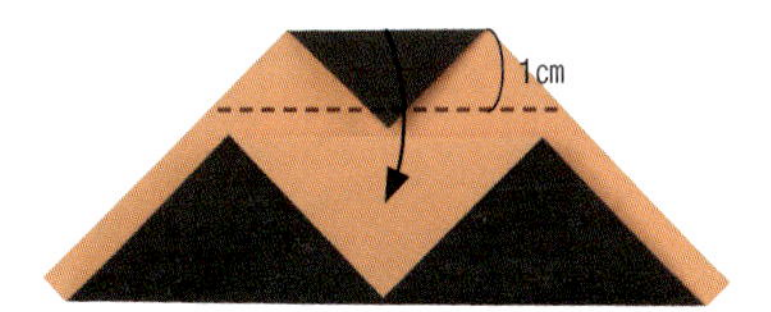

5

○の角を目安に、左右を斜めに山折りします。

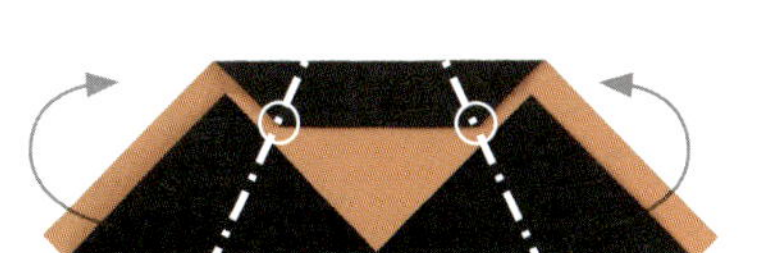

6

顔の辺に合わせて山折りします。

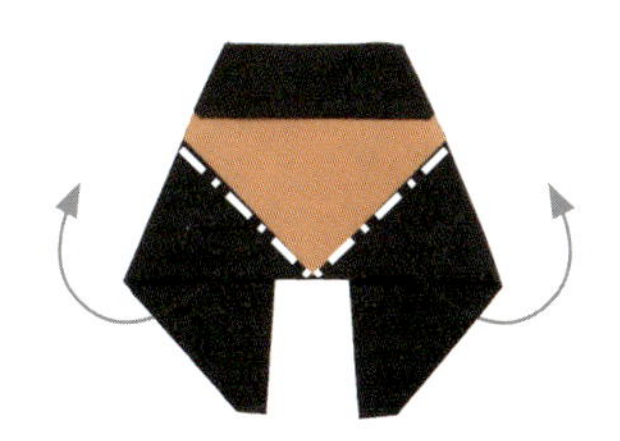

7

角を少し折ります。

折ったところ。

8

はみ出している角を折ります。

9

❽で折ったところを１度広げ、先を左に差し込みます。

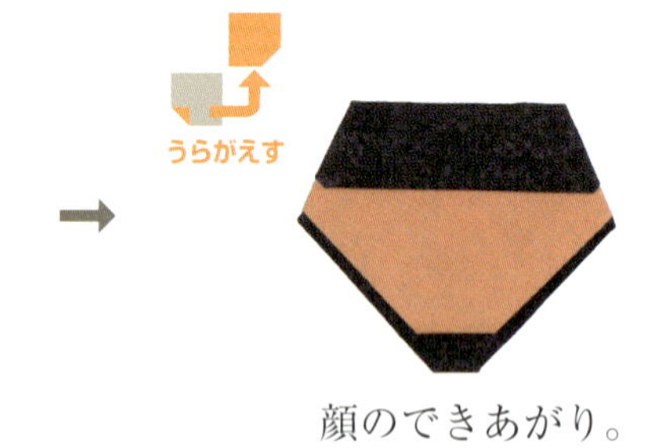

顔のできあがり。

お内裏様：体〜組み立て

1

三角に折ります。

2

まん中に印をつけるように軽く折りすじをつけます。

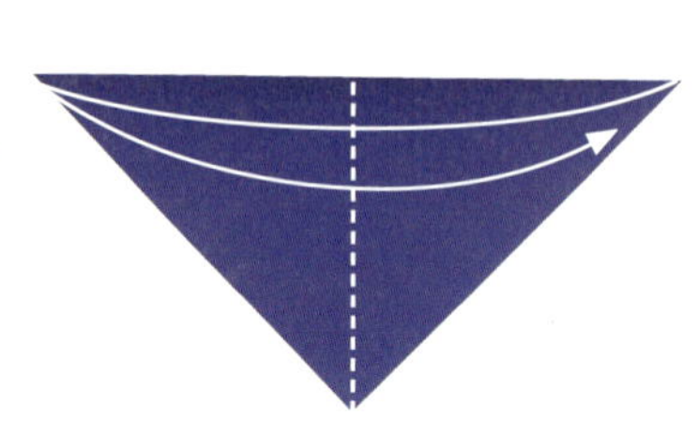

3

まん中から１㎝ずつずらして左右を斜めに折ります。

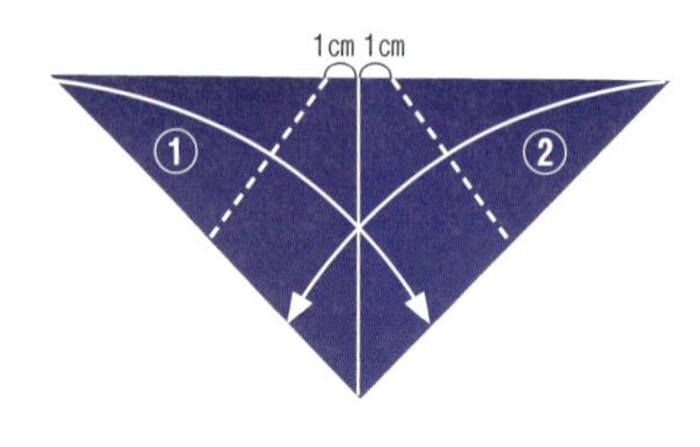

4

角をそれぞれ○に合わせて折ります。

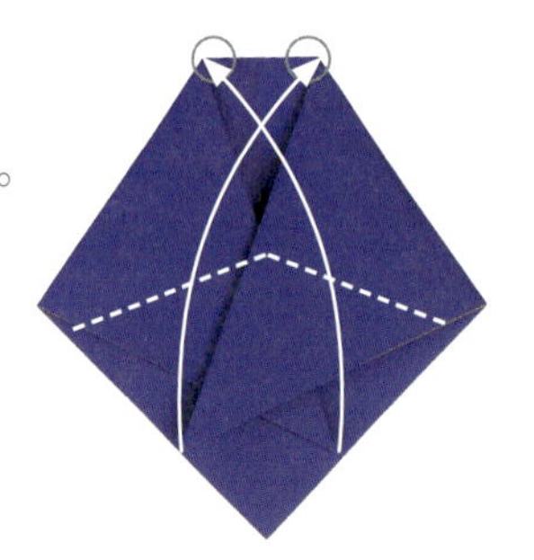

5

左右を広げてつぶすように折ります。

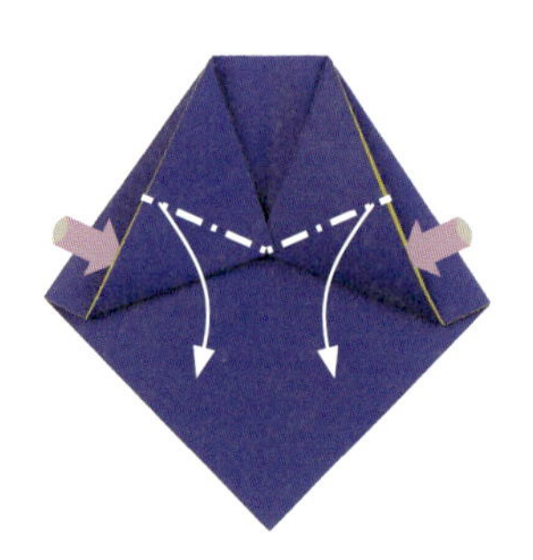

6

折りすじに合わせて折ります。

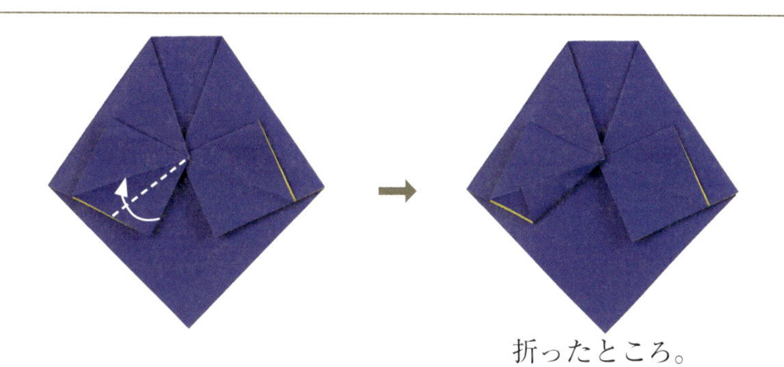

折ったところ。

7

❻で折ったところを広げて内側に入れ、ずらしながら○の部分が出るように折ります。

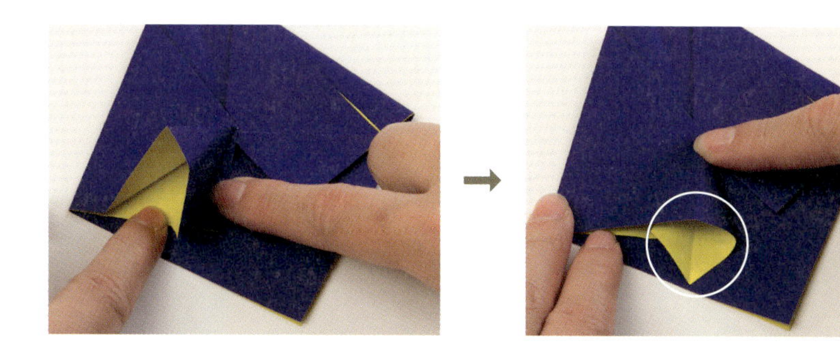

8

右側も❻❼と同様に折ったら、左右を斜めに折ります。

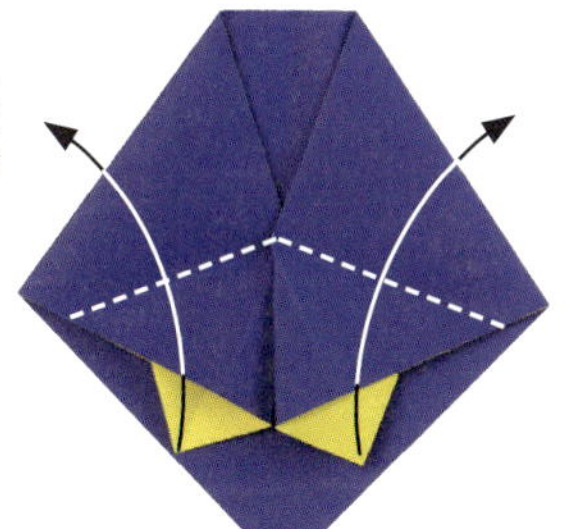

9

角から5㎜ずらして山折りします。

10

体に顔を差し込みます。

できあがり

Point

折り紙を切ってかんむりをつくりましょう。
かんむりは頭のうしろから貼りつけます。

端午の節句

かぶと

難易度 ★☆☆

昔ながらのかぶと折りと
頭の三角の部分を変えた
アレンジかぶとの２種類。

大きな紙で折ると、実際にかぶることもできます。

紙のサイズ
各15cm × 15cm：1枚
仕上がりのサイズ
約5cm × 10cm（かぶと1）
約7.5cm × 6cm（かぶと2）

かぶと１

1

三角に折ります。

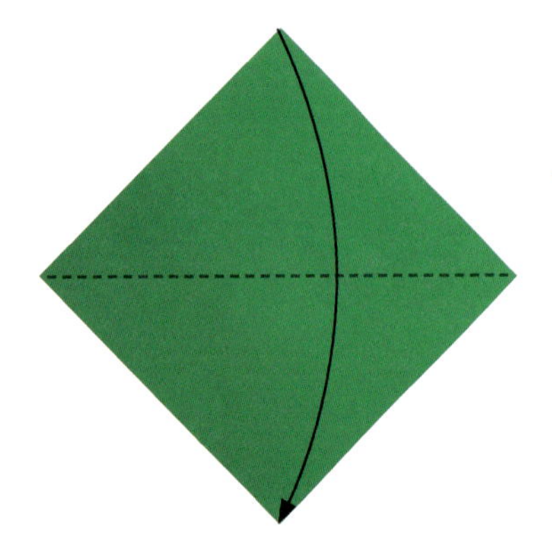

2

左右の角をまん中にあわせて折ります。

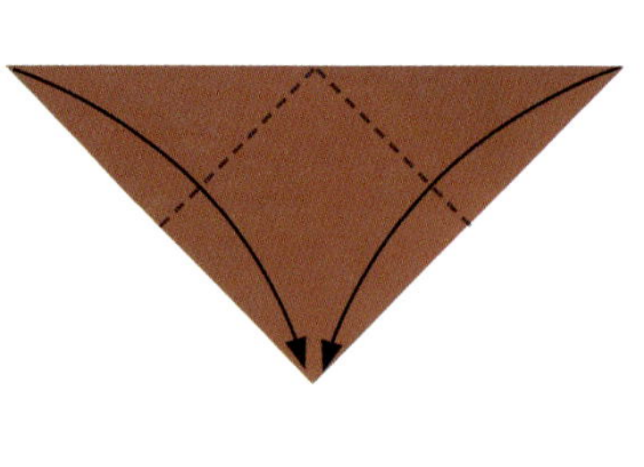

3

上の１枚をそれぞれ半分に折ります。

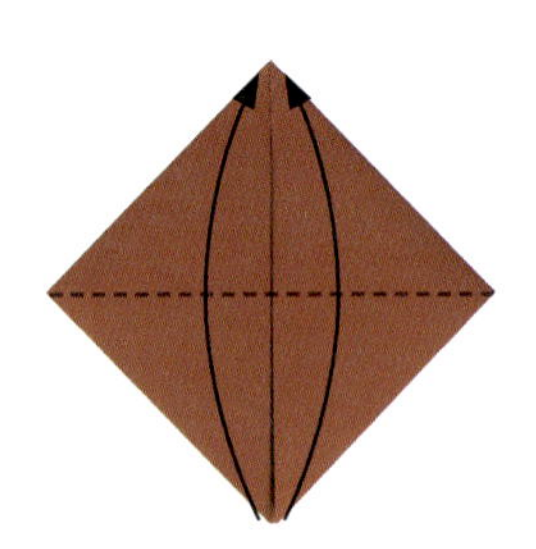

4

斜めに折ります。

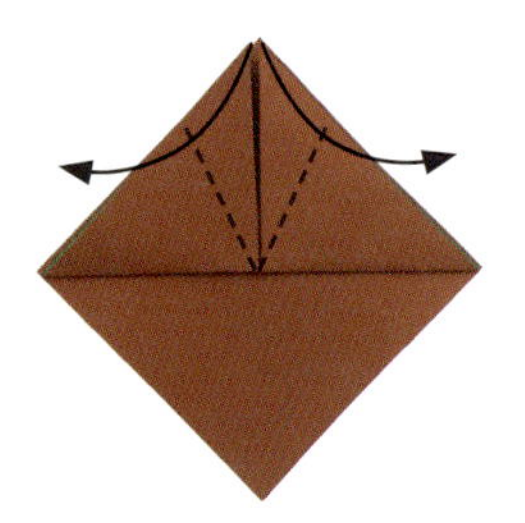

5

上の１枚を1.5cmずらして折ります。

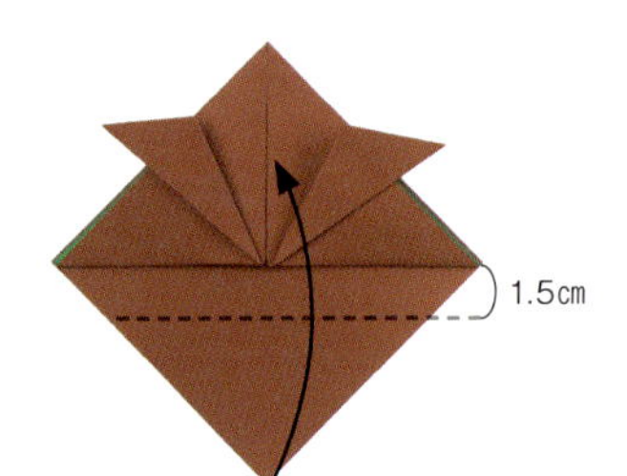

6

❺でずらしたところを折ります。

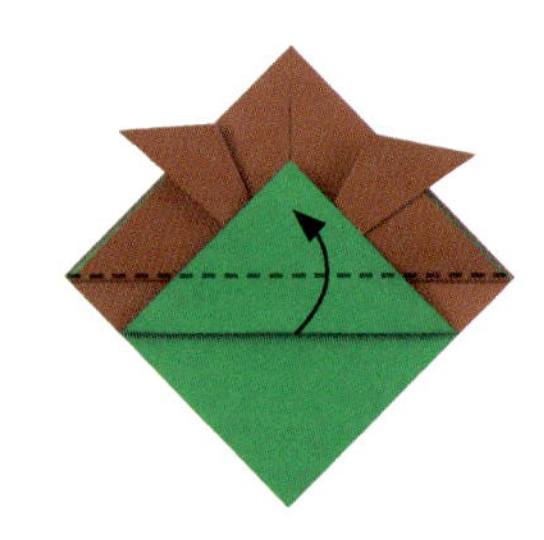

折りすじをつけます。

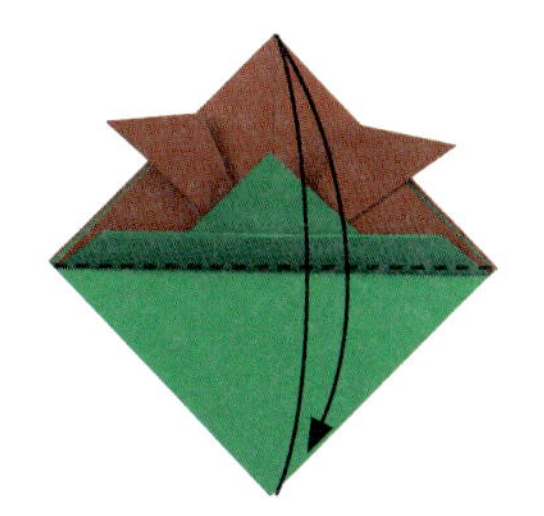

内側に差し込むように折ります。

❹の折り方を変えると鍬形の大きさを変えることができます。

できあがり

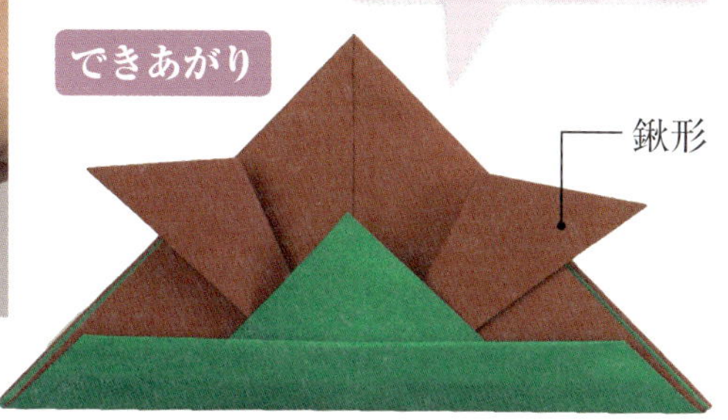

かぶと 2

三角に折ります。

2

左右の角をまん中に合わせて折ります。

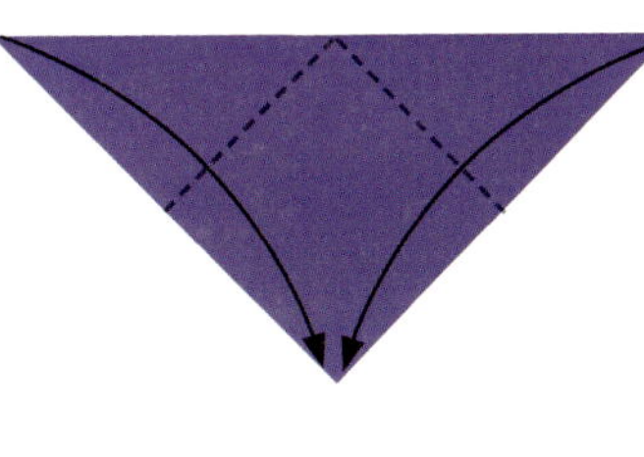

3

さらに、左右をまん中にあわせて折ります。

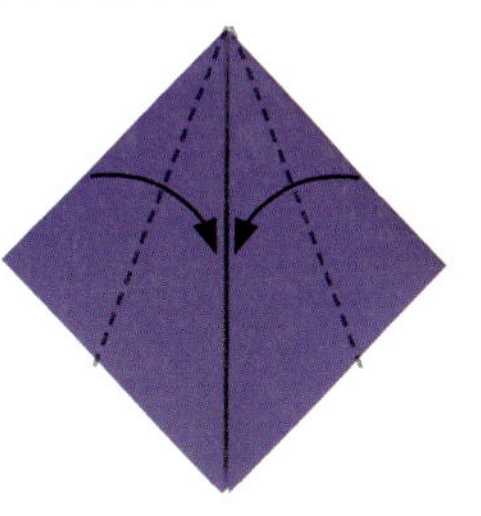

4

上の１枚をそれぞれ折ります。

5

斜めに折ります。

6

上の１枚を7㎜ずらして折ります。

❻でずらしたところを折ります。

8

折りすじをつけます。

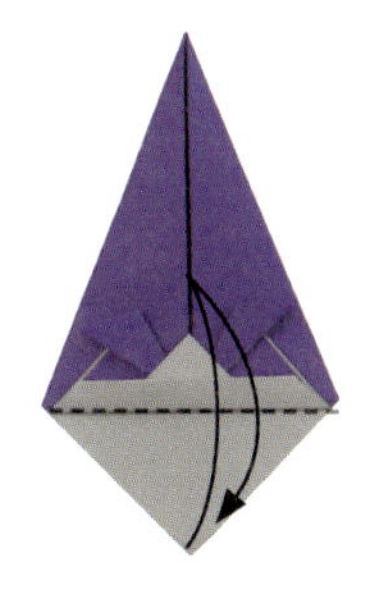

9

内側に差し込むように折ります。

できあがり

端午の節句

こいのぼり

難易度 ★★☆

置いて飾れるこいのぼり。
ひれで立たせるように
折りましょう。

紙のサイズ
15cm×15cm：1枚
仕上がりのサイズ
約4cm×13.5cm

真鯉と緋鯉のほかに、小さな折り紙で子鯉をつくってもかわいい。

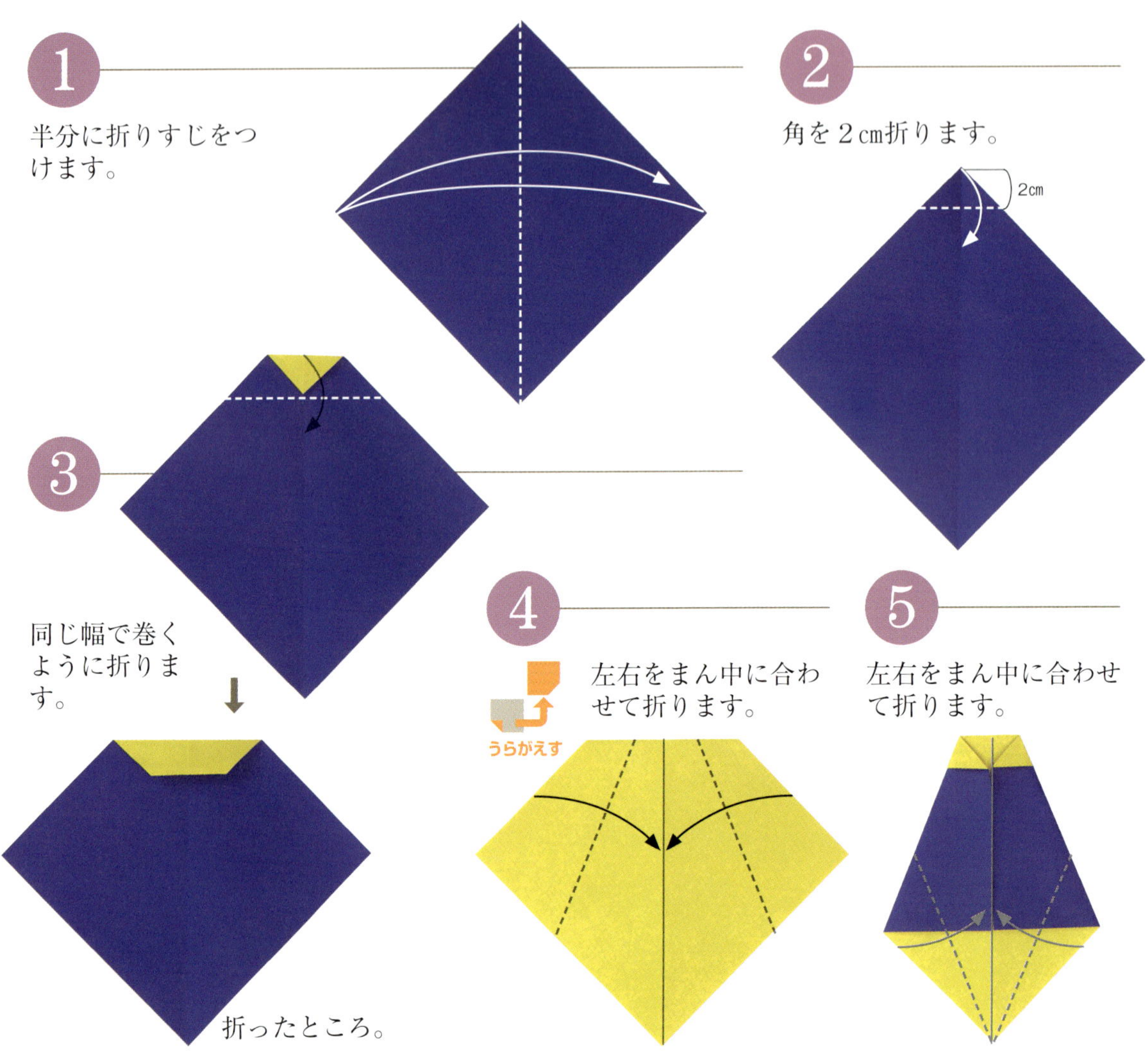

1
半分に折りすじをつけます。

2
角を２cm折ります。

3
同じ幅で巻くように折ります。

折ったところ。

4
左右をまん中に合わせて折ります。

5
左右をまん中に合わせて折ります。

6
❺で折ったところを広げてつぶすように折ります。
Point
内側が直角になるようにすると、きれいに折れます。
折ったところ。
7
半分に折ります。
うらがえす
8
折りすじに合わせて折ります。
むきをかえる
9
斜めに折ります。
10
ひれ部分を折りすじに合わせて折ります。
折ったところ。
11
裏側も❽～❿の順で折ります。
うらがえす
折ったところ。
12
角を斜めに折ります。
13
⓬で折ったところを戻し、中に押し込むように折ります。
できあがり
Point
無地の折り紙なら、目やウロコを描いてみましょう。

七夕

織姫・彦星

難易度 ★★☆

織姫も彦星も髪型に注目。
着物の合わせは
左前になるように。

ひもをつけて、七夕飾りにしても素敵です。

紙のサイズ
7.5cm×7.5cm：2枚（髪の毛）
15cm×15cm：2枚（体）

仕上がりのサイズ
約12cm×13cm（織姫）
約13cm×6.5cm（彦星）

織姫：髪の毛

1

斜めに3等分に折ります。

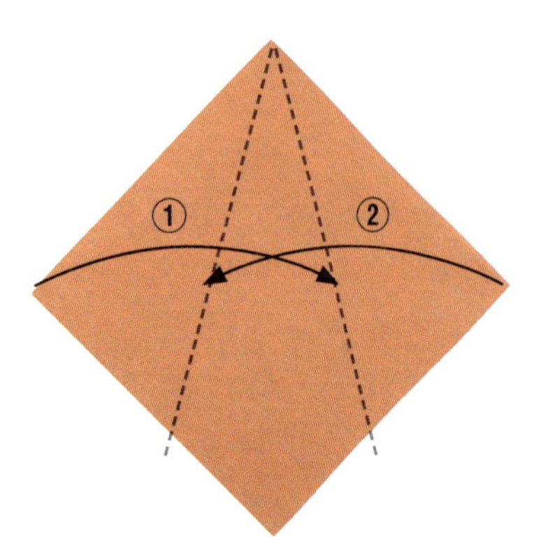

2

上の角が少しはみ出るくらいに、折りすじをつけます。

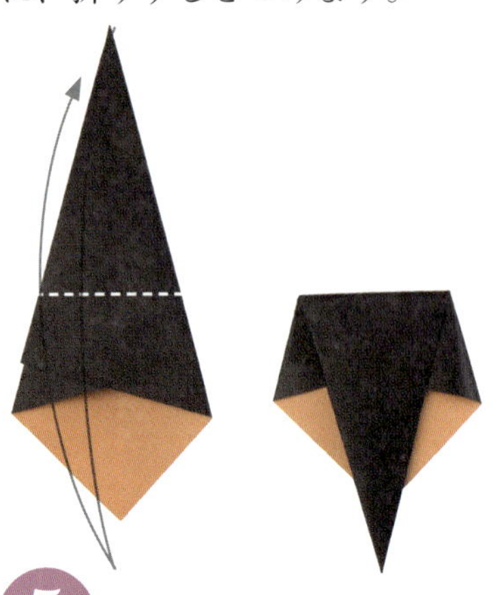

3

折りすじのところまで、はさみで半分に切ります。

4

左右を折りすじに合わせてななめに三角に折ります。

5

左右の角を山折りします。

Point
❺で折ったところは、のりやセロハンテープで貼りましょう。

髪の毛のできあがり。

織姫：体

縦、横半分に折りすじをつけます。

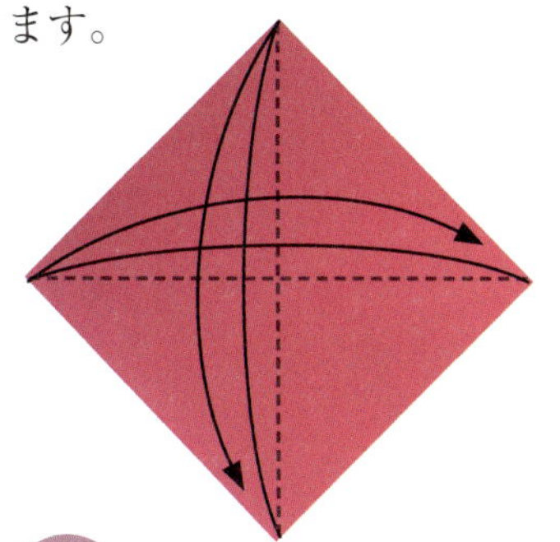

2

1cmずつ折ります。

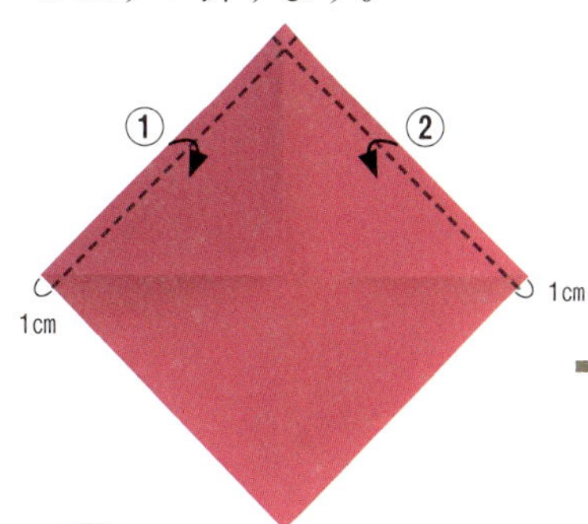

折ったところ。

3

下の角を8cm折ります。

うらがえす

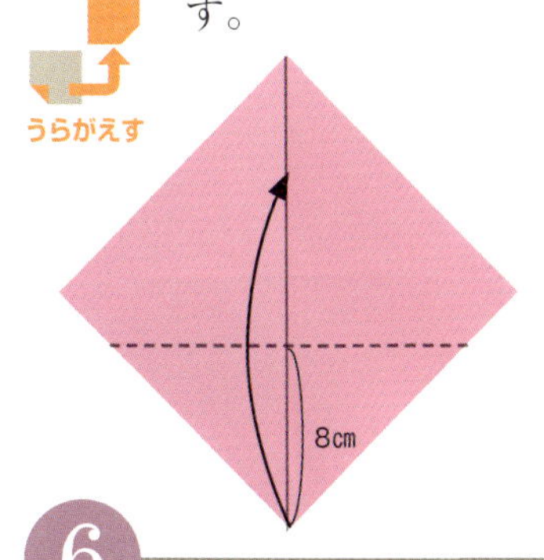

4

斜めにずらして折ります。

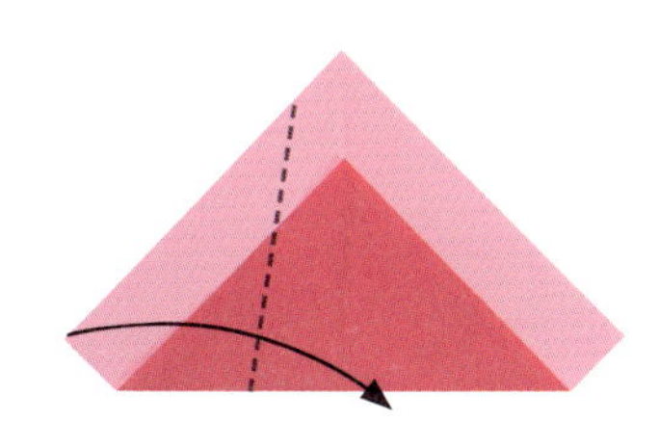

5

反対側も重なるように斜めに折ります。

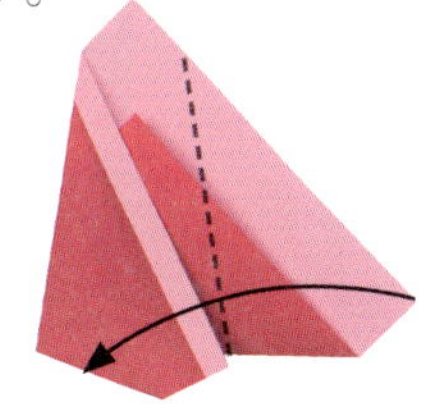

6

上側を斜めに折ります。

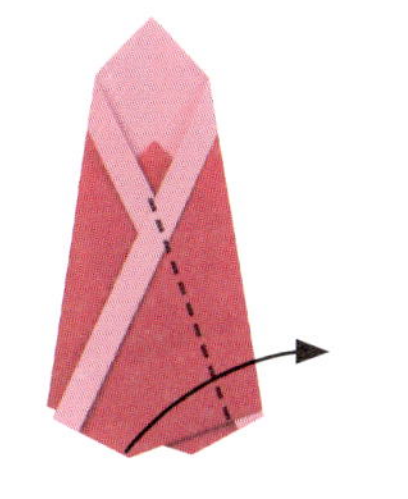

7

反対側も斜めに折ります。

8

角を4.5cm折ります。

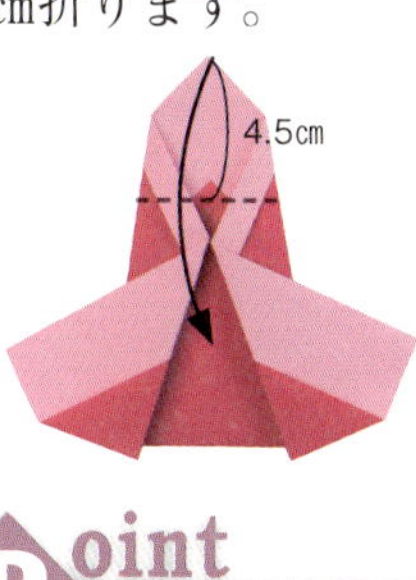

9

5mmで折り返します。

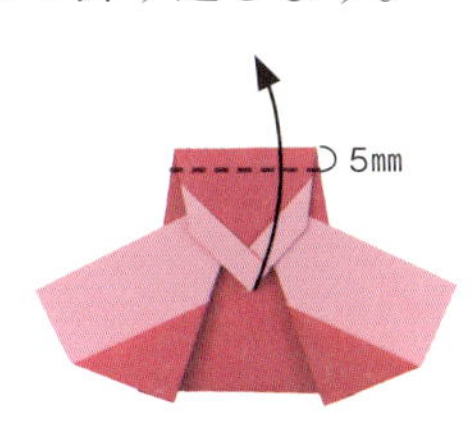

できあがり

体に髪の毛を差し込みます。

Point

❻～❾の折り方で、着物の折り返しや頭と体のバランスが決まります。

彦星：髪の毛

斜めに3等分に折ります。

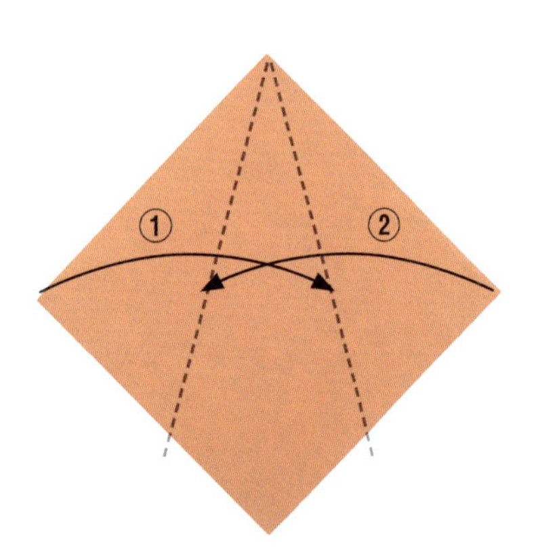

2

上の角が下から少しはみ出るくらいに、うしろに折ります。

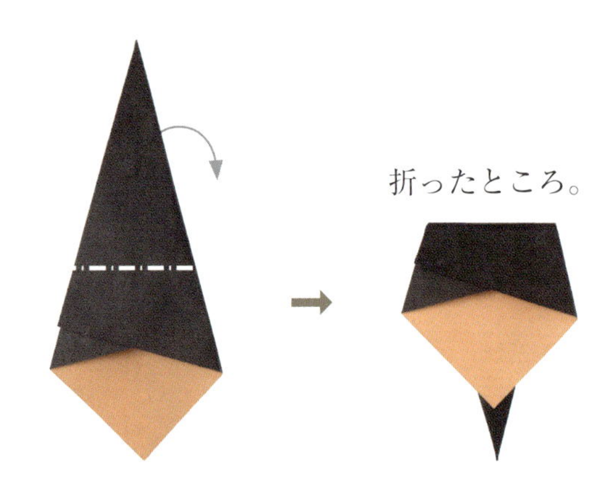

3

うらがえす

1cmくらいのところで折り返します。

角を3cm折ります。

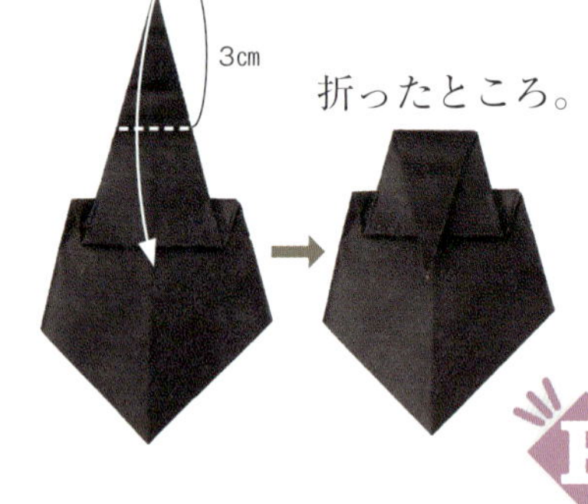

うらがえす

左右の角を山折りにし、丸くします。

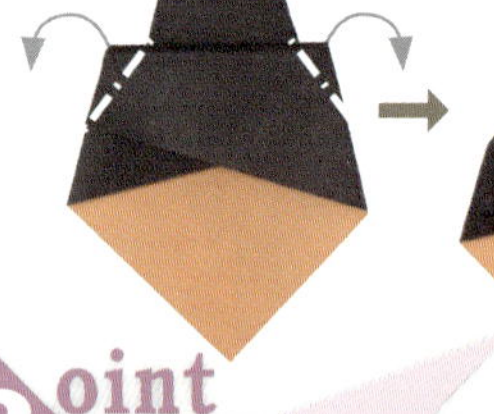

Point

❹で折ったところは、のりやセロハンテープで貼りましょう。

彦星：体

縦、横半分に折すじをつけます。

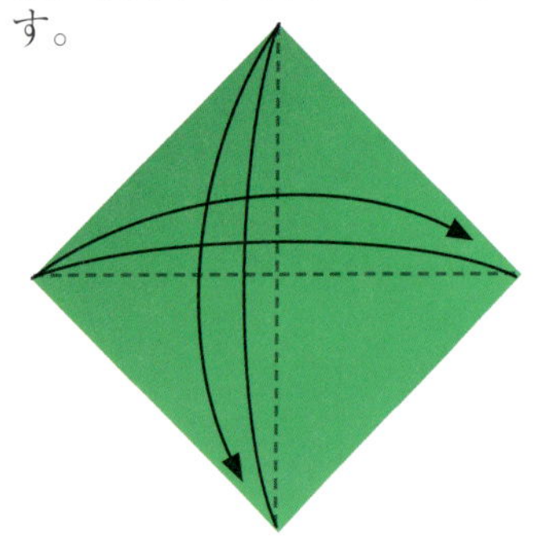

2

1cmずつ折ります。

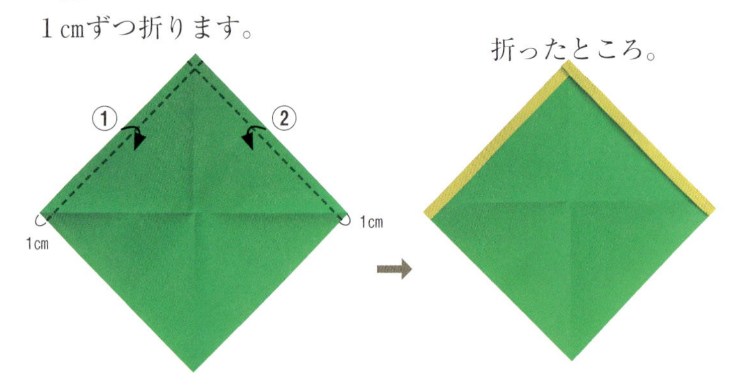

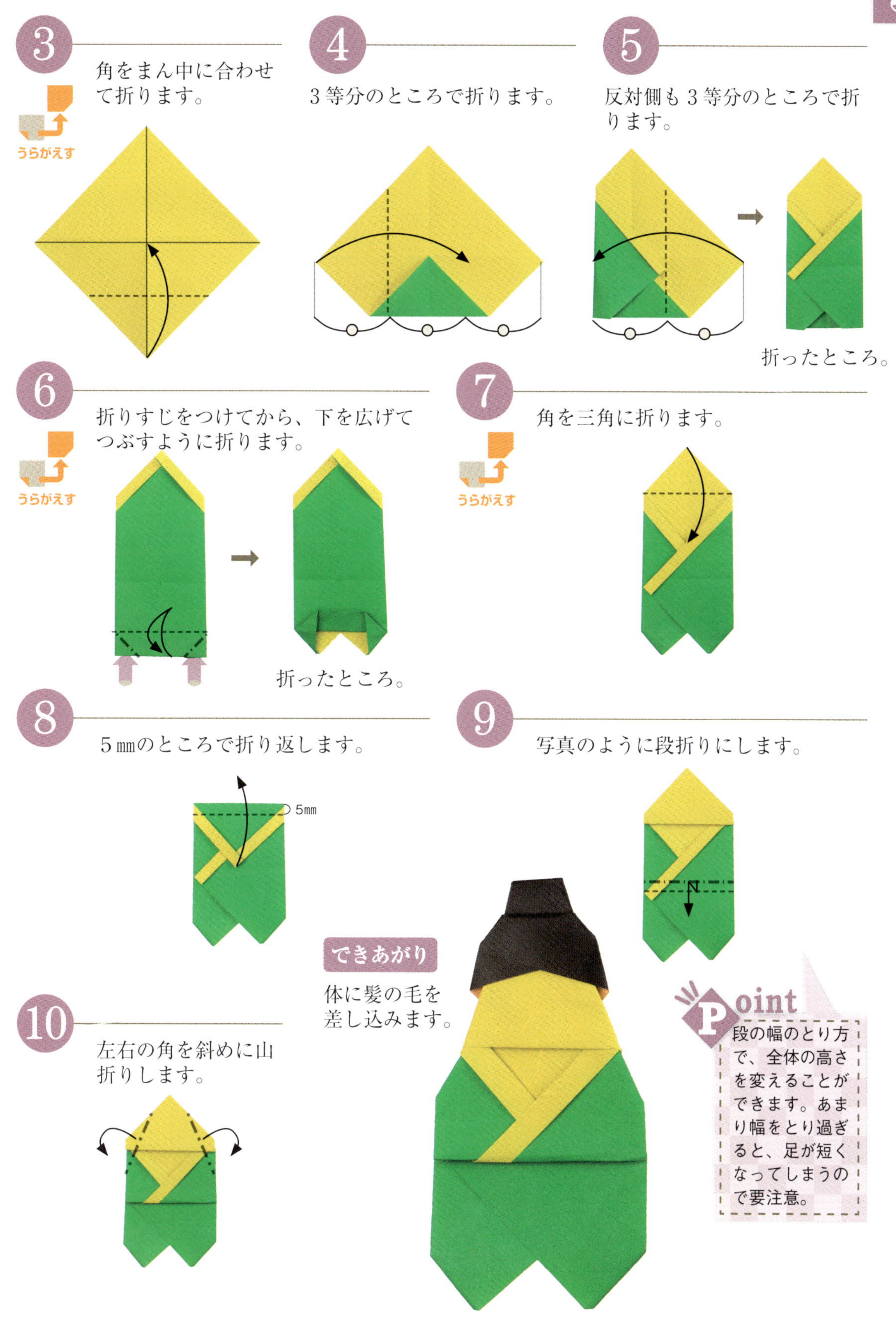
3
角をまん中に合わせて折ります。
うらがえす
4
3等分のところで折ります。
5
反対側も3等分のところで折ります。
折ったところ。
6
折りすじをつけてから、下を広げてつぶすように折ります。
うらがえす
折ったところ。
7
角を三角に折ります。
うらがえす
8
5㎜のところで折り返します。
5㎜
9
写真のように段折りにします。
できあがり
体に髪の毛を差し込みます。
10
左右の角を斜めに山折りします。
Point
段の幅のとり方で、全体の高さを変えることができます。あまり幅をとり過ぎると、足が短くなってしまうので要注意。

星

難易度 ★★☆

はさみで切る
角度によって
星の形が
変わります。

大小いろいろな紙で、たくさんの星を折って飾りましょう。

紙のサイズ
15cm×15cm:1枚
仕上がりのサイズ
約12cm×12cm

1

三角に折ります。

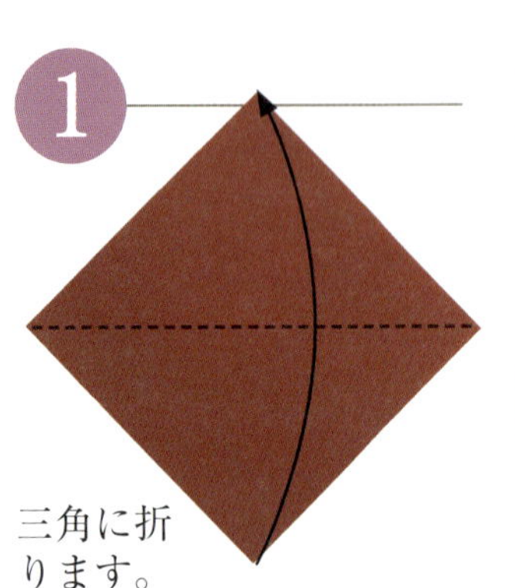

2

半分に折りすじをつけます。

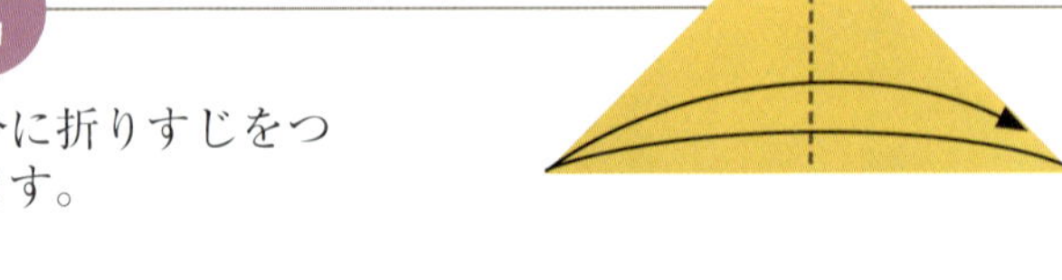

3

上の１枚の角を、下の辺に合わせて折ります。

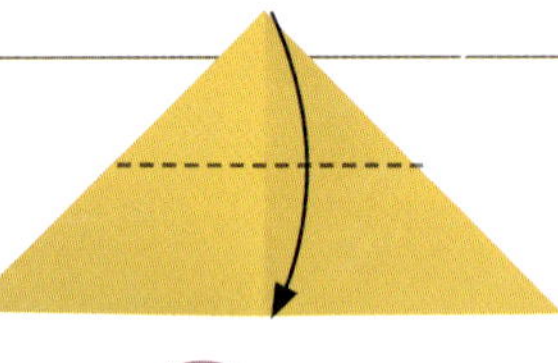

4

角を辺に合わせて折ります。

折ったところ。

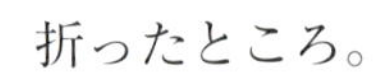

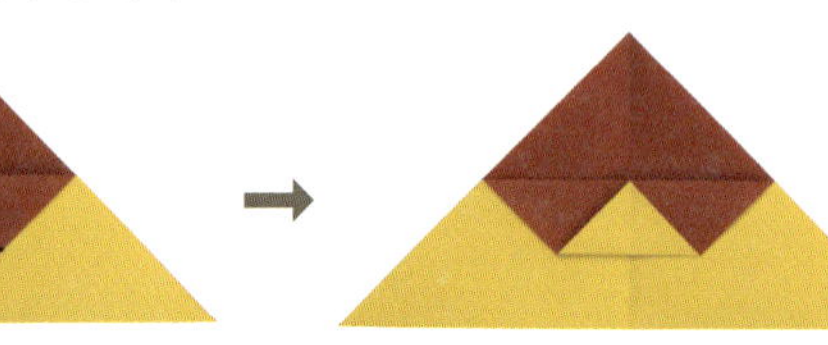

5

❸❹で折ったところを戻し、下の辺が○に合うように折ります。

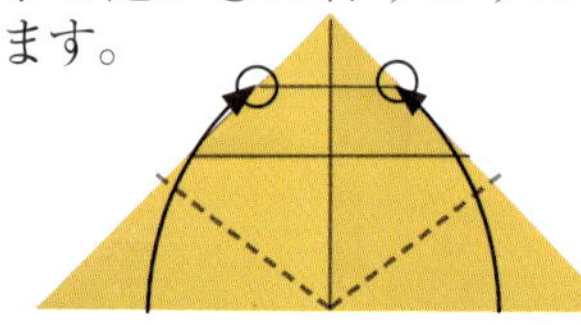

6

右側を折ります。

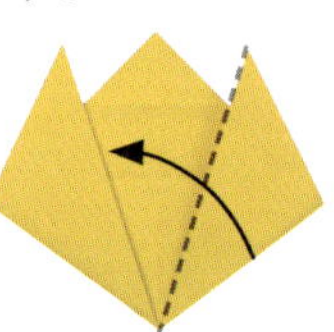

7

左側を山折りにします。

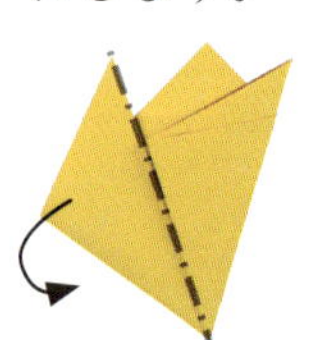

8

はさみで斜めに切ります。

Point

開いて立体感が出るように整えましょう。

できあがり

クリスマス 5

サンタのブーツ

難易度 ★★☆

最後にきちんと
角を挟み込んで
閉じましょう。

紙のサイズ
15cm×15cm：1枚
仕上がりのサイズ
約6.5cm×6cm

中面にクリスマスメッセージを書いて、お手紙にしても◎。

1

上から1cmのところを折ります。

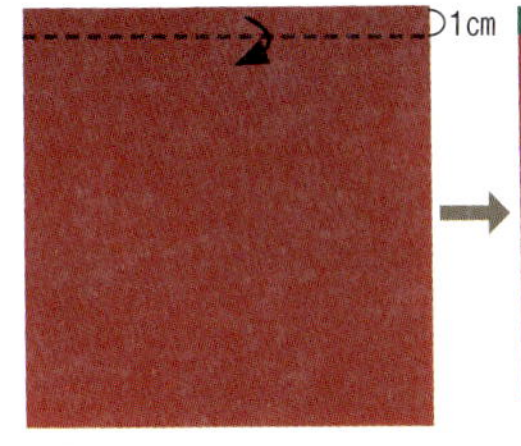

折ったところ。

2

縦、横半分に折りすじをつけます。

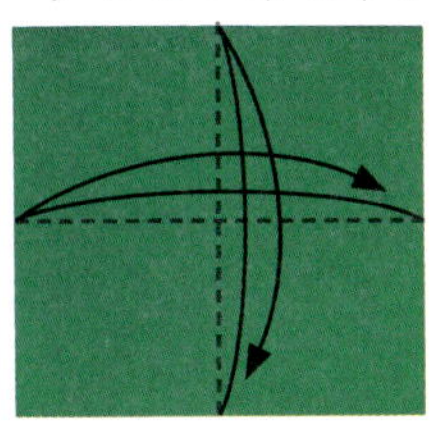

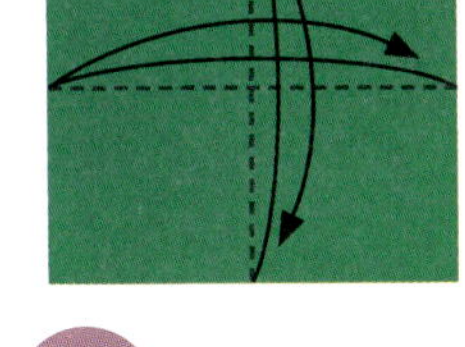

3

まん中に合わせて折ります。

4

左右を広げてつぶすように折ります。
折りすじの5mmくらい上を目安に。

折ったところ。

5

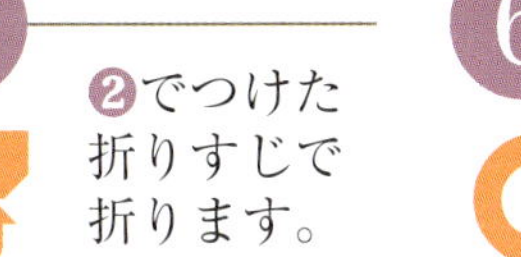

❷でつけた折りすじで折ります。

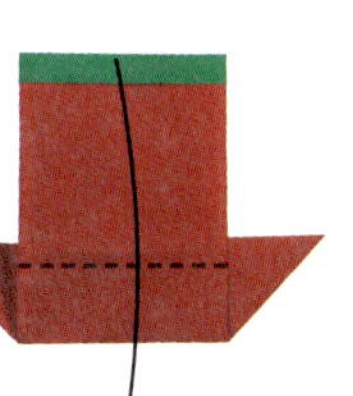

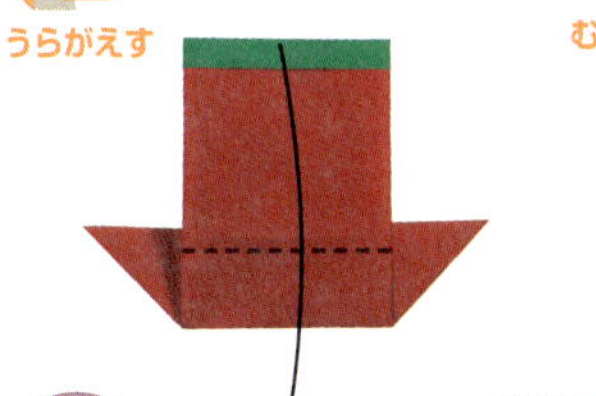

6

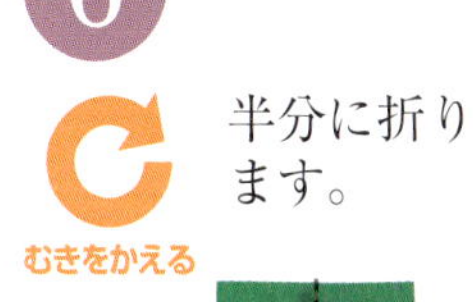

半分に折ります。

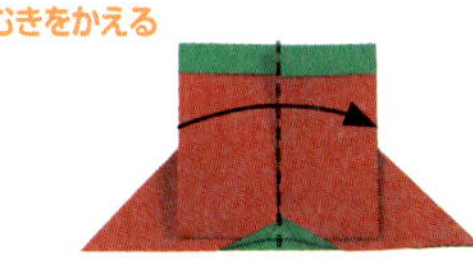

7

角を三角に折りすじをつけます。

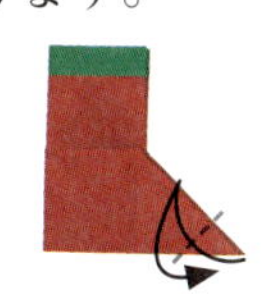

8

広げて角を折り、半分に折ります。

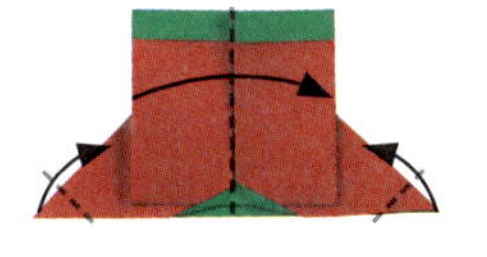

9

角を差し込みます。

できあがり

うらがえす

クリスマス

サンタクロース

難易度 ★★☆

角を合わせて
きっちり折ると
三角帽子が
きれいにできます。

紙のサイズ
15cm×15cm：1枚
仕上がりのサイズ
約7.5cm×7cm

裏側にひもやリボンをつけたら、ツリーにも飾れるオーナメントになります。

1 半分に折りすじをつけます。

2 下の角を7cm折ります。

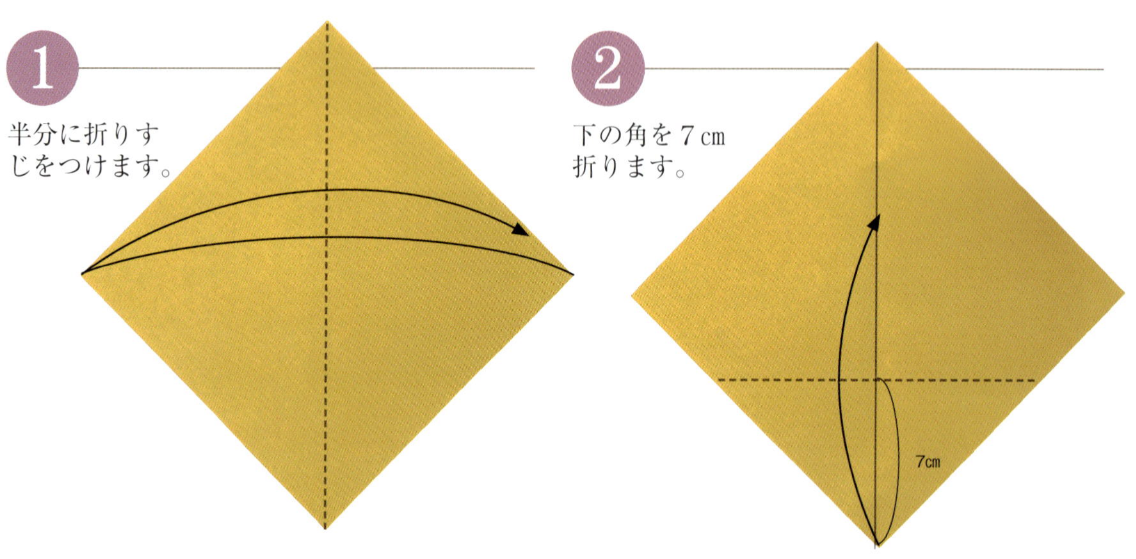

3 角を2.5cm折ります。

4 上の角を❸で折った角と下の辺の中間にくるように折ります。

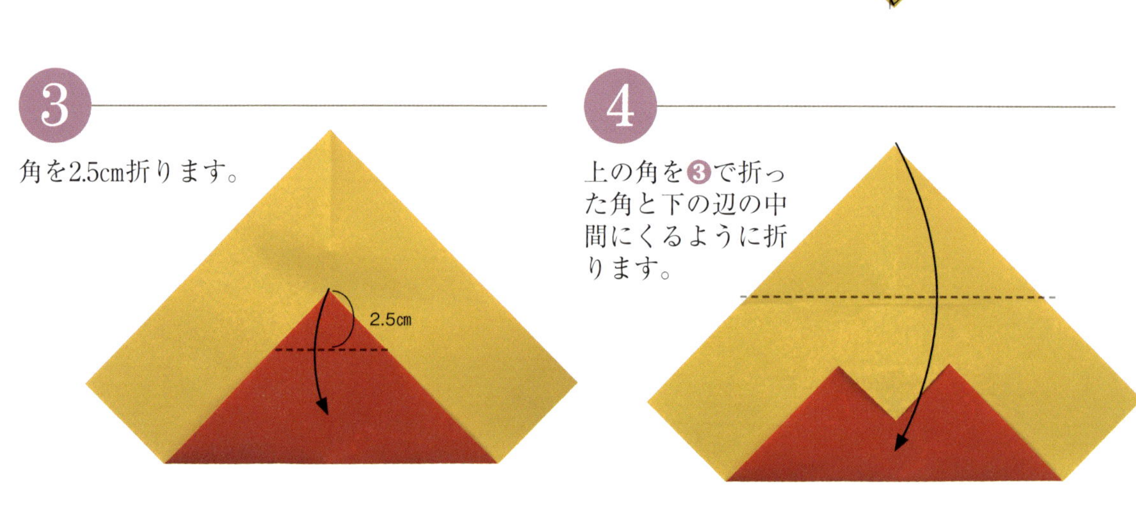

5

写真のように5㎜ずつ6回巻くように折ります。

折ったところ。

6

まん中の折りすじに合わせて折ります。

うらがえす

7

さらにまん中の折りすじに合わせて折ります。

折ったところ。

8

☆を★の下に差し込むように折ります。

うらがえす

9

☆の角を折り、★の中に少し端を差し込みます。

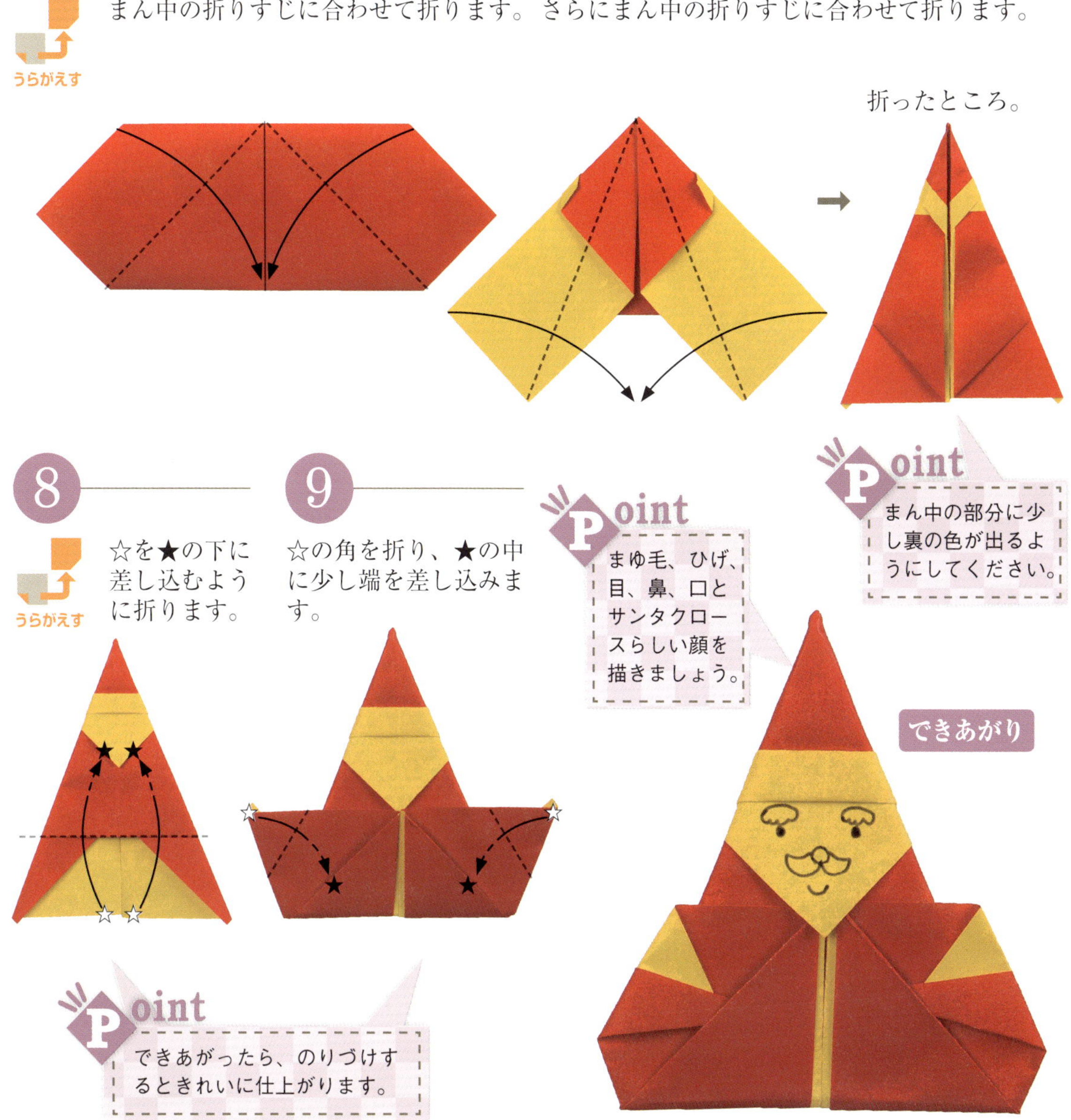

Point まん中の部分に少し裏の色が出るようにしてください。

Point まゆ毛、ひげ、目、鼻、口とサンタクロースらしい顔を描きましょう。

できあがり

Point できあがったら、のりづけするときれいに仕上がります。

クリスマスツリー

難易度 ★★☆

折りすじ通りに
山折りと谷折りを
間違えないように
しましょう。

紙のサイズ
15cm×15cm:1枚
仕上がりのサイズ
約6cm×6cm×7.5cm

マスキングテープの模様や貼り方で、いろいろ楽しめそう。

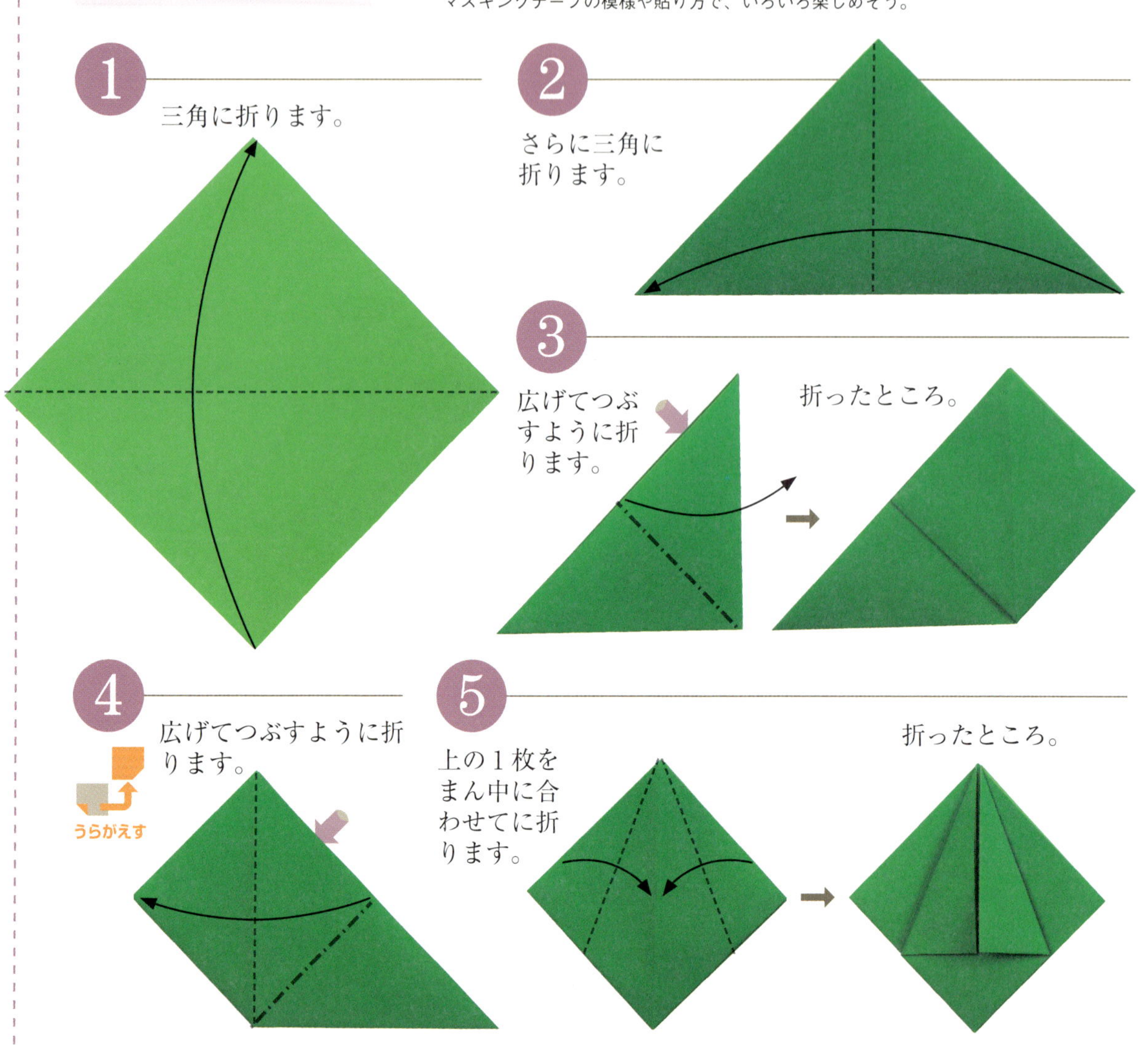

6

まん中に合わせて折ります。

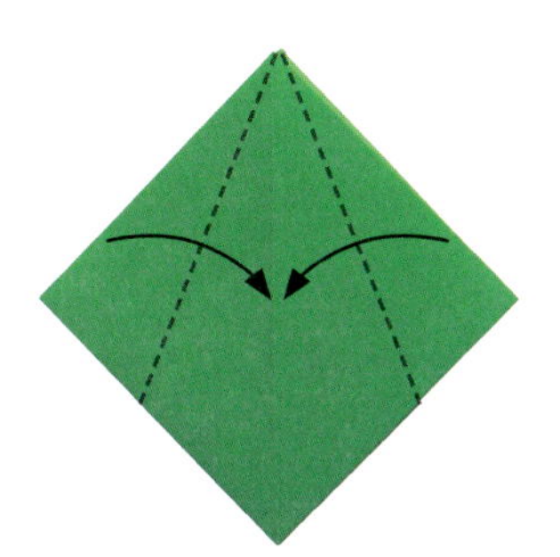

7

下を折ります。

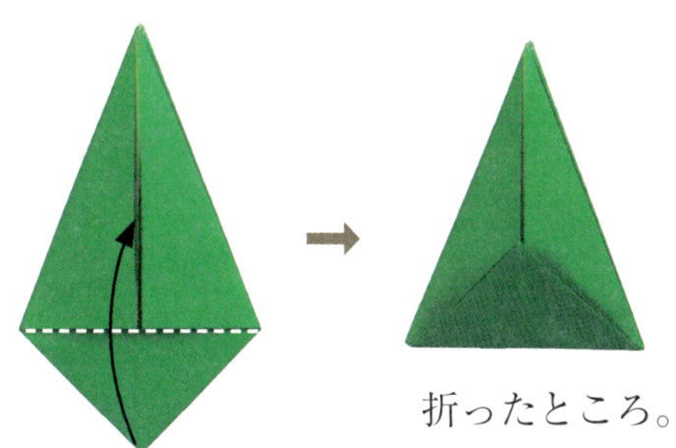

折ったところ。

8

全部広げ、折りすじに合わせて内側に折ります。

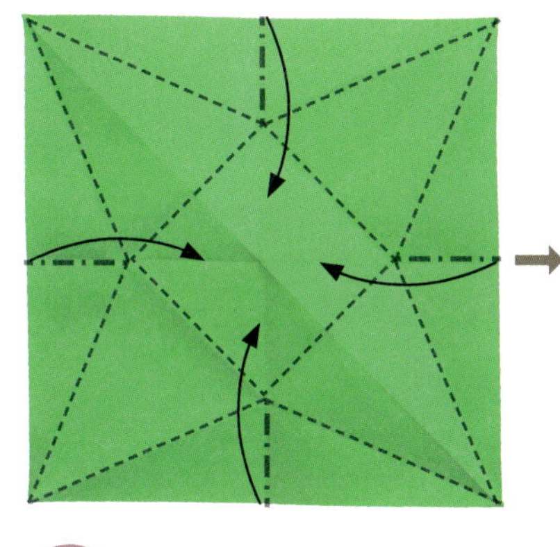

Point

このとき内側に指を入れながら、底が平になるように外側から押しましょう。

9

指で押さえながらまん中に集め、マスキングテープで巻くようにとめましょう。

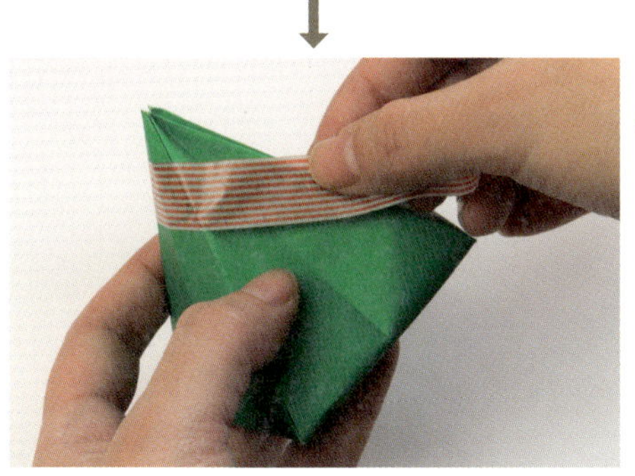

できあがり

Point

マスキングテープは、少しずつ切って貼るとぐるぐるときれいに巻きつけられます。

クリスマス

リース

難易度 ★★☆

ピースのように
はめ込むだけで
きれいに仕上がります。

紙のサイズ
15cm × 15cm：4 枚
仕上がりのサイズ
約 15cm × 15cm

組み合わせる色もセンスの見せどころ。模様入りもかわいいね。

1

縦、横半分に折りすじをつけます。

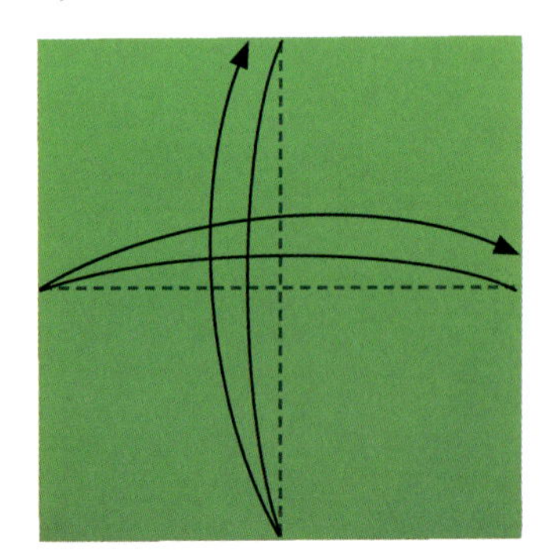

2

まん中に合わせて折ります。

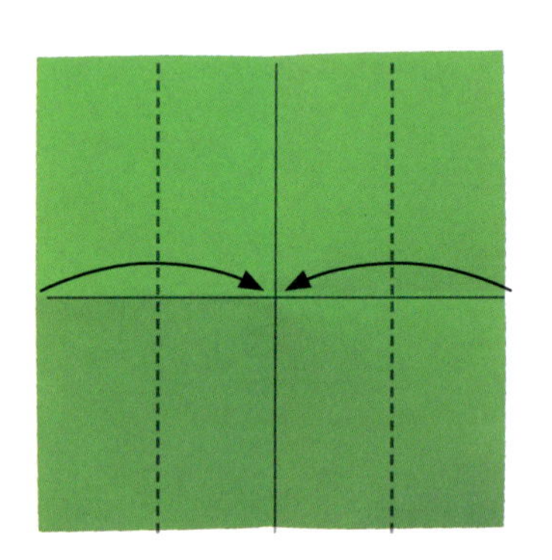

3

まん中に合わせて折りすじをつけます。

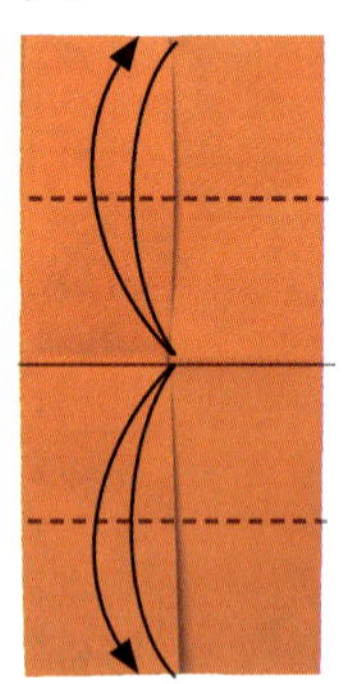

4

上の１枚を左右に広げてつぶすように折ります。

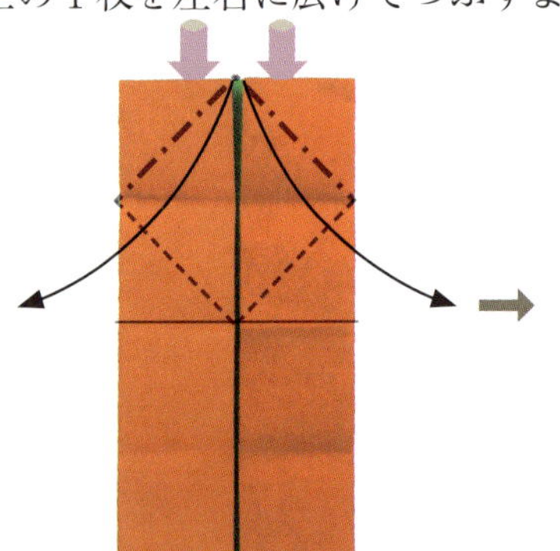

下も同様に折ります。

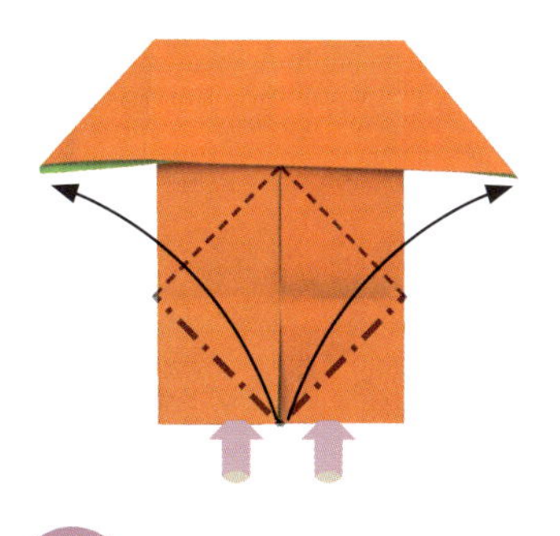

山折りで半分にします。

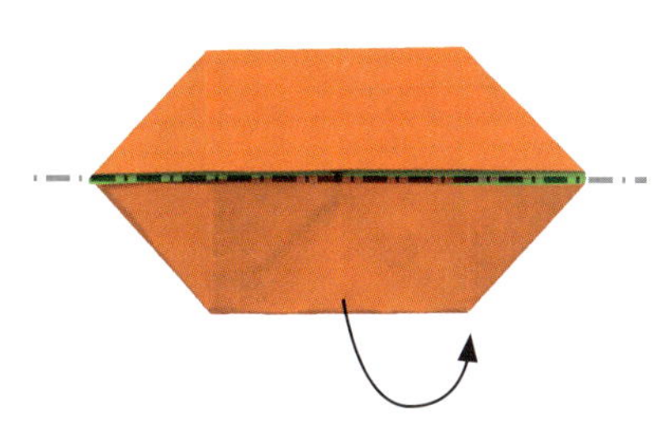

上側の左右の角をまん中に合わせて折ります。

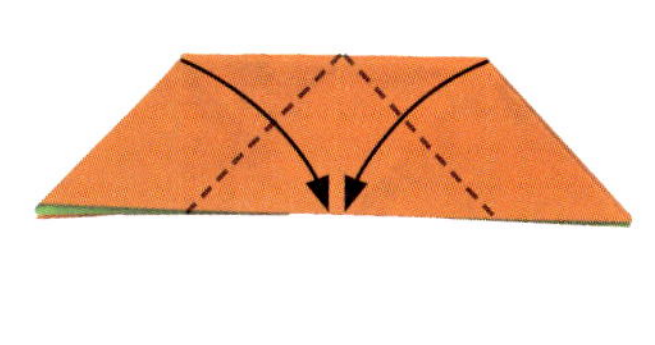

8

これと同じものを全部で4つつくります。

紅白など色を変えるとお正月飾りになりますよ。

9

角と角を差し込んでつなげていきます。

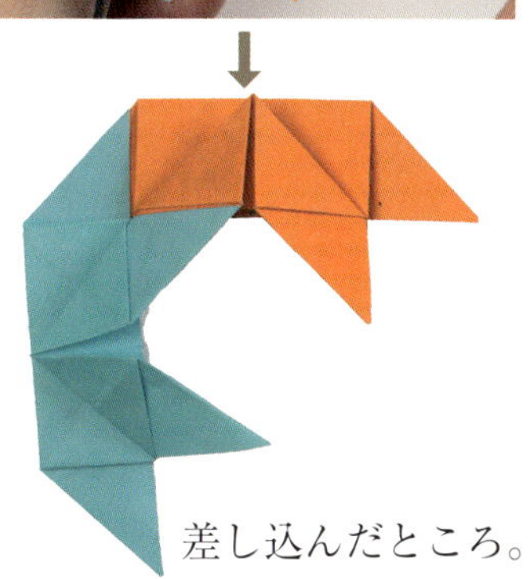

差し込んだところ。

残りも同じように差し込んでいきます。

できあがり

著者プロフィール

石川眞理子

専門学校のトーイデザイン科を卒業。
おもちゃメーカーにて企画デザインを担当後、映像制作会社での幼児向けビデオの仕事を経て独立。
主に子どもや女性向けの造形作品を雑誌やテレビで発表している。
NHK「つくってあそぼ」の造形スタッフ。「すくすく子育て」の布グッズ・折り紙の講師を担当。
著書に
「超おしゃれ！女の子の手作り自由工作BOOK」(主婦と生活社)
「みんな大好き！おみせやさんごっこ」(チャイルド本社)
「女の子のおりがみ」(メイツ出版) など多数。
「☆まりこのブログ」 http://air.ap.teacup.com/rasujojo/

Staff
デザイン　小幡倫之
撮影　村山玄子
編集・制作　NikoWorks

**大人かわい　かんたん実用おりがみ　新版
作って使える**

2021年　11月15日　第1版・第1刷発行

著　者　石川　眞理子（いしかわ　まりこ）
発行者　株式会社メイツユニバーサルコンテンツ
代表者　三渡　治
〒102-0093東京都千代田区平河町一丁目1-8
印　刷　株式会社厚徳社

◎「メイツ出版」は当社の商標です。

 ISBN978-4-7804-2544 -4 C2076 Printed in Japan.

ご意見・ご感想はホームページから承っております。
ウェブサイト　http://www.mates-publishing.co.jp/

編集長:折居かおる　企画担当:折居かおる

※本書は2018年発行の『大人かわいいかんたん実用おりがみ　作って使える』を「新版」として発行するにあたり、内容を確認し一部必要な修正を行ったものです。